O DIÁRIO DE BORDO DO JN NO AR

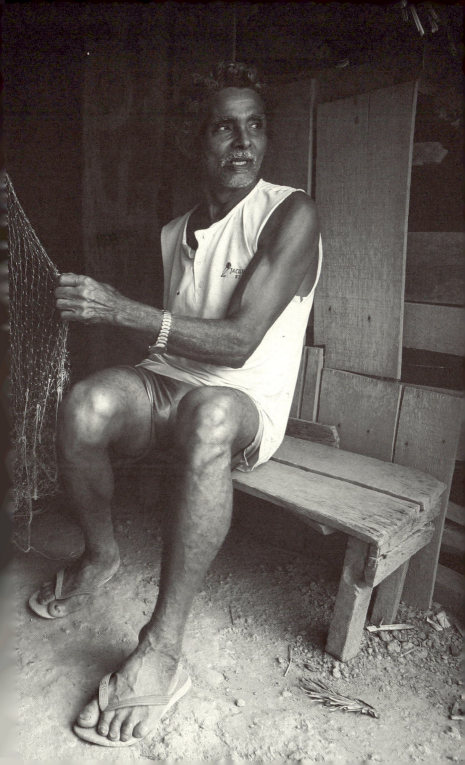

O DIÁRIO DE BORDO DO

JN
NO AR

Ernesto Paglia

Editora Globo

Dedicatória

Para Sandra, que é o meu ar.
Para Bernardo, Frederico e Elisa, que cresceram com tantas decolagens.

Agradecimento

Aos amigos, colegas e comunidades que nos receberam com generosa hospitalidade, o meu muito obrigado.

Apresentação

AS ELEIÇÕES DE 2010 marcaram a história. O Brasil elegeu a sua primeira presidenta, numa escolha final entre dois candidatos que tinham mais em comum do que eles próprios podiam admitir no calor da campanha.

Enquanto a propaganda do horário político desenhava o país que mais interessava a cada um dos palanques, o *Jornal Nacional* abria espaço para mostrar aos seus telespectadores um Brasil sem maquiagem.

Ao longo das cinco semanas que antecederam o primeiro turno das eleições, fiz parte da equipe de oito profissionais da Rede Globo que participou dessa cobertura inédita, batizada de Projeto JN no Ar. A cada noite, de segunda a sexta-feira, a bancada do *Jornal Nacional*, nos estúdios do Jardim Botânico, no Rio de Janeiro, recebia uma urna transparente. Dentro dela, os nomes dos municípios que poderiam ser sorteados para uma visita surpresa da equipe de reportagem. Para evitar polêmicas e teorias conspiratórias, todo o processo foi auditado por uma empresa especializada.

As cidades a serem sorteadas foram escolhidas por critérios simples. Primeiro, deveriam ter mais de 40 mil habitantes. E ficar, no máximo, a uma hora e meia de viagem, por terra, de um dos cerca de cem aeroportos brasileiros capazes de receber o pouso noturno de um jato do porte do Falcon 2000, fretado para os deslocamentos. Em alguns estados menores, o parâmetro demográfico foi relaxado para permitir a inclusão de, pelo menos, cinco municípios no sorteio.

Para ampliar o número de opções "sorteáveis", foi preciso recorrer a uma segunda aeronave, menos veloz, porém mais versátil do que o Falcon. Assim, a logística do JN no Ar incorporou o turbo-hélice Caravan, uma espécie de 4×4 dos ares, capaz de pousar em praticamente qualquer pista – uma solução ideal para estados onde as estradas ruins ou as distâncias rodoviárias ameaçavam reduzir excessivamente o número de cidades participantes.

As características complementares dos dois aviões influenciaram a mecânica dos sorteios. Foi necessário preestabelecer a sequência dos estados para compensar a diferença de velocidades. O Falcon 2000 voa a mais de oitocentos quilômetros por hora. O Caravan desenvolve menos de trezentos quilômetros por hora. Nossos produtores planejaram os deslocamentos para que o monomotor pudesse cortar caminho e estar à nossa espera nos estados onde seria necessário.

Houve momentos em que o Caravan, apesar de disponível, não foi usado. Foi o que ocorreu na Bahia. O município escolhido para representar o estado, Feira de Santana, fica a cerca de cem quilômetros de Salvador, onde pousamos com o jato. A viagem até Feira foi feita por terra. Não só porque o trajeto é rápido, mas, também, porque nem o Caravan poderia pousar lá: o aeroporto da cidade estava fechado havia um ano e meio por falta de segurança.

A montagem dessa logística foi um quebra-cabeça que envolveu contatos com a Força Aérea Brasileira, com a Agência Nacional de Aviação

Civil, com a Infraero, a Receita Federal, a Polícia Federal, com todos os aeroportos, com fontes de cada um dos mais de quatrocentos municípios incluídos, com as emissoras locais, com os hotéis, as locadoras de veículos etc. etc. Cada detalhe foi cuidadosamente planejado com um poder de antecipação impressionante. O comando dessa operação, iniciada em outubro de 2009, ficou nas mãos de duas colegas que compartilham nomes e competências. Teresa Cavalleiro, a TCav, e Maria Thereza Pinheiro, a Terezoca, formam o que um companheiro criativo chama jocosamente de "Central Globo de Teresas". Editoras-chefes de Projetos Especiais, essas duas experientes jornalistas dominam a fina arte de formar equipes e de comandá-las com firmeza, competência e simpatia.

Nossa viagem valeu por um pós-doutorado em relações-públicas. Por toda parte, fomos recebidos afetuosamente. Às vezes, até demais... À medida que os telespectadores do *JN* se familiarizavam com o sistema de escolha das cidades, aumentava a expectativa dos moradores. E a ansiedade das autoridades locais! A adoção do sorteio foi um achado, fórmula para driblar qualquer tentação de manipular ou maquiar a realidade. É claro que assessores, representantes e militantes saíam em nosso encalço tão logo amanhecia o dia, tentando nos localizar para influenciar ou dirigir os nossos movimentos. Acredito que tenhamos conseguido escapar da maioria dessas ciladas. E separá-las da vontade legítima das pessoas de trazerem a nós as informações verdadeiras das suas comunidades.

Nos mais de 50 mil quilômetros percorridos ao longo de quarenta dias, senti claramente a ansiedade das pessoas, a necessidade de dar vazão a queixas, pedidos, denúncias. O fato de termos sido escolhidos como canal para esse verdadeiro desabafo cívico me parece uma prova da ineficiência dos caminhos institucionais, mas, também, demonstração da credibilidade do nosso trabalho, da confiança que essas comunidades têm no *Jornal Nacional* e no jornalismo da Globo.

Muitos enviaram sugestões de temas por meio do site do *JN* ou do blog do JN no Ar. Muitas informações, depois de checadas, foram aproveitadas. Houve ocasiões em que as colaborações dos internautas nos fizeram mudar a pauta do dia. Em minha opinião, para melhor, já que a voz dos moradores foi ouvida e incorporada às nossas histórias.

Em todos os destinos, o departamento de segurança da TV Globo fez levantamento prévio, com a colaboração estreita dos colegas das emissoras locais. Não enfrentamos nenhuma hostilidade, mas, em vários locais, a presença discreta de agentes patrimoniais foi preciosa para conter o assédio crescente.

Os constantes deslocamentos, as noites de pouco sono, a verdadeira gincana diária em busca do essencial de cada lugar, somados à pressão inegociável do relógio, tudo desaconselhava qualquer tarefa extra. Felizmente, fui estimulado a resistir à tentação de me atirar na confortável poltrona de couro do avião ao fim de cada dia e dormir um pouco.

Descobri energia para manter este registro numa conversa com Ali Kamel, a quem agradeço pelo empurrão.

Foi o diretor da Central Globo de Jornalismo quem criou o projeto JN no Ar. A ideia nasceu em 2006, logo no final da Caravana JN, comandada por Pedro Bial. Kamel sabia que o formato precisaria mudar na próxima cobertura. Reeditar a expedição que cruzou o país de ônibus, às vésperas das eleições daquele ano, seria fatalmente repetitivo. Achou a solução no JN no Ar – em vez de viajar por terra, de forma linear e previsível, usaríamos um avião. Trocaríamos a corrida atrás dos "desejos dos brasileiros", mote da Caravana 2006, por visitas surpresa, capazes de gerar uma radiografia instantânea de uma cidade por estado, escolhida por sorteio, mostrando o que cada lugar tivesse de bom e o que precisasse de acerto.

O projeto, nunca realizado no país e, até onde sei, em nenhuma outra parte do planeta, nasceu inevitavelmente ousado. Envolveu enormes desafios jornalísticos e logísticos. Ali queria que o JN no Ar estivesse pronto para as eleições de 2008. Foi preciso esperar mais um pouco. Decolou de vez em 2010, graças à confiança, ao respaldo corporativo e à coragem editorial garantidos pelo diretor-geral de Jornalismo e Esportes, Carlos Henrique Schroder.

Portanto, uma sugestão do pai do projeto merecia todo o respeito.

E ela veio logo no voo inaugural, a caminho da estreia em Macapá. A 10 mil metros sobre algum ponto do mapa, Ali disse que eu estava autorizado a escrever um livro sobre a cobertura. Sujeito sensato, captei a mensagem e, imediatamente, comecei a me programar para cumprir a missão.

Não tenho pretensões literárias e este diário confirma isso. O modelo que segui foi o do relatório que costumo fazer em reportagens mais longas, como as participações nos mais de sessenta documentários que já produzi para o *Globo Repórter*. Chamo a isso de "decupagem virtual", brincando com o nome da lista de imagens feita quando revisamos o material "bruto" de uma reportagem de TV. No campo não há tempo para decupar o material que vai sendo recolhido. Para não perder o fio da meada, adotei a prática de fazer um registro cotidiano das situações, entrevistas e descrever as imagens que captamos. O leitor notará oscilações no estilo e tamanho dos capítulos. Peço que as aceite como testemunhos do imediatismo da escrita, feita nos intervalos de dias cheios e noites curtas.

Portanto, aqui temos um "diário de bordo". Ele foi feito para informar o telespectador interessado, para ilustrar o estudante de jornalismo. E, principalmente, para registrar uma cobertura sem precedentes, e aumentar ainda mais a transparência com que realizamos o nosso trabalho. Acima de tudo, para prestar contas de uma missão que espera ter contribuído para informar o eleitor/telespectador, ilustrar o seu voto e enriquecer o processo democrático no nosso país.

PREFÁCIO, POR WILLIAM BONNER

NA LISTA IMENSA de condições para o sucesso de uma ideia no universo do telejornalismo, uma das primeiras é o planejamento. Porque essa atividade profissional lida, todos os dias, com o inesperado, o imprevisível. É impossível garantir que fatos suficientemente relevantes irão ocorrer para compor uma edição decente de telejornal. Há dias em que gestores públicos não assinam documentos, motoristas não produzem acidentes graves, aviões pousam e decolam em perfeita segurança, ladrões não agem como se cumprissem o roteiro de um filme de ação. Há dias em que as condições meteorológicas são enfadonhas: temperatura amena, nada de vento, nada de tempestade. Em jornadas assim, um programa de notícias não terá, nos fatos do dia, material suficiente para uma edição de qualidade. Por isso, todo telejornal que se preze precisa se apoiar sobre duas pernas: a factual, de temas urgentes, recém-acontecidos ou ainda em curso, e a de atualidades, que compreende temas não urgentes, mas relevantes e necessários para que o espectador tenha uma visão mais abrangente e aprofundada do mundo que o cerca. Os assuntos de atualidade são abordados por reportagens que nascem de discussões entre jornalistas ("Vamos ver como andam os investimentos públicos em saneamento básico?") e não precisam ser exibidos, necessariamente, num dia predeterminado. Diferentemente das reportagens factuais, podem ficar prontas, numa gaveta, à espera do momento em que serão bem-

-vindas para compor, com dignidade, uma edição de telejornal. E esse material importantíssimo não surge ao sabor dos acontecimentos diários. Ele é produto direto da observação, da reflexão, da discussão e da avaliação de jornalistas. É um produto planejado para existir.

Nas eleições presidenciais brasileiras da primeira década do século XXI, o jornalismo da Rede Globo ofereceu, aos telespectadores-eleitores, oportunidades especiais de olhar para o país de forma um pouco mais detida, analítica. Na primeira delas, em 2002, além de inaugurar o formato das entrevistas densas e tensas com os principais candidatos, ao vivo, o *Jornal Nacional* produziu uma série especial de reportagens sobre o Brasil que se mostrava através das estatísticas oficiais do IBGE. O que fizemos foi comparar dados de duas PNADS (Pesquisa Nacional por Amostra de Domicílios), para apresentar retratos fiéis de áreas como a educação, o saneamento básico, o emprego, para que o público pudesse avaliar o que havia melhorado e o que ainda seria preciso melhorar no Brasil.

Nas eleições de 2006, o projeto especial do *JN* foi mais ambicioso. A bordo de um ônibus equipado com todos os apetrechos necessários para produzir, editar e transmitir reportagens jornalísticas diariamente, Pedro Bial viajou por todas as regiões brasileiras com a equipe da Caravana JN. A missão do repórter era investigar os anseios dos cidadãos naquele ano eleitoral, na série intitulada "Desejos do Brasil".

Em outubro de 2009, um ano antes de os brasileiros elegerem Dilma Rousseff para a Presidência da República, o diretor da Central Globo de Jornalismo, Ali Kamel, reuniu em sua sala os diretores executivos Luís

Cláudio Latgé e Renato Ribeiro, as editoras-chefes de Projetos Especiais Teresa Cavalleiro e Maria Thereza Pinheiro, os produtores André Modanesi e Adriana Caban, Fátima Bernardes e eu para encomendar o projeto de 2010: em vez de uma caravana, uma espécie de "blitz" jornalística em municípios brasileiros. E de avião.

Ao contrário do que éramos obrigados a fazer antes, o novo meio de transporte nos permitiria transitar, entre os estados, de forma não linear. Se a Caravana havia percorrido milhares de quilômetros de forma paulatina, com destinos previsíveis na simples observação do traçado das estradas disponíveis, as viagens aéreas ofereceriam a oportunidade de, entre cada uma das reportagens, mudar totalmente de paisagem, de sotaque e de ambiente socioeconômico. Mais: desta vez, o repórter percorreria o Distrito Federal e todos os 26 estados brasileiros. Um município de cada. Naquela primeira reunião, o nome do "comandante" foi sugerido e aprovado. O repórter Ernesto Paglia, patrimônio do *Jornal Nacional*, com três décadas de presença no vídeo e um talento acima de qualquer suspeita.

Para realizar a ideia de Ali Kamel, foram necessários o empenho e a competência de um grupo muito numeroso de profissionais em cada estágio da execução. E absolutamente tudo que precisava ser planejado passou por essas pessoas: que aviões usar, os aeroportos que poderiam recebê-las, os critérios de seleção das cidades sorteáveis, a engenharia de edição e de transmissão das reportagens e uma profusão assustadora de minúcias técnicas e práticas. Assustadora e indispensável.

No projeto de 2006, a cada duas semanas, Fátima Bernardes e eu nos revezamos na apresentação do *JN* ao vivo, a céu aberto, de cada uma das regiões brasileiras. Em 2010, o JN no Ar não teria essas "ancoragens" fora de estúdio. Ernesto Paglia entraria no *Jornal Nacional*, de segunda a quinta, ao vivo, para saber o nome da próxima cidade para onde teria que voar. Na sexta não havia sorteio, porque sábado e domingo eram dias de descanso para a equipe. E para que o prefeito da cidade visitada na segunda-feira não tivesse tempo de "maquiar" as mazelas municipais, Paglia participava do *Fantástico*, nos domingos à noite, que sorteava a cidade felizarda.

Mas decidimos que a abertura do projeto precisava ser marcante e simbólica. Chegamos a pensar em ancorar o *JN* ao vivo de Porto Seguro, Bahia, o primeiro naco de terras brasileiras avistado da caravela em que viajava Caminha. Mas o fato de a Caravana de 2006 ter partido do Rio Grande do Sul nos fez mudar os planos. Precisávamos, desta vez, começar pelo Norte. Desde 1998, a geografia ensina que o extremo norte do Brasil é o Monte Caburaí, em Roraima. Mas se a nossa intenção era recorrer a algum simbolismo, não poderíamos desprezar a expressão popular e tradicional que atribui essa condição ao Oiapoque, Amapá. E a capital do estado, Macapá, foi escolhida para abrir os trabalhos de Ernesto Paglia e equipe.

Viagens como aquela reforçam minha convicção de que o *Jornal Nacional* deixou há muitos anos de ser um programa jornalístico da Rede Globo para se tornar um patrimônio dos brasileiros. Porque nossa equipe teve, em Macapá, a mesma receptividade entusiasmada que testemunhamos quatro anos antes, nas ancoragens do *JN* em São Miguel das Missões, RS, em Petrolina, PE, em Belém, PA, em Cidade de Goiás, GO. A acolhida calorosa que sempre marca nossas incursões Brasil adentro ilustra essa relação fortíssima que os telespectadores mantêm com o mais importante telejornal da televisão brasileira. Foi assim, outra vez, quando pousamos o jatinho do *JN* no aeroporto macapaense.

Nossa chegada foi num sábado quente e úmido, como costumam ser os dias em cidades cercadas pela Floresta Amazônica. Eu usava óculos escuros ao pisar o primeiro degrau da escadinha do avião – e as lentes ficaram instantaneamente embaçadas pelo choque térmico. Caminhamos alguns metros pela pista, onde cumprimentamos colegas da Rede Amazônica, afiliada da Rede Globo na região. Numa espécie de sacada, acima da porta de entrada do saguão de desembarque, havia algumas dezenas de pessoas à nossa espera. Algumas gritavam e acenavam: "Tio! Tio! Aqui!".

Ali Kamel, a meu lado, comentou, surpreso: "Pegou mesmo, esse negócio de 'tio', né?". Ele se referia à forma como habituei meus seguidores no microblog Twitter a me tratar. E Ali estava certo. De fato, o "tio Bonner" pegou. Mas o que me chamou a atenção, naquele momento, foi encontrar tantos seguidores de Twitter numa cidade brasileira em que os serviços de internet são alvo de queixas e protestos frequentes. Ao longo de três dias, eu os vi em mil lugares diferentes, em Macapá. O que me fez suspeitar que, paradoxalmente, aquela talvez seja uma das cidades com a maior proporção cidadãos/internautas do Brasil.

Estivemos na Fortaleza de São José por duas vezes antes da noite em que apresentamos de lá, ao vivo, o *Jornal Nacional*. Gravei entrevistas no local e a bordo de um barco para reportagem que apresentava traços do Amapá aos brasileiros. Estive também no marco zero do Equador, ao lado do sambódromo macapaense. E me surpreendi por ter de adiar gravações na área ao descobrir que a cantora Ivete Sangalo realizava show no mesmo lugar, exatamente naquele fim de semana. E havia também um culto com o pastor Silas Malafaia, que preside uma das maiores igrejas pentecostais do Brasil. *Jornal Nacional*, Assembleia de Deus e Ivete Sangalo, num mesmo fim de semana, numa das menores capitais brasileiras, distante 1.791 quilômetros de Brasília, 2.664 quilômetros de São Paulo, 1.500 quilômetros da Juazeiro de Ivete. É mesmo grande e surpreendente esse nosso país.

Sobre a ancoragem do *JN* em Macapá, AP, digo que me lembrou a de Juazeiro do Norte, CE, em 2006, na Caravana, pelo entusiasmo do público. Na volta pra casa, uma de minhas filhas comentou, com propriedade: "Parecia um show de rock!". E não era só o cidadão macapaense que festejava a presença do *JN* por lá. Autoridades políticas locais também. Uma delas insistiu para que eu a recebesse para uma conversa. Mas, o que seria perfeitamente natural em outro momento, tornava-se impróprio naquelas semanas que antecediam a eleição. A autoridade em questão ocupava cargo eletivo e estava em campanha para continuar no cargo. E o jornalismo da Globo recomenda fortemente a seus integrantes que evitem qualquer situação caracterizável como propaganda eleitoral para qualquer candidato. Assim, para não cometermos uma descortesia, estabelecemos algumas condições para que o encontro se realizasse. Teria de ser sem registro de fotos, em local reservado. Exigências aceitas, recebi o candidato na antessala de meu quarto, no hotel, durante cerca de quarenta minutos, no meio da tarde da segunda-feira da ancoragem. Fiz algumas perguntas protocolares sobre a área por ele administrada e ouvi respostas de mesmo teor. Tudo longe de qualquer possível exploração propagandístico-eleitoral.

Um reencontro inesperado com a autoridade local se deu imediatamente após o *JN* daquela noite. Ao me dirigir para o lugar onde um carro me aguardava, fui abordado pelo candidato. Dessa vez, cercado por cinegrafista, fotógrafos, assessores e outras tantas autoridades do Executivo, do Legislativo e do Judiciário. A uns cinquenta metros do estacionamento já repleto de gente, uma mulher venceu o cordão de policiais militares que deveria evitar a invasão da multidão e veio correndo em minha direção. "Um retrato! Eu quero só um retrato, pelo amor de Deus!", e pôs a câmera nas mãos da autoridade a meu lado. A sua excelência não restou alternativa. Tratou de fotografar o momento de tietagem e devolver a câmera à dona. Em seguida, avançamos em direção ao estacionamento, enquanto o candidato assegurava que a PM garantiria nossa segurança com um corredor humano até o carro. Pelo sim, pelo não, preferi esperar que Ali Kamel fosse na frente. Questão de gentileza com o nosso diretor... Mas ele não deu dez passos e se viu cercado: "Volta, Bonner! Volta!". E voltamos.

Caminhávamos, então, no sentido oposto ao do estacionamento, tentando alcançar a saída dos fundos da fortaleza, quando nos deparamos novamente com a mulher que tinha transformado a autoridade local em fotógrafo amador. E bota amador nisso: "Não prestou! O retrato não prestou, pelo amor de Deus" – e estendia a câmera agora na direção de outro integrante da comitiva, enquanto seus olhos censuravam sua excelência, o lambe-lambe reprovado.

Foto refeita, beijo, abraço, adeus – e apertamos o passo para chegar ao carro antes que a multidão intuísse nossa intenção. Foi quando Ali observou a inscrição na camiseta de um cinegrafista: "Sorria! Você está sendo filmado".

– Senhores, essas imagens não podem aparecer de jeito nenhum em lugar nenhum. O contrato do Bonner proíbe! Se ele for visto em propaganda eleitoral ao lado de qualquer candidato a punição será imediata. Está no contrato.

E aproveitei:

– E aí serei eu mesmo a exigir indenização de quem usar.

As autoridades demonstraram algum constrangimento. Juraram que não utilizariam as imagens. E, de fato, não usaram.

No caminho do hotel de Macapá até o aeroporto, duas horas depois, nosso carro foi perseguido por outro, com três mulheres. Fechavam nossa passagem pelas ruas. Emparelhavam o veículo delas com o nosso. Gritavam, gesticulavam. Queriam fotos. E as conseguiram, em frente ao aeroporto, depois de removerem, das roupas, adesivos de campanha de outro candidato local.

A viagem a Macapá já teria sido suficientemente rica em emoções com o que vimos e ouvimos naqueles três dias. Mas ganhou cores ainda mais vivas apenas seis semanas depois, quando a operação Mãos Limpas, da Polícia Federal, encarcerou algumas excelências amapaenses a quem tivemos a oportunidade de sermos apresentados.

Em pouco menos de 72 horas, pudemos reunir essas experiências só com a apresentação de abertura do JN no Ar. Os dias e as aventuras que se seguiram estão nas próximas páginas, narradas com sabor e talento pelo comandante Ernesto Paglia. Boa viagem! Ou seria mais apropriado "bom apetite"?

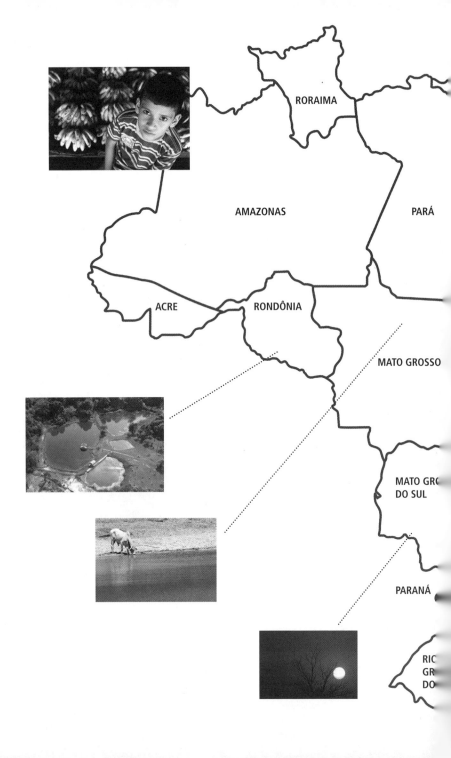

Macapá
Estado **Amapá**
População **397.913 habitantes***
*Fonte: IBGE Censo 2010

O primeiro voo:
Depois de uma estreia quente (nos dois sentidos) em Macapá, voamos na escuridão em direção ao nosso primeiro destino nesta cobertura — Igarassu, na região metropolitana do Recife. Confesso que teria preferido um município do alto sertão pernambucano, mas vamos àquele que é considerado o segundo mais antigo povoamento oficial do país. Bom começo. Tudo correu superbem no Amapá. O calor de 35 graus (com sensação térmica de 46, segundo o site do CPTEC...) desencoraja maiores passeios, mas dei um pulo no Forte de São José. Foi ele que me fascinou logo na primeira visita, sete anos atrás. E me fez sugerir Macapá para a largada da nossa

cobertura. A ideia, aprovada depois da análise da direção de projetos especiais (com direito a visita a Macapá da Teresa Cavalleiro, titular do posto), ganhou vida própria. Fez a emissora deslocar três toneladas de equipamento do Rio de Janeiro, São Paulo e até da afiliada de Manaus, a Rede Amazônica de TV. A força-tarefa vinda do Rio teve mais de trinta profissionais. O primeiro time do jornalismo a serviço do JN. Dar suporte para o William Bonner ancorar o jornal da velha fortaleza exigiu um megaesquema. As casas dos antigos oficiais portugueses, no interior do forte, viraram salas de reunião, segurança, e uma central técnica completa. Do lado de fora, uma multidão de cerca de 2 mil pessoas, aceitando o convite repetido ao longo do dia pela TV Amapá. William agitou a massa com competência. Ele certamente aprimorou seu controle de plateias na Caravana JN das eleições de 2006.

Estou feliz. E aliviado. A sugestão deu certo.

O esquema da nossa equipe não é menos sofisticado do que aquele que foi montado para a transmissão da estreia do projeto. Nosso Falcon 2000 é um luxo. O avião executivo, normalmente usado por diretores e acionistas das Organizações Globo, é tão luxuoso que precisamos forrar as confortáveis poltronas de couro creme clarinho, para nossa rotina de trabalho duro não estragar nada. Capas de brim cáqui cobrem até a parte baixa das laterais do avião executivo. Quando o comandante Kede disse que não precisaríamos de tanta proteção, que ele orientaria a equipe para tomar cuidado, eu insisti na sugestão... definitivamente, o único contato do experiente comandante com o mundo da televisão havia sido, até então, transportar a cúpula da emissora em seus deslocamentos pelo mundo. Algo bem diferente de uma equipe de TV com pressa, cansada, carregada de equipamentos e malas cheias de arestas afiadas...

Logo que acabo o meu "vivo" inaugural de Macapá, subo a bordo e encontro a temperatura amapaense amenizada pelo poderoso ar-condicionado do jato. Abro o computador e começo a trabalhar. Sou interrompido pela Luciane, nossa comissária de bordo. Ela me oferece refrigerante e amendoins, algo para esperar o jantar. Logo em seguida, chega a comida – salada, filé ao molho de champignons, pudim de leite. Luxo só! Vamos, seguramente, ralar muito nesta cobertura. Mas ralar com estilo, isso é certo!

Nos acomodamos nas oito poltronas. Enquanto o comandante Kede prepara o plano de voo, a produtora chefe, Adriana Caban, dispara "n" telefonemas para a redação do JN no Ar, no Rio, e para a emissora do Recife, onde vamos pousar e dormir. Aluga carros, pede apoio, combina o encontro com a equipe local que vai nos acompanhar. Quero ver como vai ser esse trabalho a toque de caixa com todo esse *entourage*... e o provável assédio popular, depois da divulgação prévia pelo *JN* da nossa chegada. Como vai funcionar? Antes mesmo de partirmos, já recebi carta da prefeitura de Curitibanos, SC, colocando a pista do aeroporto à nossa disposição... e o remetente me chama pomposamente de "diretor de Jornalismo do *Jornal Nacional*"... obrigado, Excelência, mas prefiro ser repórter especial. Muito mais divertido!

William Bonner e Dennys Leutz gravam entrevista para a matéria de estreia do JN no Ar, navegando no rio Amazonas, próximo a Macapá

Ernesto Paglia   35

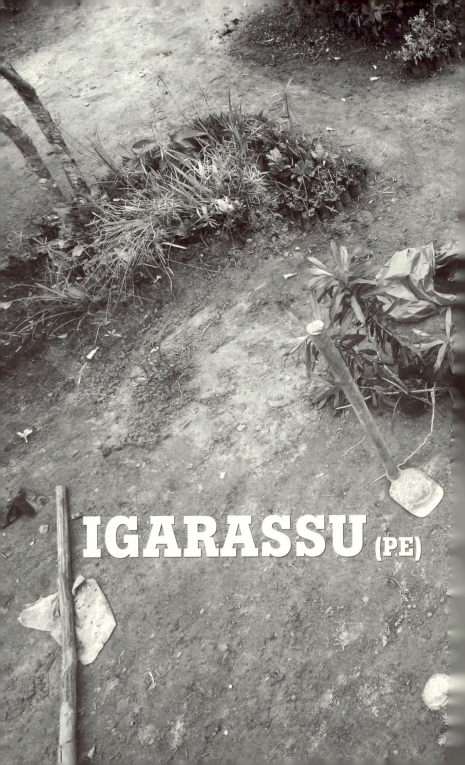

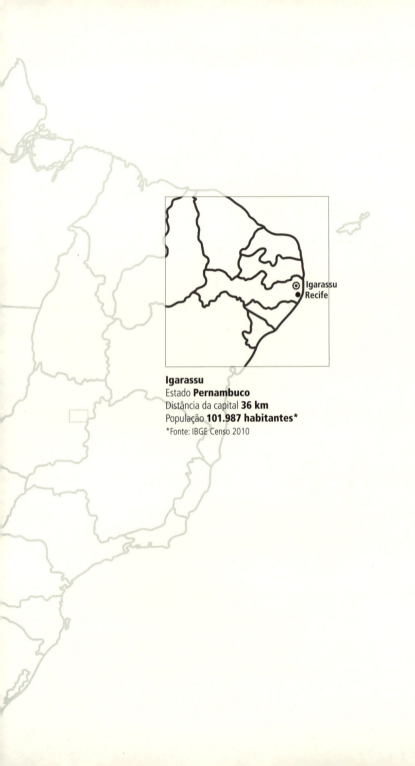

Igarassu
Estado **Pernambuco**
Distância da capital **36 km**
População **101.987 habitantes***
*Fonte: IBGE Censo 2010

Pano rápido... e já estamos em Curitiba. Só agora, depois da nossa primeira matéria ir ao ar, consigo retomar o diário.
Abro o e-mail e recebo cumprimentos da direção da Central Globo de Jornalismo (CGJ). Ótimo. Começamos, sem dúvidas, com o pé direito. Só falta o resto do trabalho...
É noite de... terça para quarta, se não me engano. Andar a jato pelo país, trabalhando sem parar, é um jeito fácil de perder a noção do tempo!
Por sorte, no desembarque em Curitiba, a temperatura de dezessete graus não chegou a congelar os colegas mais informais da equipe, que passaram o dia de bermudas

O ônibus escolar transporta os alunos da Escola Aberta Paulo Freire. Os cursos profissionalizantes dão a chance de um futuro melhor para as crianças dos bairros pobres de Igarassu

no conforto térmico de Pernambuco. Viemos para cá depois da primeira jornada do JN no Ar, na pouco conhecida cidade histórica de Igarassu. A apenas 36 quilômetros do Recife, a cidade de 100 mil habitantes é a segunda mais antiga do país! Confesso que nunca tinha ouvido falar... mas foi onde os portugueses criaram a segunda vila colonial, no começo do século XVI (a fundação oficial é de 1535, mas eles já andavam por lá antes). Igarassu só perde a primazia para São Vicente, no litoral paulista. A informação foi confirmada pela equipe de produção que fica a postos no Rio de Janeiro, aguardando o sorteio do nosso próximo destino.

Fomos pra cidadezinha de manhã, seguidos de perto pela equipe da Globo Nordeste. Mônica Silveira, a repórter de rede do Recife, nos acompanhou o dia todo, mostrando os bastidores do JN no Ar. Tudo meio estranho, ser seguido por uma colega, ser filmado a todo instante (desde a saída do hotel, numa chuvosa praia de Boa Viagem...), dar entrevistas etc. Nosso deslocamento virou uma pequena carreata, com dois veículos para as nossas duas equipes e, fechando o cortejo, a equipe local. Mas faz parte do esquema de divulgação do projeto e, naquela noite, uma matéria especial mostraria na segunda edição do NE TV como nós preparamos a reportagem do dia. E, por maior que seja o estranhamento dessa "perseguição" pelos colegas do "local", é preciso admitir que, em muitas cidades, e até estados, a presença do JN no Ar é um acontecimento. Viramos notícia, pois.

Cidade pequena tem a imensa vantagem do deslocamento rápido. Apesar disso, resolvemos dividir as operações. Tirando vantagem do luxo das duas equipes, pedi ao Lúcio Rodrigues e à produtora Adriana Caban para colherem uma lista de imagens – a grande usina de cana, o casario do centro histórico, a igreja mais antiga do país ainda em pé (a dos santos Cosme e Damião), bairros com problemas de saneamento. Aos poucos, a prática vai virar rotina. E, ao fim de cada visita, a Adriana vai adotar o eficiente procedimento de me mandar uma decupagem por e-mail. Enquanto cada equipe retorna à base no seu veículo, eu posso ir fechando o texto no notebook. Se precisar tirar alguma dúvida, celular ajudando, ligo pra ela.

A garantia do almoço é mais um atrativo da Escola Aberta. Para muitos alunos, pode ser a única refeição do dia

Hoje, saí com o Dennys Leutz, o técnico Ulisses Mendes e o editor de internet Alfredo Bokel Jr. Sempre seguidos de perto pela equipe da Mônica, tomamos o rumo da Escola Aberta Paulo Freire. A instituição, criada pela prefeitura, foi feita para ocupar o tempo ocioso dos alunos mais carentes da rede pública. Cento e vinte rapazes e garotas de onze a dezessete anos aprendem ofícios, ganham bolsa de estudo de cinquenta reais e, principalmente, ficam longe das tentações e perigos do trabalho nas ruas. Muitos eram lavadores de carros, flanelinhas, perigosamente expostos à marginalidade. Somos guiados pela presença forte de Yara Porto. A assistente social é a diretora. Mantém uma relação de mãezona/tia com a rapaziada. Todos os dias, na chegada da turma, reza com os jovens, faz uma preleção e abraça um por um. Tocante. A menina do curso de corte e costura diz que já planejou tudo (quando se "formar", em 2014, vai ganhar uma máquina de costura da mãe e vai pra Caruaru, centro do mundo da confecção por aqui – "Tem de pensar alto, não dá pra pensar pequeno, não!", diz ela, do... alto dos seus quatorze anos. Eis uma bela sonora para a matéria!).

Do alto da fachada, cinco séculos contemplam a nova geração de igarassuenses. As joias do patrimônio histórico da segunda cidade mais antiga do país convivem com tristes problemas contemporâneos – apenas 788 dos mais de 100 mil moradores têm acesso ao saneamento básico

Enquanto corríamos para registrar um rápido instantâneo das cidades, nosso técnico Ulisses Mendes achava tempo para ir clicando cenas desse lindo Brasil profundo que visitamos

A edição foi tranquila. Consegui mandar os primeiros discos por intermédio da equipe do Lúcio/Adriana, que voltou primeiro. Eles entregaram para a Gigi, que montou a sua ilha de edição no hangar da empresa que nos deu apoio no aeroporto Gilberto Freire. Cena surreal, uma ilha de edição no meio dos helicópteros e aviões executivos... mas nada é comum nesta expedição!

Escrevo no notebook, durante o deslocamento. Enfrento a náusea que vai me rondando com longos olhares pensativos para o horizonte... Mas vale a pena. Chego com o texto pronto. Gravo, entrego com indicações das entrevistas para a Gigi ir montando... e ainda dá tempo de comer um bode no restaurante de Boa Viagem... ninguém é de ferro, né?

À noite, a emissora local montou todo o esquema do "vivo". Ótimo. É um luxo que não teremos em outras partes. Vamos aproveitar. Assim, o Ulisses e o Hailson – a turma da engenharia – não precisam montar a *fly-away*, a pesada antena portátil que toma um bom tempo e atrasa a partida para o próximo destino.

Caminhão da Globo Nordeste na pista, ao lado do jato, junto com gerador e outro carro de apoio. Mais uma cena incomum, desta vez na pista do aeroporto internacional do Recife...

Tudo azeitado, o inesperado ataca: começa a chover no meio do meu "vivo"... nada que atrapalhe demais. Consigo improvisar e encaixar o comentário sobre o aguaceiro que cai, molhando as lentes e a minha camisa.

Na volta do VT, novamente ao vivo para aguardar o sorteio, já vesti uma jaqueta impermeável. Claro, é o suficiente para não chover mais. No monitor apoiado no asfalto do pátio do aeroporto, vejo

Fátima botar a mão na caixa de acrílico... e tirar a próxima missão: vamos para Almirante Tamandaré... anticlímax, de novo. Em vez de um canto remoto do Paraná, vamos direto para a região metropolitana de Curitiba... preferia Foz do Iguaçu, Londrina, sei lá. Mas tem a vantagem de que vamos dormir em um bom hotel. Amanhã veremos que histórias rende a trepidante Tamandaré, quase um subúrbio de Curitiba, a meros quatorze quilômetros do centro da capital.

Vou dormir. Apesar do soninho no avião (foram boas três horas de voo), estou cansado. Estou pondo em prática a técnica do Napoleão, que, dizem, cochilava até montado no cavalo, aproveitando qualquer intervalo de batalha...

A assistente social Yara Porto mostra as instalações da Escola Aberta. Estranhei o fato de a diretora não ser pedagoga, mas a formação de Yara mostra o compromisso da instituição com o uso da educação como ferramenta de mudança social

ALMIRANTE TAMANDARÉ (PR)

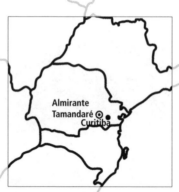

Almirante Tamandaré
Estado **Paraná**
Distância da capital **14 km**
População **103.245 habitantes***
*Fonte: IBGE Censo 2010

Outra noite, novo aeroporto. Decolamos novamente. Sentado na "primeira classe" (os bancos da frente do nosso luxuoso Falcon 2000, que ficam encostados nas laterais, dois de frente e dois de costas, receberam esse apelido sacana da sempre criativa turma do "fundão": Ulisses, Vinícius, Adriana e Gigi. Lá, as quatro poltronas espaçosas foram dispostas em duplas, de frente para uma mesa central...), aproveito o momento antes do jantar para botar o diário em dia. Nossa competente Luciane, a comissária de bordo, prepara as mesinhas, retiradas dos seus esconderijos nas laterais laqueadas do avião (todas devidamente forradas pela capa de brim).

O proverbial salame, produzido pelo casal Hilton e Elza. Os embutidos forneceram a "cor local" para o nosso VT sobre Almirante Tamandaré, PR, e viraram metáfora para os aspectos positivos que buscávamos em cada cidade visitada

O dia foi quente, ensolarado, empoeirado. Meus olhos estão cansados e irritados. Ontem, desembarcamos em Curitiba cheios de apreensões. O sorteio nos despachou para Almirante Tamandaré. Cidade-dormitório, na grande Curitiba, é uma espécie de "outro planeta" dentro da riqueza média do Paraná. O lugar é o maior produtor de calcário agrícola do país, mas tem uma renda média equivalente a um terço da média estadual. Ou seja, é um buraco, como disse com conhecimento de causa um editor da nossa afiliada local. Mas, atenção: o conceito de buraco é muito severo no Paraná... a cidade, de pouco menos de 100 mil habitantes, é infinitamente mais "ajeitada" do que as cidades dormitório, digamos, da grande São Paulo. Há problemas, é claro. O pessoal da Rede Paranaense de Comunicação (RPC), afiliada da Rede Globo, nos segue, para mostrar nosso trabalho nos jornais locais. E não sai ileso... eu, que já havia me valido da ajuda da Mônica Silveira no Recife, faço o mesmo com o competente Fernando Parracho, da RPC. Ele veio pra me tosquiar... e saiu me deixando de presente um belo pulôver! Parracho ajudou em tudo. Foi do cinegrafista dele, inclusive, a dica da escola municipal que funciona no porão de uma igreja batista. Lá, encontramos corajosas professoras, gente disposta que se dedica aos 321 alunos sem ficar reclamando o tempo todo das instalações. Ninguém é ingênuo – sabemos que uma professora do município não tem muito espaço para criticar a administração. Mas elas mostram uma energia que faz a gente pensar que deve haver um brio todo especial na alma de cada professor que o faz ensinar, apesar de tudo.

O restante do dia é riquíssimo. Seguindo o velho estilo jazzístico (permitam-me a jactância... é que eu defino assim o meu jeito de ir improvisando ao longo da matéria, dançando conforme a música, ajustando o foco ao longo do dia), vou acrescentando histórias. E limando outras, feito a moça que se apresenta como "índia do Amazonas", que "sabe tudo" e que pode me mostrar a sua clínica de cura baseada nas águas e numa vida "naturista" – não, não parece ter nada a ver com nudismo... –, pacientemente, explico que o mote da nossa viagem é outro e parto para o próximo tema.

E o povo de Almirante Tamandaré tem histórias pra contar. Aliás, todo lugar tem esse tesouro. A arte do nosso ofício me parece, justamente, ter ouvidos para essa riqueza. E ir tentando separar a conversa fiada do veio precioso de algum bom causo do lugar.

Respondendo a uma pergunta que eu havia lançado ainda à mesa do café, no hotel em Curitiba, Parracho me diz que alguém da redação da RPC lembrou de um casal de idosos que ganhou fama produzindo salame e vinho artesanais no sítio onde vive, na periferia de Tamandaré. Imediatamente, resolvo investir na história. Parece ser a última chance de mostrar algum motivo de orgulho dos moradores da cidade.

Não podia dar mais certo. O pequeno sitiante revela que não dá conta dos pedidos dos clientes de Curitiba, que vão à cidade só para comprar os belos salames. Incluímos a simpática história, uma notícia boa neste lugar de pouco brilho. Mais do que isso, enriquecemos o jargão do JN no Ar. Daqui pra frente, em cada cidade que visitarmos, procuraremos o "salame" local.

Bem, preciso confessar que os dois últimos parágrafos foram escritos na manhã seguinte, já em

Frei Rogério, o jovem reitor do convento franciscano de Almirante Tamandaré, falou do lado bom do Aquífero Carst. O abundante lençol freático abastece os frades há setenta anos, mas causa afundamentos em outras áreas do município

Ernesto Paglia

Porcos do chiqueiro do Seu Hilton. Em breve, os animais serão sacrificados para rechear o famoso salame disputado por consumidores de Curitiba

Marabá. Minha escrita noturna, a bordo do Falcon, foi interrompida gentilmente pela Luciane, com o jantar. Depois, o sono me derrubou. Só acordei quando pousávamos num inesperadamente movimentado aeroporto de Marabá, às onze e meia da noite. Ao nosso lado, o jato da TV Liberal, a afiliada paraense. A equipe que vai nos acompanhar amanhã veio de Belém. O diretor de engenharia também desembarcou em Marabá. Uma Unidade Móvel de Jornalismo (UMJ) está vindo por terra. Teremos boa infraestrutura quando voltarmos de Jacundá. O QUÊ????

Pois é... vamos ao *flashback*. Ontem, em Curitiba, paguei o maior mico no ar com essa interjeição desesperada. Resumo da história: tudo corria bem para o já tradicional "vivo" na porta do avião. A emissora paranaense, a RPC, enviou seus técnicos e um caminhão de externa, com um Satellite News Gathering (SNG), para nos ajudar e evitar a montagem da *fly-away* (até agora, nos livramos...). Fiz a primeira entrada, chamando a matéria. Estourei o tempo uns dez segundos, mas deu tudo certo, apesar do estrondo de um jato decolando bem perto. Mas... na hora do sorteio... cadê o meu retorno? Enquanto o meu VT de dois minutos e 48 segundos ainda estava no ar, parei de ouvir o som da "rede". Percebi que estávamos indo para um voo cego. E fiz a besteira de pedir ao pessoal que estava em volta de mim para tentar ouvir o nome da próxima cidade no monitorzinho de dez polegadas que foi montado para eu ter retorno de vídeo do "ar". É claro que, no agitado aeroporto de São José dos Pinhais, tinha de ter um avião pousando e outro taxiando bem perto, com turbinas ligadas a todo vapor... Quando a Fátima leu o nome de Jacundá, ninguém ouviu direito. O cinegrafista Lúcio e o técnico Ulisses tentaram me ajudar, gritando, um, "Jacúnda", o outro, "Macumba", ou algo que soou parecido. Eu, diante da mudez dos fones de ouvido e das suspeitíssimas versões que os colegas forneciam, não pude evitar o ar abobalhado e a pergunta em tom de velha surda do antigo programa humorístico sem graça... "O QUÊ???" Nem sabia que já estava no ar... mas segui em frente, desta vez com o que deveria ter feito desde o princípio... emendei dizendo algo como "Deu pra ouvir que é no Pará. O comandante Kede me informou, antes, que o tempo de voo para lá é de cerca de três horas. E é pra lá que eu vou... até amanhã". Ninguém está livre de uma situação dessas. Só não gostei do jeito que reagi. Podia ter dito claramente que não estava escutando, mas acho que a pressão e a expectativa diante do momento da escolha da próxima cidade foram mais fortes. Que fique a lição. Afinal, isso pode acontecer de novo, fácil, fácil...

Bem, temos um novo dia, um novo estado, uma nova cidade pela frente. Hoje, o desafio de mostrar a vida num município carente e violento do conflagrado sul do Pará. Mas isso eu conto melhor no fim do dia... até lá!

O produtor prepara a mesa para a nossa esperada degustação. Torresmos, salame e vinho caseiro foram o único almoço possível naquele dia...

Ernesto Paglia   53

JACUNDÁ (PA)

Jacundá
Estado **Pará**
Distância da capital **435 km**
População **51.375 habitantes***
*Fonte: IBGE Censo 2010

Retomo a narrativa apressada a 43 mil pés sobre o país. Acabamos de jantar (hoje, depois de uma lágrima de uísque surgido não sei de qual mochila, numa espécie de *happy hour* aérea, comemos um inacreditável estrogonofe de filé obtido de fonte ignorada pela Luciane) e estamos a caminho de Ponta Porã, no Mato Grosso do Sul. Tivemos mais um dia cheio. Desta vez, fomos mais fundo no Brasil sem lei. Tivemos pouco tempo em Jacundá. Mas não é preciso fazer força para entrar em contato com a realidade local. Mal paramos na avenida principal, mera continuação da rodovia que nos trouxe de Marabá, fomos cercados por uma horda de motoqueiros e pedestres. Os mais vocais, um punhado de correligionários do quase prefeito, sujeito que teve mais votos na última eleição mas não assumiu, candidatura impugnada pela justiça eleitoral. Gravo um pouco com eles, mas o discurso é claramente partidário. Vai ser difícil usar. Enquanto isso, meu olhar encontra mais variedade nos motoqueiros. Praticamente nenhum protege a cabeça, com a honrosa exceção dos mototaxistas. Um dos "sem capacete" não tem mais do que quinze, dezesseis anos. Ele diz sem nenhum pudor que é menor, que pilota sem proteção e que "todo mundo faz isso". "Isto é terra sem lei", explica o jovem, sem pudores. Eis uma sonora cruelmente verdadeira que resume bem a situação local.

Um sujeito aparece na frente de uma das câmeras e se oferece pra nos levar à margem do lago de Tucuruí. A represa da hidrelétrica fica "perto", garante ele. E logo informa que os pescadores da cidade tiram do lago trezentos quilos de peixe por dia, e que o tucunaré assado é uma delícia, "o melhor da cidade". A gente, que sempre busca o motivo de orgulho dos locais, se empolga. Bota o voluntário pra dentro da van e toca pro lago. Depois de uns quinze minutos numa estrada empoeirada, percebemos que o lago é muito mais longe do que o nosso guia quer fazer crer. São 45 quilômetros de estrada de terra! E o "voluntário", depois de um rápido interrogatório, se revela correligionário de um poderoso local. Nos enganou, mas não por muito tempo. Não temos tempo pra isso e eu resolvo abortar a viagem, apesar da insistência do nativo. Começamos a voltar e eu vejo o pátio lotado de toras de uma madeireira. Isso interessa. Resolvo entrar sem aviso prévio. Mas a surpresa é toda minha... Trata-se de empresa do patrão do nosso candidato a guia (desta vez, justiça seja feita, ele não falou nada. Mas os tentáculos do poderoso empresário local, ex-prefeito por duas vezes, se estendem por uma infinidade de ramos em Jacundá. É difícil escapar de Adão Ribeiro...).

Vencendo as nossas reservas pelo seu envolvimento com a política, Adão Ribeiro é articulado, nos recebe de portas abertas e quer mostrar como o trabalho das suas três madeireiras é sustentável, baseado em programas de manejo e reflorestamento. Este será o único ponto positivo da matéria. A filha e sucessora do empresário-político acompanha o pai. A minissaia e os saltos finos da sandália toda aberta chamam a atenção no meio da mistura de poeira e serragem que toma conta do chão da madeireira. O empresário também acaba por nos socorrer... de repente, nossa van aparece com dois pneus furados. Suspeito de sabotagem, mas não tenho provas. De toda forma, o borracheiro da madeireira conserta os pneus enquanto gravamos com o dono. Se alguém quis nos atrapalhar, não deu certo.

Voltando pra cidade, encontramos a polícia rodoviária estadual fazendo blitz. Pouco depois, pequenos grupos de motoqueiros esperam numa estradinha vicinal à beira da estrada. Eles fazem hora para ver se os policiais vão embora. Suas motos não têm placas, eles não usam capacete, não têm sequer habilitação. Pergunto para um deles por que não tira a carteira. Ele diz que é culpa do governo... "Como assim????", questiono. "Você não tira carteira e a culpa é do governo???" É que ele não tem dinheiro para ir a Marabá tirar a habilitação – Jacundá nem sequer tem uma Ciretran...

Jacundá não tem muita coisa. Sem me alongar... o hospital não tem médicos especialistas, o mata-

Garoto exibe o produto da pesca no vizinho lago da Hidrelétrica de Tucuruí. Tentamos ir até lá, mas os 45 km de estrada de terra nos fizeram desistir. Com pouco tempo para cada cidade, era preciso descartar sem hesitação qualquer deslocamento ou gravação que comprometesse o *deadline*

Ernesto Paglia   **59**

A extração de madeira da floresta continua a ser uma das principais atividades de Jacundá. O proprietário garante que a produção tem origem sustentável. Impossível conferir, mas vários troncos tinham marcações de controle

O empresário Adão Ribeiro foi prefeito de Jacundá duas vezes. Hoje, faz manejo florestal e afirma que suas três madeireiras só usam matéria-prima com origem comprovada

douro é ilegal, o número de homicídios coloca a cidade na quinta colocação entre os municípios mais violentos do Pará...

É mais um caso de cidade do norte do país em que a população chegou primeiro, na base do pioneirismo de faroeste. A lei, as instituições, o estado vieram depois. E nem sempre são bem-aceitos ou mesmo adotados.

De volta a Marabá pela estrada esburacada, a bordo da van de vidros totalmente enegrecidos pela película ilegalmente escura (no começo, reclamei: "Que saco, andar nesses mausoléus". Quando vi o assédio da população e dos políticos de Jacundá, agradeci ao motorista pela iniciativa gótica...), vou escrevendo o texto. O enjoo ronda a cada curva, a cada solavanco deste asfalto esburacado. As marcas de freada de caminhão confirmam a sequência de sustos que é uma viagem por aqui. Mas vamos em frente, em nome da notícia!

A edição tem o seu sobressalto do dia. Apesar de termos voltado cedo, o computador da Gigi dá um pau e ela precisa carregar todos os discos outra vez no drive. Ou seja, praticamente edita de novo... a matéria é gerada no laço, faltando quinze minutos pro jornal. Ainda bem que o material agrada, apesar da pegada nada alegre. Não achamos muito que mostrar de bom em Jacundá. A gente até tira leite de pedra. Mas não mente. (Mais tarde, mais de um mês depois da nossa passagem por Jacundá, receberíamos um e-mail assinado por várias entidades de classe da cidade, queixando-se da maneira com que o município foi retratado no *JN*. Só posso torcer para que essa energia toda despertada pela nossa passagem pela cidade seja canalizada para resolver os problemas do lugar.

Assim, da próxima oportunidade, teremos mais coisas boas para mostrar...)

O "vivo", mais uma vez, me deixa inseguro. Não tenho nenhum monitoramento de vídeo. O retorno de áudio, via celular, varia e falha. Na hora de saber a bendita cidade para onde vamos embarcar... novo silêncio no ar. Desta vez, pelo menos, eu emendo o plano B sem maior vacilo. "Vamos para o Mato Grosso do Sul, então...". Ainda bem que variamos um pouco na forma da entrada – subimos para a cabina de comando e é de lá que eu me despeço... até amanhã em... onde mesmo???

PONTA PORÃ (MS)

Ponta Porã
Estado **Mato Grosso do Sul**
Distância da capital **330 km**
População **77.866 habitantes***
*Fonte: IBGE Censo 2010

Ponta Porã!
Decolamos em noite de lua cheia.
Nenhuma nuvem no céu onde cruzamos
os 2.100 quilômetros que nos levaram a
Ponta Porã, Mato Grosso do Sul. A cidade
fronteiriça, meio Brasil, meio Paraguai, é
nosso próximo destino.
Mais do que isso, é a primeira vez que
pousaremos na cidade onde vamos
fazer a matéria. Isso encurta a jornada,
mas tem o seu preço... na chegada,
além dos já habituais holofotes dos
colegas da emissora local, uma pequena
multidão se aglomera na porta do salão
de desembarque do pujante aeroporto
internacional de Ponta Porã. O nosso
apoio local é feito pela agência de turismo

O interior do Falcon 2000 transformado em redação, com as poltronas e laterais forradas para evitar estragos. Este foi o nosso lar por mais de um mês!

do presidente da Associação Comercial e Empresarial de Ponta Porã, Evandro Senger. Ou seja, o "China" logo gruda na gente. Ansioso por mostrar o lado bom da cidade, o líder empresarial me resgata dos pedidos de fotografia na porta do pequeno terminal e me leva pro carro dele. Depois saberei que a Adriana, que ficou para trás com o restante do time, conseguiu botar o micro-ônibus pra dentro da pista. A Infraero está ajudando muito. Enquanto isso, o presidente-agente de turismo me leva pelas ruas desertas de uma Ponta Porã bem organizada, ruas asfaltadas, lojas arrumadas. Um contraste e tanto com Jacundá...

A caminho do hotel, China anuncia que vai me mostrar a fronteira. Dobra uma esquina... e estamos sobre ela! A cidade continua do outro lado da avenida, mas, aí, já é Pedro Juan Caballero. O Paraguai, por aqui, é o outro lado do canteiro central. É algo que a gente sabe que existe, mas causa sempre um estranhamento saber que outro país está a apenas alguns metros "pra lá"...

Depois do pequeno desvio, China me deixa no hotel. É o piorzinho de toda a nossa viagem. De qualquer forma, nossas passagens pelas cidades são tão rápidas que não dá nem tempo para reclamar. O negócio é correr pro quarto e tentar dormir o mais rápido possível – como se fosse fácil, depois da correria e da adrenalina de cada chegada.

Mas quem disse que eu consigo ir pro quarto... nem bem desembarco, um senhor, com todo o jeito de fazendeirão, se aproxima, chave do carro na mão, dizendo que viajou trezentos quilômetros só para falar comigo! "Assisti ao sorteio no *JN* lá na minha fazenda", diz ele, de chofre. "Mandei preparar um carro e vim." Sujeito cheio de autoridade, já vai desfiando um rosário de queixas do município dele que, como foi dito logo de cara, fica muuuuuito fora do foco da nossa matéria de amanhã. Tento explicar as regras da cobertura, digo que vamos encaminhar para a emissora local as queixas (e são muitas... e ele tem um jeito muito especial de lidar com elas. O "coronel" revela, por exemplo, que mandou "patrolar" uma estrada federal que, na visão dele, engenheiro "com cem anos de tradição familiar, meu pai também era engenheiro...", estava totalmente errada. "Gente como vocês, que não conhece o lugar, ia morrer ali. Mandei refazer a estrada. Se a Polícia Federal não gostar, que me prenda", diz o sujeito, despachadíssimo).

A Adriana Caban entra em cena e me salva. Como ela diz, dá uma "cabanada" no excitado fazendeiro-engenheiro, enquanto eu saio de fininho. Se fosse continuar a argumentar com ele, não iria dormir nem as cinco horas habituais...

No dia seguinte, no salão do café da manhã, já vejo o China, pronto para nos transportar e, se possível, nos mostrar o que ele acredita ser a "verdadeira Ponta Porã". Mas se limita a dar bom-dia e fica na dele. Antes assim. À nossa mesa está quem pode nos ajudar com uma visão profissional, a nossa experiente Cláudia Gaigher. Repórter de rede da TV Morena, ela veio a Ponta Porã especialmente para fazer a reportagem sobre a nossa presença na cidade. E vai ajudar muito a fechar o foco da matéria do dia. Inundados de informações e estatísticas, todas recebidas por e-mail da produção do JN no Ar, no Rio de Janeiro, temos de destrinchar os números e transformá-los em pauta. Num papo rápido, percebo que seria loucura tentar ir ao assentamento Itamaraty. A antiga fazenda do ex-rei da soja Ola-

O colega da TV Morena grava enquanto Lúcio Rodrigues e eu andamos pela rua de terra que separa Ponta Porã, MS, de Pedro Juan Caballero, no Paraguai. É só atravessar a rua ... e sair do país!

cir de Moraes virou assentamento de sem-terras. Via blog, recebemos alguns e-mails de pessoas do lugar, querendo a nossa visita. Seria muito legal, mas me parece algo subsidiário, um pouco fora do enfoque que começa a surgir na minha cabeça como a síntese do lugar. Tudo aponta para a influência do convívio internacional. Os quarenta e poucos quilômetros de "fronteira seca" com o Paraguai, dentro do município de Ponta Porã, marcam intensamente a vida do lugar. Não dá pra ignorar. Tem gente que tira proveito ilegal disso? Vamos falar dos criminosos, claro. Mas isso todo mundo sabe ou imagina. Para mim, que tenho de resumir o perfil da cidade em menos de três minutos de matéria, original por aqui é mostrar como as duas comunidades, paraguaios e brasileiros, convivem nesta vizinhança compulsória.

Essa pergunta traz à tona uma série de curiosidades... descubro que os paraguaios de Pedro Juan Caballero contam com menos infraestrutura do que os mato-grossenses daqui. Então, com todas as precariedades do serviço público brasileiro, Ponta Porã vira objeto do desejo. Talvez o ímã do país mais forte economicamente, talvez a qualidade dos serviços daqui, o fato é que muitos paraguaios preferem os postos de saúde locais, as escolas, os hospitais. Vamos mostrar isso, defendo no nosso "café com pauta". Todos concordam e Cláudia entra em cena com força total. Liga para os produtores do escritório local da TV Morena e, num zás-trás, encontra uma escola onde 85% dos alunos são "brasiguaios". E, atendendo ao meu pedido, acha facilmente uma família mista, com pai paraguaio, mãe e filha brasileiras. Peço para arrumarem uma mesa com comidas típicas (a chipa, uma espécie de massa frita, a sopa paraguaia, uma torta de milho que de sopa não tem nada...) e já antevejo o "lado bom" de Ponta Porã aflorando na matéria, mostrando a força dos laços que unem o povo dos dois lados desta fronteira.

Adriana sai com Dennys e o China em busca dos conflitos entre comerciantes. O presidente da associação comercial, evidentemente, se queixa da "concorrência desleal" dos comerciantes paraguaios. "Não pagam impostos, matam a gente que precisa desembolsar 40% de taxas aqui no Brasil", reclama o China. "Só sobrevivemos porque eles só vendem à vista. E a gente dá prazo para pagar." Peço à Adriana para mostrar o tal muro de *la verguenza*, o muro da vergonha, como o apelidaram os jornais do lado paraguaio. Na verdade, trata-se mais de uma... "sarjeta da discórdia". Numa avenida da fronteira, a Petrobras (ironia...) abriu um posto de gasolina do lado paraguaio. Do lado de lá, a gasolina custa 30% menos. Os motoristas daqui, evidentemente, querem abastecer na bomba mais barata. A avenida não dava retorno... eles começaram a passar por cima do canteiro central, abrindo um acesso irregular – e, aos olhos dos comerciantes brasileiros, homicida – ao posto do lado paraguaio. Solução encontrada pelos revoltados empresários verde-amarelos: mandaram refazer a guia, para dificultar a fuga dos seus clientes. Claro que deram uma turbinada e elevaram o meio-fio uns dez centímetros acima do que seria usual... mas guerra é guerra, como diria o Solano López...

A maravilha de trabalhar no mesmo lugar onde faremos o "vivo" é a facilidade nos deslocamentos. Lá pelas quatro da tarde já tenho o texto pronto. Gravo com a Gigi, a esta altura, única ocupante da sala da chefia da Infraero no aeroporto de Ponta Porã. O chefe, gentilmente, cedeu o seu espaço

Um monumento à amizade, uma pracinha cheia de cacos de garrafas de cerveja, marca a fronteira entre Brasil e Paraguai, em Ponta Porã

Ernesto Paglia   71

para a nossa energética editora/produtora. E a sala foi tomada pela parafernália da ilha de edição portátil. Deixo nossa brilhante editora às voltas com a montagem e vou almoçar. O Chico, sócio do China que também resolveu nos ajudar (virou motorista/guia e nos levou pra cima e pra baixo), nos leva ao Shopping China (nada a ver com o empresário brasileiro – é um megashopping do lado paraguaio). É o paraíso dos sacoleiros, um imenso galpão, com estrutura de hipermercado, mas com gôndolas lotadas de tudo o que a nossa fantasia consumista pode descrever sob a abrangente categoria de "importados". Sapatos ou computadores, motos ou vinhos, roupas ou carrinhos de bebê. Aproveito pra comprar um par de tênis. A poeira dos últimos dias deixou meus sapatos pouco apresentáveis.

Fico na dúvida sobre comprar ou não no paraíso da muamba... afinal, represento aqui a minha empresa e o *JN*. Mas gasto apenas duzentos reais, absolutamente dentro da cota de trezentos dólares permitida aos brasileiros em visita a países limítrofes. Não há nada errado com isso. E aproveito para levar um espumante. É sexta-feira, fim da primeira semana do JN no Ar. Vamos ter a nossa primeira folga. Merecemos um brinde especial!

O fim de semana é em Campo Grande. Dá vontade de dormir o dia inteiro, mas eu crio coragem, calço o tênis e me preparo para dar uma caminhada no belo e novo bairro onde ficamos hospedados na capital mato-grossense. Há até uma reserva florestal importante a poucos passos. Só que não chove há semanas por aqui. A secura que toma conta do país neste inverno castigou forte Campo Grande. O sol está a pino e eu decido que não dá pra arriscar. Já carrego comigo um resfriado que vem na bagagem desde São Paulo...

Descubro uma sala de ginástica bem equipada no hotel. E a nossa malhadíssima comissária de bordo Luciane está lá, mandando brasa no seu *circuit-training*. Ótimo. Tenho companhia. Vou fazer um pouco de exercício, depois desta semana de estresse.

Depois, o pessoal liga do shopping próximo ao hotel. A turma resolveu almoçar no próprio shopping, onde o ar-condicionado torna os 35 graus de Campo Grande mais toleráveis. Vou até lá para engraxar sapatos (de novo a poeira...), almoçar e me refugiar num cinema. Assisto a *O Bem Amado*, e saio me esgueirando, evitando a curiosidade (e os onipresentes celulares com câmera) da multidão que enche o shopping center. Volto pro hotel para descansar um pouco mais. À noite, a Cláudia Gaigher vem nos encontrar com o simpático marido, Marcelo, advogado, e o inteligente filho de oito anos, Pedro. Ela conseguiu um restaurante gostoso onde vamos comer o pacu que eu havia sugerido... uma delícia!

Domingão, vamos enfrentar o sorteio no *Fantástico* e decolar para algum destino no remoto Acre... a correria do JN no Ar vai recomeçar!

FEIJÓ (AC)

Feijó
Estado **Acre**
Distância da capital **350 km**
População **32.311 habitantes***
*Fonte: IBGE Censo 2010

mal sabia o que me esperava... não dava mesmo pra desconfiar.
O sorteio do domingo à noite foi tranquilo. A transmissão do "vivo" em Campo Grande correu sem surpresas.
E o domingo terminou no aeroporto mais próximo de Feijó, na surpreendente Cruzeiro do Sul. O aeroporto da cidade... o que é isso??? Um belo terminal, de arquitetura moderna, com referências estilizadas às ocas indígenas, jaz deserto, à nossa espera. Além do nosso jato, há um único avião estacionado no pátio: nossa segunda aeronave, o Caravan.
Ele nos seria muito útil na manhã seguinte, que chegou com uma velocidade inacreditável... a noite ainda não havia

Duas constantes no interior do Acre: casas de madeira e redes

acabado no quarto minúsculo do modesto hotel de Cruzeiro do Sul e o bendito despertador tocou (só confio no meu relógio de pulso — detesto ser acordado pelo barulho infernal e desconhecido de algum telefone de hotel. De que lado fica o telefone que berra? Odeio acordar assim... além de que me obriga a falar sem aquecer a voz, o que costuma me deixar rouco pelo resto do dia. E, muitas vezes, o cara da recepção esquece de ligar...).

Levantei às seis da matina. O sono ainda não havia acabado e já estávamos tomando o magro café do hotel local.

Enquanto tentava encontrar algo para comer debaixo das tampas inescrutáveis da série de vasilhas de aço inox, a equipe da TV local já me perseguia. Não sei direito o que eles pretendiam com aquelas imagens, mas não deixaram de fora nem o nosso café da manhã...

Partimos pro aeroporto, dispostos a inaugurar o Caravan. Só ele poderia cruzar os cerca de trezentos quilômetros até Feijó. Distância que, quando a estrada não está fechada por ação das chuvas (outubro a março, mais ou menos), os carros percorrem em quatro horas. A bordo do bravo 4×4 dos ares, teríamos o privilégio de vencê-la em 55 minutos. Maravilha. Até aí, tudo bem.

Na chegada à pista de pouso de Feijó, um simpático e original comitê de recepção. Os eternos enviados do prefeito (até agora, todos tiveram o pudor de não ir nos receber, algo que eu aproveito para agradecer publicamente), um cidadão que levava um deslocado husky siberiano pela coleira ("Ele veio de longe, hein?", brinquei. "É sim", disse o dono. E completou: "Da Bolívia". Acho que não entendeu a piada...), um punhado de curiosos e o comandante local da PM, o capitão Estefânio. Sério, profissional, o policial se ofereceu para nos guiar por onde quiséssemos circular. O capitão passou confiança imediatamente. Não tivemos dúvida. Aceitamos de bom grado a companhia e partimos Feijó adentro.

Bastou rodarmos para ver o que era preciso registrar da vida na cidade. As bicicletas onipresentes, os carros de boi emplacados, a falta total de saneamento básico, os índios quase peruanos da tribo ashaninka. Com seus ponchos rústicos, eles chegam a Feijó depois de até doze dias de barco, vindos da fronteira com o Peru atrás dos limitados "confortos" da cidadezinha – o pequeno comércio local, os poucos recursos do posto de saúde.

Dennys Leutz não gravou apenas a bela imagem da mulher tecendo a rede. Aproveitou para entrevistar a senhora. A fala dela entrou no JN daquela noite. Abaixo, nosso editor de internet posa com crianças da tribo ashaninka

Um grupo de bem-intencionados cidadãos se junta a nós e insiste que visitemos a aldeia Morada Nova, dos índios locais. Eles vão fazer a festa da matchá, a bebida sagrada dos shanenawás, explica o cacique que engrossa o comitê. Vamos nessa. A aldeia fica do outro lado do rio. Ou seja, lá vamos nós pelas águas do respeitável Envira, caudaloso mesmo em tempo de seca. Cruzamos o rio a bordo de uma frágil canoa, com motorzinho de popa do tipo libélula (aquele que tem um longo eixo saindo da traseira, com uma hélice na ponta, ideal para águas rasas).

Desembarcamos quase secos (não deu pra poupar os fundilhos) na outra margem. Um barranco alto nos separa das primeiras casinhas de madeira. Crianças saudáveis correm, moradores aparecem nas janelas pra ver quem chegou. Enquanto responde ao meu interrogatório apressado com português imaculado, o cacique Carlos Tehokane nos conduz a uma praça bem ampla, cercada por várias

Apesar de toda a sua precariedade, Feijó é um centro de referência para os índios da etnia ashaninka. Famílias inteiras navegam pelo menos doze horas para chegar à cidadezinha. A exposição das crianças à vida urbana é um risco que alguém tentou combater... distribuindo camisetas

edificações de teto de palha ou zinco. Ele se dirige a um grupo de mulheres, como que pedindo licença. Elas são jovens e estão sentadas na soleira de um pequeno galpão coberto, com chão de terra bem batida. A mais madura do grupo se apresenta com voz firme e cortês: "Sou a coordenadora do grupo cultural. Sejam bem-vindos à nossa aldeia!", diz ela, com traquejo de profissional. Interessante ver o domínio da língua e dos códigos não indígenas numa aldeia que preserva suas próprias tradições. Aproveito a hospitalidade e logo pergunto se eles vão dançar na festa. Um sobe-som seria ótimo para a nossa matéria. Não dá outra – uma das atividades do grupo cultural é justamente... dançar! Então, vamos lá! E o grupo logo tira as sandálias de plástico e organiza uma roda no meio da praça. Enquanto isso, o cacique me leva até o xadrez da festa. Sim, esclarece o capitão da PM, os próprios shanenawás tomam conta da segurança. A festa é assumidamente feita pra se encher a cara de matchá, mas quem se excede pode ir curar o porre dentro do chiqueirinho. Nesse caso, nome mais do que adequado... o lugar parece um curral, rodeado por uma cerca de madeira, fechado a cerca de 1,70 metro do chão por outra camada de tábuas trançadas. "Nossa chave é um prego de quatro polegadas", diz orgulhoso o cacique Carlos. "Se der alteração, fica aqui. Se for muito grave, a gente entrega pra polícia, do outro lado." Algo me diz que, para o capturado, deve ser difícil escolher a pior opção.

Somando ao material colhido paralelamente pela equipe da Adriana e do Lúcio, temos uma bela matéria. Bem no espírito da cobertura, com os problemas principais da cidade, mas sem esquecer a riqueza e os motivos de orgulho do lugar.

Felizes da vida, suados e tostados pelo sol inclemente do interior do Acre, voltamos para o Caravan. O texto vem fácil e eu o termino nos primeiros minutos de voo. Quando se tem bom material, a coisa flui naturalmente. Desafio maior é botar tudo nos três minutos que foram estabelecidos para o vt, depois que dei uma chorada para o nosso diretor, o Ali Kamel. Afinal, um investimento de recursos e esforço como este merece tempo "no ar". Mas, posso entender o difícil quebra-cabeça diário enfrentado pelo William, com o tempo do jornal capado pelo horário político obrigatório. Mas isso é problema de editor-chefe. Eu quero sempre mais e mais tempo pros nossos vts!

Chegamos com razoável folga a Cruzeiro do Sul. Desembarcamos no surpreendente aeroporto internacional, monumento à fé no estreitamento das relações do Acre com o Peru e o Pacífico. Gigi montou a ilha de edição num igualmente inacreditável salão envidraçado em forma de pirâmide, ao lado do terminal de passageiros. É o "centro de eventos", que nos foi gentilmente cedido pela Infraero. Aliás, que apoio a empresa tem nos dado... fundamental!

Começa a edição. Mas logo chegam más notícias do front da *fly-away*... A antena, nossa garantia de comunicação, está com problemas.

A "fonte", o transformador que permite ligar o *spectrum analyzer* (analisador de espectro? Só podia resultar em algo sinistro...), queimou. Esse equipamento é fundamental – é ele que estuda o sinal enviado pelo satélite e garante que estamos enviando nossa transmissão pela conexão certa. O Hailson já procurou uma reposição por toda a cidade, mas não achou nada que atendesse às especificações. Até invadiu o laboratório da ANAC, pedindo ajuda para consertar o equipamento. Eu, que voltei à cidade com Alfredo para buscar a bagagem, desisto e saio atrás de uma oficina de eletrônica. Em uma loja da saída de Feijó, achamos um equipamento similar. Levamos para Hailson, que consegue botar o aparelho para funcionar. Mas não fica 100%. E o delicado trabalho de calibração da antena é prejudicado. Não dá pra fazer a transmissão.

Já são cinco da tarde. Em tese, ainda daria tempo de voar até Rio Branco e fazer tudo de lá, com apoio da emissora local. Começo a disparar telefonemas entrecortados, prejudicados pelo sinal fraco dos celulares. Tentamos reunir a tripulação às pressas para antecipar a decolagem. Mas os pilotos e a comissária estão no distante hotel, aprontando comida etc. A equipe leva quase uma hora para chegar ao aeroporto. Decisão rápida, desistimos. Vamos para a afiliada em busca de socorro. A TV Cruzeiro do Sul fica num ponto alto da cidade. A infraestrutura não podia ser mais simples. Dois prédios, pouco mais que casas – fiéis ao, digamos, estilo arquitetônico local. Vamos para a construção menor, onde funciona a redação/cabine de áudio. Uma salinha de dois por três metros abriga três escrivaninhas com seus computadores. Invadimos sofregamente o lugar, com a ajuda total dos colegas locais que, solidários, abandonam tudo para o nosso uso sem fazer perguntas. Estamos tensos. Tem uma banda larga que pode nos salvar. Mas dá tudo errado... a conexão é muito lenta para mandar a matéria pelo kit-correspondente, o software desenvolvido pela Informática da Globo para a transmissão de matérias pela internet. O *JN* termina e, na tela do computador, a barrinha que mostra o progresso do upload ainda está nos 20%...

No desespero, ainda tentamos fazer um "vivo" pelo Skype do computador do chefe de redação. Gentilíssimo, o colega leva o desktop para o gramado, do lado de fora da redação. Assim, poderíamos ter algum fundo externo para a minha entrada. Mas a conexão é instável. Abrimos mão do vídeo, para privilegiar o áudio. Faço a entrada em off. Mas, quando estou acabando de dar as informações sobre a encrenca que nos impede de entrar no ar, a conexão cai e o meu áudio é cortado. William balança a cabeça e admite diante das câmeras: "A coisa está feia. Até a ligação do Paglia foi cortada".

Aprendemos que, no Acre, tudo depende da infraestrutura que você leva. Se algo der errado, esqueça o plano B, C, D... os recursos locais são muito precários e dificilmente algo vai te salvar.

Solução justa e ousada: vamos pular este dia terrível... numa decisão inédita, William Bonner anuncia no ar que vamos para Rio Branco e que, para não prejudicar o Acre no JN no Ar, vamos apresentar a reportagem sobre Feijó no dia seguinte. Ufa. Apesar do mico, o material será usado. Seria uma judiação perder todo o esforço. Especialmente porque – desculpem o cabotinismo... – acho que a matéria ficou boa.

Dia seguinte, folga forçada em Rio Branco. Aproveito para mandar lavar roupa. Mudo um detalhe do texto e Gigi dá uma penteada no VT, que já estava editado. À noite, excepcionalmente, deixaremos o "vivo" ao lado do avião e, para usar a infraestrutura cedida pela TV Acre, montaremos nosso esquema de transmissão no centro da cidade, em frente ao Palácio Rio Branco. O prédio imponente é símbolo da gratidão da cidade ao barão que negociou com a Bolívia e assinou em nome do governo

Índio ashaninka com seu traje típico. Abaixo, um integrante da aldeia shanenawá de Feijó mostra intimidade com a tecnologia celular. Não resisti – desta vez, fui eu quem quis tirar foto, ao lado dos ashaninka

Ernesto Paglia   **83**

A preparação da mandioca para a matchá, a bebida sagrada dos shanenawá

brasileiro o Tratado de Petrópolis, em 1903, garantindo a legalização da posse brasileira daquilo que é, hoje, o estado do Acre.

Fazer a transmissão no chão da praça é um risco. Qualquer pessoa mal-intencionada pode interferir facilmente. Basta passar atrás de mim durante a minha fala. Resolvemos... sair do chão! A segurança traz um pequeno caminhão, e Lúcio e eu subimos com câmera e microfone. Assim, ficamos um pouco acima do nível da praça e podemos evitar novas surpresas... Já tivemos o bastante. O Dennys também sobe para segurar a placa de isopor que vai rebater a luz que me ilumina. Com uma iluminação mais suave, a câmera mostrará melhor o fundo, que é o belo palácio. Mas, num "vivo", nada é tão simples... insetos de proporções amazônicas são atraídos pela luz e começam a escalar os braços do Dennys e a nuca do Lúcio. Já está ficando tarde e parece que o zelador do prédio acha que chegou a hora de desligar a iluminação externa. O Alfredo sai correndo e convence o cidadão a religar. Mesmo assim, tem uma lâmpada com complexo de pisca-pisca. O Lúcio pede para um colega da TV Acre colocar um spot na fachada. Melhora, mas ainda é pouco. Olho para trás e vejo que as cortinas do andar de cima estão fechadas, mas um halo indica que há luzes ligadas lá dentro. Peço ao super-Alfredo para tentar outra vez... lá vai ele. Eu, nesse meio tempo, tento manter a concentração para não esquecer nada do que preciso dizer. Tarefa que não deve ser menosprezada, com o som da novela no fone de ouvido, os colegas de Operações chamando pela linha de coordenação, os curiosos chamando para eu me virar na direção das suas câmeras e espocando flashes na minha cara... Logo, Alfredo consegue que abram as cortinas do palácio. Quando volta, ele esclarece que teve de passar por cima da recepcionista que dizia, nervosa: "O governador está lá... não posso entrar!!!!!". O governador, gentil, deve ter concordado e as janelas do andar superior do palácio se iluminaram.

Ótimo. Mas... meu Deus do céu!!!!!!! O que significa aquela fanfarra que se aproxima???? Fosse ficção, diriam que não cola. Uma fanfarra querendo ensaiar na praça segundos antes do meu "vivo"????

Alfreeeeedooooooooo!!!!!!! E lá vai o nosso editor de internet (e de encrencas...) negociar com o instrutor. O professor Sean Mesquita explica que a fanfarra da Escola Estadual José Rodrigues Leite tem um cronograma de ensaios apertado. Semana que vem vai participar de um concurso nacional! Mas ele, gentilmente, atrasa o início do ensaio. E eu, do alto da carroçaria do caminhão, aguardo pela hora da minha entrada assistindo, atrás da câmera, à estranhíssima procissão que se inicia. Instrumentos em punho, deslocando-se em silêncio, os jovens marcham ao ritmo de um bumbo imaginário. Fazem suas evoluções fantasmagóricas enquanto eu tento me concentrar na próxima entrada. Já tivemos problemas demais no Acre... esta entrada precisa ser perfeita!

Pois é... mas parece que a síndrome do isolamento não quer nos deixar em paz. O retorno do ar tem um *delay* brutal (a conexão via "n" ligações terrestres e por satélite provoca um descompasso de três, quatro segundos entre a imagem que enviamos e a sua aparição na tela. Nosso equipamento reduz isso. Mas o sistema da TV Acre, não). Diante do problema (conversar com os colegas da bancada com aquelas longas pausas, que deixam a gente

Meninas da etnia shanenawá de Feijó. Os índios vivem na outra margem do rio Envira, e formam praticamente um bairro da cidade. Abaixo, moças da aldeia tiram as sandálias para ensaiar a dança da festa da matchá

Ernesto Paglia **85**

O garoto ashaninka veste a túnica rústica, típica do seu povo. O caçulinha já adotou a camiseta doada por algum político. Quando visitam Feijó, os ashaninka acampam na beira do rio e se integram à porção mais pobre da população do município (página ao lado)

na rua com cara de bobo, é muito chato), resolvo usar o meu sistema "caseiro": saco o fone de ouvido do meu telefone ("Alfreeeedoooo, pelamordedeus, pega a minha pasta no carro!"), ligo para o Rio de Janeiro e recebo o retorno do "ar" pelo celular.

Ótimo. Ou não. Escuto perfeitamente, mas, por alguma razão esotérica, meu áudio cai bem na hora em que eu explicava como o isolamento do Acre dificulta a comuni....

Com a minha entrada inconclusa, o William chama o VT de Feijó. Finalmente, a matéria vai ao ar. Na volta, o esquema funciona melhor. Descobrimos que vamos para Guarapari, no diametralmente oposto e quase antípoda Espírito Santo. E eu tomo o rumo do aeroporto para me despedir do Acre com um gostinho de frustração na boca... (É efeito da experiência negativa sobre a minha memória ou um dos significados de "acre" é azedo?)

GUARAPARI (ES)

Guarapari
Estado **Espírito Santo**
Distância da capital **55 km**
População **105.227 habitantes***
*Fonte: IBGE Censo 2010

desembarcamos em Vitória na mesma noite. Outros ares – faz uns dezenove graus e dá até pra sentir um friozinho. Vamos para o belo hotel. Pena que vamos passar só algumas horas nele... Manhã seguinte, já seguidos pelos colegas da TV Gazeta, saímos do café para a estrada. Temos cinquenta e poucos quilômetros a percorrer. Já vamos discutindo a pauta que, pela leitura do material de apoio enviado pela turma do Rio, deve ficar em torno da vocação turística, a famosa areia monazítica e os problemas de saúde pública. Guarapari, com seus mais de 100 mil habitantes, não tem um hospital público. Todos os 69 leitos à disposição da população

No canto da praia, entrevisto legítimos representantes de uma importante fatia da população de Guarapari – a cidade litorânea capixaba é um oásis de tranquilidade para aposentados de várias parte do país, especialmente, de Minas Gerais. Eles só não podem precisar de atendimento médico mais sofisticado: Guarapari não tem nenhum hospital público

(que incha violentamente durante a temporada – entre o Ano-Novo e o Carnaval, a cidade recebe mais de 600 mil turistas!!!) são de pequenos hospitais privados, conveniados com o SUS. Mas nenhum é para emergências... essas, ficam por conta do acanhado Posto de Pronto Atendimento da prefeitura. Antes de ir para lá, paramos na praia do Morro. Queremos filmar os estragos feitos na orla pela ressaca de abril deste ano. Para nossa surpresa, encontramos toda a orla em obras. Que bom, penso eu. Estão consertando os estragos e aproveitando para renovar toda a praia, com retirada de quiosques etc. Mal desço do carro, sou abordado pelo seu Vanderlei. Mineiríssimo, aposentado, simpático, bonachão, quer me cumprimentar pelo trabalho etc. Mais um que vem buscar lã e sai tosquiado... eu logo reconheço nele um personagem e começo a gravar. Engraçado, seu Vanderlei diz que, depois que foi para Guarapari, ficou um "garotão", com "as banhas todas durinhas!". Descubro que ele frequenta o canto da praia, junto com um punhado de outros aposentados. Temos de ir para lá, registrar esse aspecto típico da vida do lugar.

E lá mesmo somos alcançados pela assessora de imprensa da prefeitura. Respeitosa, ela se coloca à disposição. Passa algumas informações sobre as maravilhas de Guarapari. Quando eu toco na falta de infraestrutura de saúde pública, explica o drama da prefeitura, que não consegue implantar um hospital na cidade por causa do tamanho da população. Digo que queremos visitar o Pronto Atendimento. Ela diz que, claro, podemos ir. E, discretamente, desaparece no meio da multidão. Com certeza, passa a mão no celular e liga para a encarregada do posto. Desconfiando que uma "operação maquiagem" foi deflagrada, encurto a conversa com os simpáticos aposentados e corro para o PA. Chegamos lá a tempo de pegar uma funcionária passando pano na pequena recepção. Mas os pacientes sentados do lado de fora do posto logo entregam: "Ah, então é por isso que botaram 'nóis' pra fora e começaram a limpar tudo...".

Mas não há muito que maquiar. Os próprios médicos confirmam a sobrecarga de trabalho, o desespero por ter de atender casos graves sem nenhum recurso. A pediatra Márcia Ribeiro conta que "hoje está calmo. Mas, ontem, minha colega atendeu mais de oitenta pacientes!". A média é de cinquenta atendimentos diários, revela a médica. A sonora é forte. Quando pergunto o nome, ela não se acanha: pega o carimbo e bate no meu bloquinho, com CRM e tudo. A indignação é claramente mais forte do que qualquer medo de represália.

A própria secretária da Saúde local, que a essa altura já chegou ao posto, confirma tudo. Mas ela está preocupada em mostrar o novo Pronto Atendimento, que vai ser inaugurado em duas semanas. Me disponho a ir lá, claro. Seria uma injustiça muito grande mostrar a precariedade do PA da praia do Morro e ignorar que um novinho está para ser aberto ao público. Vamos para lá e, de fato, encontramos uma estrutura moderna quase pronta. Operários também varrem apressados, para dar uma impressão melhor para as câmeras... nem precisava. Dá pra ver que o trabalho está no fim. Talvez o PA não funcione a todo vapor no dia da inauguração, mas o equipamento, ainda embalado, espera em salas do térreo. E o diretor, o médico Carlos Rocha, garante que, em um mês, ele bota o esquema para funcionar. Mesmo precariamente, vai ser

Nhozinho Mattos prepara e serve moquecas há quase meio século no restaurante da praia do Meaípe. O comerciante teme que a instalação do porto no município vizinho de Anchieta prejudique o turismo em Guarapari

A versão capixaba da moqueca é mais suave do que a similar baiana. Não leva dendê nem leite de coco e deve ser preparada nas típicas panelas de barro

infinitamente melhor do que o PA antigo. "Fizeram um enorme presídio, novinho, contra a vontade da população. Mas continuamos sem hospital", queixa-se o médico. E ele sabe que o atendimento que o PA pode prestar sempre será um quebra-galho.

Saio correndo, mais uma vez. Preciso passar pela praia do Meaípe, onde ficam alguns dos mais tradicionais restaurantes de moqueca. E moqueca capixaba é algo que não podemos deixar de fora da matéria! Até porque é a nossa única chance de almoçar... Chegamos e já encontramos o dono do Gaeta no meio da rua de areia da beira-mar do Meaípe. Nhozinho Mattos está no lugar há mais de quarenta anos. Rapidamente, aceita a nossa visita e sai a jato para preparar a nossa moqueca. Ingenuamente, sento à mesa do lado de fora, querendo aproveitar a calma da praia para começar o texto. Já tenho quase tudo... só falta o encerramento com o prato típico da região.

Qual o quê... mal ligo o computador e começa uma romaria. Chega o diretor da associação de bairro da praia do Meaípe, querendo mostrar o "trabalho cultural" ("Nossa praia não é só moqueca..."). Enquanto explico que já não me resta tempo pra mais nada, avisto uma procissão (!!!) que vem pela rua de areia da beira-mar. Mulheres e crianças, vestindo a mesma camiseta, onde se vê a foto de um homem loiro e as palavras "Saudades" e "Zezinho"... Ai, minha Santa Clara, padroeira da televisão, o que posso fazer por essa gente claramente angustiada?

A senhora que lidera o grupo se aproxima, apresenta outra, olhos vermelhos, ar cansado, como a viúva do cidadão da foto. "Zezinho" foi assassinado em Curicica, norte do Espírito Santo, há meses. Segundo elas, ninguém toma providências.

A tranquilidade da praia do Meaípe. A calma do lugar, a poucos quilômetros do centro de Guarapari, pode ser quebrada pela instalação do porto no município vizinho de Anchieta

Colega da emissora pública capixaba grava entrevista sobre o JN no Ar. Em muitos lugares, a mídia local acompanhou e divulgou o trabalho da nossa equipe

O filho do falecido, um garotinho gordo de seus onze anos de idade, me olha com ansiedade. Explico, com a maior diplomacia possível, que o caso deles não se encaixa no tipo de trabalho que estou fazendo. Elas sabem, mas dizem que, depois de ver o sorteio da noite passada, resolveram vir a Guarapari para tentar me encontrar. E conseguiram! Elas querem, apenas, que eu as encaminhe para algum contato com a Globo – Ana Maria Braga, *Fantástico*, *JN* –, alguém que possa divulgar a queixa delas e ajudar na luta que, evidentemente, estão perdendo. Forneço os contatos que tenho em mãos e as encaminho para o colega da TV Gazeta e para a outra repórter que me acompanha nesta manhã corrida, uma colega da TV Guarapari, emissora pública local.

Mal consigo dar adeus ao grupo enlutado e senta-se à mesa outra senhora. Despachada, articulada, se apresenta como a presidente da Associação de Hotéis e Restaurantes de Guarapari. Também andava à minha cata desde cedo e, finalmente, me encontrou. Estou mais do que atrasado, mas nunca perdi nada por conversar com pessoas que me procuram nessas circunstâncias. E ela, rapidamente, explica a preocupação dos empresários do turismo local com a construção de dois portos na vizinha cidade de Anchieta. "É lá, do outro lado", aponta a senhora, indicando a margem oposta da baía, realmente muito perto da calma da praia do Meaípe. "Se eles não adotarem medidas para proteger o meio ambiente, vamos perder a natureza e os nossos clientes." Faz sentido. Mas não tenho mais onde colocar o depoimento dela. Nisso, Nhozinho Mattos vem da cozinha, moqueca pronta, e me convida para sentar à outra mesa externa, que foi preparada para a gravação. Tenho uma inspiração e pergunto ao "moquequeiro" se ele compartilha da preocupação exposta pela senhora. "Sim", diz ele, "mas não sou contra o progresso industrial. Recebo muita gente que vem trabalhar nos portos." Não tem problema, respondo. Vou perguntar sobre moqueca e sobre preocupação com a preservação do lugar. Assim, enriqueço ainda mais a matéria. Encerro com o comentário dele, enquanto me serve o prato suculento: o progresso é bem-vindo, mas não pode destruir a galinha dos ovos de ouro...

O tempero vai junto com mais informação. Fala a verdade: não estou certo ao dizer que nunca perdi por ter dado ouvidos a quem me procura nessas situações, mesmo no meio da maior correria?

Noite no aeroporto de Vitória. Os helicópteros que levam e trazem funcionários das plataformas de petróleo da região não param. Só falta o retorno falhar de novo... com o barulho dos bichos, não vou ter chance. Mas a nossa base, no Rio de Janeiro, mandou um técnico para checar os problemas da *fly-away*. Ele está na sala do hangar que transformamos em redação. Opera dois computadores portáteis ao mesmo tempo, fala ao celular, troca informações com o Hailson. Depois dessa, tem de funcionar!

E assim é. Nossa transmissão é impecável. Missão cumprida no Espírito Santo. A Paraíba nos espera. Vamos para Ingá!!!

> Fala a verdade: não estou certo ao dizer que nunca perdi por ter dado ouvidos a quem me procura nessas situações, mesmo no meio da maior correria?

Ernesto Paglia

INGÁ (PB)

Ingá
Estado **Paraíba**
Distância da capital **95 km**
População **18.180 habitantes***
*Fonte: IBGE Censo 2010

Pousamos em Campina Grande. Garoa e frio em pleno Nordeste! Isso sim é que é surpresa. Não maior do que o imenso complexo hoteleiro onde vamos nos hospedar. Mais um desses empreendimentos gigantescos e inexplicáveis no interiorzão do país. Parece que é fruto de algum compadrio político, como sempre. Mas tem movimento. Um show de rock vende seus ingressos na grande recepção.
As instalações são meio decadentes, mas boas. Quarto amplo etc. Mais do que suficiente para as poucas horas de sono que temos pela frente.
Manhã seguinte, partimos por terra para Ingá. São trinta e poucos quilômetros

O centro de Ingá reproduz a tradição do interior nordestino – a praça é o mercado onde os agricultores vendem a sua produção

numa pista dupla digna das boas estradas do interior de São Paulo.

Mas o acesso à cidade proporciona uma volta rápida aos estereótipos tristemente reais de muitas partes do Nordeste. Pista esburacada, através de paisagens bonitas pontilhadas por construções pobres.

Sabemos que o ponto mais interessante da cidade é a pedra do Ingá, com suas gravações pré-históricas de até 6 mil anos. Vamos direto à prefeitura, entender como o pobre município lida com esse patrimônio que é, ao mesmo tempo, riqueza e ônus. Tomar conta do sítio arqueológico com que recursos, num lugar que não consegue construir um aterro sanitário, apesar da pressão judicial exercida pelo Ministério Público Federal, Ibama e Secretaria Estadual do Meio Ambiente?

Não foi a melhor escolha. E eu não repetiria isso na viagem. Nem bem entramos na cidade e damos de cara com uma pequena multidão que nos espera na porta da prefeitura. Uma faixa dá as boas-vindas ao JN no Ar e as pessoas nos recepcionam como um grupo de rock. Eita situação... como fazer reportagem num lugar onde mal consigo dar um passo sem ter que tirar fotos com os benditos celulares com câmera? Uma senhora corpulenta me agarra aos gritos, tentando me dar um beijo. O que é isso, meu Deus??? Procuro me esquivar do assédio com sorrisos e jogo de corpo, mas custo a entrar no gabinete do prefeito, que foi me resgatar no meio da rua. O Lula local (é o apelido do prefeito peemedebista de Ingá) está cercado de assessores e secretários. A porta da sala está aberta e não para de entrar gente. Depois de muitas mesuras, trocas de amabilidades e alguma informação, um assessor de bom senso sugere que ocupemos uma sala ao lado, para discutir os próximos passos.

Depois de nos conceder cinco minutos de privacidade, o prefeito irrompe sala adentro. Felizmente, já havíamos decidido o que deveríamos fazer. Peço a ele, educadamente, que não nos siga. Ele compreende e coloca seus assessores à disposição. Não temos mais como recusar. Com dois agregados, partimos para a pedra do Ingá.

Lá, conhecemos a origem do recente – e tardio – interesse da prefeitura na preservação do seu patrimônio arqueológico. Dennys Mota, um jovem nativo de vinte anos, cresceu assistindo aos documentários sobre o trabalho da arqueóloga Niède Guidon em São Raimundo Nonato, Piauí. São quase quarenta anos de luta solitária pela preservação de um tesouro da pré-história do planeta. E o exemplo da dra. Niède Guidon inspirou este rapaz, que está no segundo ano da Faculdade de Geografia. Foi ele quem convenceu o atual prefeito de Ingá a resgatar a administração da beira de rio onde fica a famosa pedra, recheada de inscrições ancestrais. Nos últimos 23 anos, um casal colocado ali por um ex-prefeito tem sido o guardião desleixado do lugar, transformado em balneário insalubre (o rio chega carregado de esgoto da região de Campina Grande). Agora, os donos do boteco, que nunca se importaram com a preservação das inscrições nas pedras, terão de sair. Dennys e outros guias que ele ajuda a formar vão cuidar do lugar. O IPHAN, que deveria fazer isso, está ausente. Pelo menos há pessoas dispostas a trabalhar para preservar o que resta da pedra do Ingá.

Mais à noite, de volta ao aeroporto de Campina Grande, fazemos o "vivo" do sorteio e descobrimos

Os telespectadores entenderam rapidamente a mecânica dos sorteios do JN no Ar. E, ao tomar conhecimento de que nossa equipe estava a caminho, muita gente organizava algum tipo de recepção, como esta faixa, em Ingá. Suponho que alguns prefeitos tenham tentado, também, maquiar problemas das suas cidades. O nosso desafio diário era, justamente, escapar dessas encenações para mostrar a realidade do lugar

o próximo destino: fico sinceramente feliz ao saber que vamos para outro ponto importantíssimo da arqueologia nacional, São Raimundo Nonato! Digo isso no ar, e o pessoal da redação de São Paulo, habituado ao lado, digamos, mais ácido do meu humor, acha que é ironia. É uma gargalhada só, conta uma colega que estava lá... Mas era verdade! Sempre quis conhecer a Serra da Capivara!!!

Aproveito os minutos antes da decolagem para fazer contato com uma amiga de infância que é do ramo. Encontro a Maria Lúcia Franco Pardi em casa, em Brasília. Arqueóloga, especialista do Instituto do Patrimônio Histórico e Artístico Nacional (IPHAN), ela confirma as melhores referências que tenho da dra. Nièdé Guidon. "O trabalho dela é exemplo internacional de preservação do patrimônio e integração com a comunidade", diz Maria Lúcia. Ótimo! Tiramos mesmo a sorte grande!

E já que a nossa vida, agora, depende de um sorteio diário, decidimos usar o sistema também no nosso microcosmo voador. Um jeito divertido de distribuir os presentes, lembrancinhas, suvenires, cachaças de alambique, rapaduras inesquecíveis etc. etc. que já ameaçam a circulação nos corredores acarpetados do Falcon. Por onde a gente passa, a hospitalidade das pessoas que vamos encontrando se traduz em mil agrados. Quem está no campo, evidentemente, acaba recebendo muita coisa. Está na hora de repartir com o pessoal que fica isolado nos aeroportos e hotéis, cuidando da infraestrutura. Faremos um pool de presentes e vamos sortear os mimos. Numa equipe de gente afiada como essa, o processo logo vira uma simpática arruaça. Bom momento para rir e esquecer o peso do compromisso profissional que estamos enfrentando. O humor é sempre uma válvula de escape eficiente. Mais de uma vez, o comandante Kede, lá no *cockpit* do jato, deve ter tido ataques de riso (ou de raiva...) ao nos ouvir cantar, em coro, a música religiosa que, perdoem-me a brincadeira, rebatizei de "Hino do Monomotor" ("Segura na mão de Deus, segura na mão de Deus... ela te sustentará!").

Bem, de volta ao chão, chegamos à... Bahia! Como assim?? Não íamos para o Piauí????

O aeroporto de Petrolina é o mais bem equipado da região. Nada mais adequado. Junto com Juazeiro, a vizinha pernambucana, logo ali, do outro lado do rio São Francisco, a baiana Petrolina forma o maior núcleo urbano do sertão nordestino.

Apesar do crescimento dos últimos anos, as opções de hospedagem continuam escassas. Vou dormir no mesmíssimo hotel onde fiquei há mais de vinte anos, quando passei por aqui a caminho do Raso da Catarina. Mas isso é outra história. E ficará para outra oportunidade. Com licença, preciso dormir.

As inscrições rupestres da pedra do Ingá são mais um tesouro arqueológico quase desconhecido do interior brasileiro. Nós tivemos apenas alguns minutos para registrar as gravações de origem pouco estudada que estão expostas a depredações, num balneário público de Ingá. Nosso editor de internet fez questão de posar ao lado da pedra decorada por ancestrais dos atuais paraibanos

Ernesto Paglia

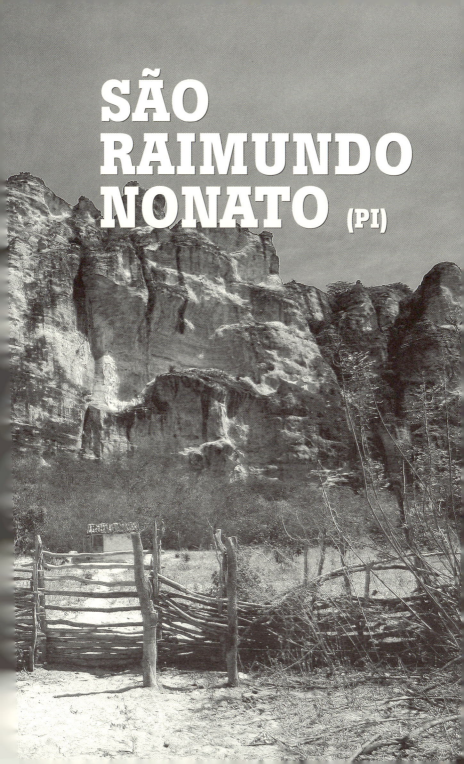

SÃO RAIMUNDO NONATO (PI)

São Raimundo Nonato
Estado **Piauí**
Distância da capital **530 km**
População **32.347 habitantes***
*Fonte: IBGE Censo 2010

bem descansados, na manhã seguinte encontramos uma espécie de congresso de afiliadas à nossa espera, no salão do café da manhã. O pessoal da TV Rádio Clube de Teresina, os "donos da casa" lá no Piauí, veio de longe para nos encontrar. E a turma da emissora baiana, a São Francisco, não deixaria passar em branco a nossa presença na sua "jurisdição". O pessoal da afiliada pernambucana, a TV Grande Rio, menos ainda. A presença de todos será ainda mais útil na hora do "vivo" na pista do aeroporto: as duas emissoras locais vão somar pessoal e equipamentos para nos dar apoio com iluminação e o link de reserva (uma garantia em caso de

É fácil entender o fascínio que estes paredões de arenito exerceu sobre os antigos moradores do atual Parque Nacional da Serra da Capivara. O repórter não resistiu e pediu para ter sua presença registrada no local onde paleobrasileiros também marcaram a sua presença, milhares de anos atrás

problemas com o satélite). Mas, antes, precisamos fazer a matéria. A maratona diária, hoje, tem um complicador. Além da visita obrigatória à sede do município, precisamos ir aos sítios arqueológicos do Parque Nacional, distantes da área urbana. As cerca de quatro horas que temos para recolher todo o material do VT terão de ser cuidadosamente otimizadas.

Felizmente, temos o Caravan para nos ajudar a vencer rapidamente os duzentos quilômetros que nos separam de São Raimundo Nonato. A visão do alto ilustra a realidade deste sertão às margens do Velho Chico. Uma cerca é, na maior parte dos casos, a única fronteira a marcar a brusca ruptura da paisagem. De um lado, propriedades desabrocham o verde irrigado pelas águas do rio. Do outro, como se alguém tivesse errado na montagem de um quebra-cabeça, a paisagem inacreditavelmente cinzenta do sertão ao natural. Bastam uns poucos milímetros... e a abundância surge incinerada pela seca. É tudo cinza, como numa imagem que tivesse a sua cor roubada.

Em poucos minutos de voo, um desbotamento tristonho toma conta de tudo lá embaixo. Mais meia hora e avistamos a faixa de asfalto do aeroporto de São Raimundo Nonato. Fica longe da cidade. Foi recém-construída, parte de uma das várias obras abandonadas pela metade no lugar. Surpreendentemente (será mesmo? Em mais de um caso, saí com a sensação de que a nossa presença, digamos, "catalisou" algumas situações...), há um pouco de movimento na construção do futuro terminal do aeroporto da Serra da Capivara. Não mais que meia dúzia de operários passeia entre andaimes, num ritmo que não deixa margem a dúvidas: São Raimundo ainda vai demorar para ter um aeroporto de verdade. Quando tiver, o terminal vai apresentar a forma de uma capivara, homenagem original ao roedor que dá nome à serra mais famosa do município e ao parque nacional onde está a maioria dos 1.300 sítios arqueológicos da região. Um dia, quiçá, esse será o portal por onde chegarão os visitantes dispostos a conhecer as raízes mais antigas do homem nas Américas. Por enquanto, não passa de um canteiro de obras semiparalisado.

Hoje somos recebidos por um grupo claramente mobilizado pela nossa presença. Até porque não se imagina que exista uma presença diária de funcionários operacionais na pista inativa, que nem sequer tem uma cabana para abrigar do sol o comitê que nos espera no asfalto já incandescente das nove da manhã.

A recepção é caprichada. O encarregado da segurança do "aeroporto", de capacete e colete refletivo, brande um radiocomunicador e anda de um lado para o outro com empolgação. Quem o vê, agitado, poderia pensar que ele trabalha num Heathrow ou num JFK... ágil, despachado, emite ordens para os subordinados. Age, na verdade, como se todo mundo ali o fosse. De repente, dá um grito ("Guerreiros!") e convoca o destacamento da PM local que aguarda ao lado da viatura estacionada no pátio do futuro aeroporto. A equipe de policiais se apresenta e, solícita, se dispõe a nos transportar. Os táxis que havíamos encomendado por telefone estão atrasados. Saberíamos depois que a demora foi causada pela barreira que o empolgado chefe da segurança do aeroporto ergueu na entrada da obra. Lá, umas duas dúzias de manifestantes nos esperavam para falar mal do atual prefeito. Pelo que apuramos, foram mobilizados pelo ex...

A beleza da gravação ancestral a transformou em logotipo moderno. O desenho aparece na maioria dos suvenires do Parque Nacional. Mas este é apenas uma entre milhares de inscrições do rico patrimônio arqueológico do interior do Piauí

Ernesto Paglia

Com os dois aviões do JN no Ar ao fundo, espero para entrar ao vivo mais uma vez no *Jornal Nacional*. Uma conexão por satélite – e muitas autorizações negociadas junto as autoridades de cada aeroporto – nos permitiam transmitir diretamente dos pátios de manobras onde o jato e o monomotor esperavam para decolar

Ficamos fora de mais essa briga paroquial e, a bordo dos carros que conseguiram entrar na pista, saímos em direção aos nossos desafios do dia. Adriana e Dennys ficaram com a cidade. Lúcio, Alfredo, Ulisses e eu disparamos para a Serra da Capivara.

Cinquenta quilômetros mais e chegamos à entrada do parque. Uma vilazinha reúne moradores que tiveram suas propriedades incluídas nas terras demarcadas e protegidas por lei. Em várias partes da reserva, o gerenciamento de comunidades engolidas pelas fronteiras do parque é um desafio a mais para quem se dedica a estudar e a preservar os sítios arqueológicos.

Queremos falar com os encarregados. De preferência, com a doutora Nièda. Infelizmente, nossos contatos por telefone já nos adiantaram que ela não está na cidade. Uma pena. Mas algum responsável há de nos atender. Paramos numa guarita bem conservada, onde uma cancela controla a entrada no parque. Uma funcionária, vestida de ranger, nos informa que deveríamos ter cumprido um ritual... autorizações para filmar e entrevistar funcionários devem ser negociadas com antecedência na sede da Fundação Museu do Homem Americano, lá em São Raimundo Nonato... Bem, o tempo é escasso... será que dá pra resolver por telefone? Vai ter de ser por rádio mesmo. Os celulares funcionam precariamente por aqui.

E a resposta metálica que ouvimos pelo alto-falante do rádio do escritório indica pouca boa vontade com a nossa pressa. Ai, ai, ai... o relógio correndo e nós tropeçando no protocolo. Peço à moça para falar diretamente com a voz feminina que está do outro lado da conexão e explico a razão do nosso comportamento tão inconveniente e pouco ortodoxo... Sinto que há surpresa e até uma ponta de desconfiança por não termos ido ao escritório central. Sinceramente, achei que ganharíamos tempo indo direto ao parque e, por pura ignorância da geografia do lugar, nem imaginei que houvesse uma outra sede fora da Serra da Capivara. Erro meu. Será que dá pra contornar?

Sim, totalmente. Desfeito o mal-entendido, vamos poder filmar enquanto esperamos que um porta-voz da Fundação, gentilmente, venha de São Raimundo. Nossos carros avançam alguns metros, até um estacionamento onde todos os veículos externos devem ficar. Seguimos a pé até um centro de visitantes. Tudo muito conservado, com placas de orientação bem desenhadas. Algumas vitrines exibem amostras dos tesouros retirados do solo árido da Serra da Capivara. Ossos fossilizados de antigos moradores do que é, hoje, o sertão piauiense: preguiças gigantes, pedaços de carapaças de um tatu ancestral que tinha o tamanho de um Fusca, cabeçorras de extintos tigres-dentes-de-sabre...

Ao lado da pequena lanchonete, uma placa explica que a modernização do centro de visitantes foi financiada por doações japonesas. A lojinha vende suvenires e livros. Um auditório exibe vídeos sobre o trabalho da fundação criada por Niède Guidon. Sento-me para assistir, enquanto peço ao Lúcio Rodrigues que se prepare para quando a imagem da pesquisadora aparecer na tela. Vamos gravar e resolver nossa edição na hora de explicar a sua ausência e fazermos justiça à criadora de toda esta infraestrutura. Pequenos truques de telejornalista apressado.

Acabada a sessão, continuamos esperando pela chegada do representante da pesquisadora. Preocu-

> Achei que ganharíamos tempo indo direto ao parque e, por pura ignorância da geografia do lugar, nem imaginei que houvesse uma outra sede fora da Serra da Capivara. Erro meu. Será que dá pra contornar?

pado com o tempo, peço para começar a visita ao sítio. E lá vamos nós ao primeiro local de escavação da Serra da Capivara. Um lugar impressionante! Uma passarela nos leva até o pé de uma espécie de anfiteatro esculpido pela erosão no arenito rosa. O imenso paredão, de mais de trinta metros de altura, forma uma concha acústica natural. Nas paredes, bem ao lado do trajeto inteligentemente projetado, vejo com emoção os primeiros desenhos milenares... são pinturas simples, traços estilizados que revelam fragmentos do passado da vida humana nesse lugar. Segundo a tese da dra. Niède Guidon, os primeiros hominídeos podem ter habitado a região há mais de 60 mil anos.

As datações feitas pela equipe da dra. Niède ainda causam polêmica em certos círculos científicos – especialmente nos Estados Unidos. A disputa pela primazia da presença do homem nas Américas provoca reações. Só posso lamentar que ela não esteja em São Raimundo Nonato bem no dia em que passamos pelo lugar... seria preciso poder entrevistá-la. A pesquisadora incansável, doutora em arqueologia pela Sorbonne, hoje quase octogenária, não apenas criou a infraestrutura para preservar a memória pré-histórica do continente como também provocou uma revolução em São Raimundo Nonato. Foi por influência da dra. Niède Guidon que São Raimundo tem hoje ensino superior, incluindo o primeiro curso público de arqueologia do país, que já formou as três primeiras turmas. E hospedou, em 2009, o Congresso Internacional de Arte Rupestre, com presença de quase duzentos pesquisadores de 37 países.

Nossa visita paga o preço da imprevisibilidade... não há ninguém do grupo de pesquisadores para nos receber. Quem faz a gentileza de ir ao nosso encontro, no parque, é uma antiga colaboradora de Niède Guidon, a administradora Rosa Trakalo. Apesar do convívio cotidiano com o trabalho de escavação e preservação, Rosa me pede para falar, apenas, da história da Fundação Museu do Homem Americano. Ela não é arqueóloga e tem compreensíveis pudores de dar entrevistas sobre temas fora da sua especialidade. E Rosa, uma uruguaia que adotou o sertão piauiense, fala com conhecimento de causa. Acompanha o trabalho da dra. Niède há décadas. E resume com clareza, diante da câmera, a luta número um dos pesquisadores neste fundo de sertão: "[...] preservar integrando a comunidade foi uma das primeiras decisões que tomou a Fundação Museu do Homem Americano, quando percebeu que com uma população ignorante e pobre em volta não ia conseguir preservar nada [...]".

Pronto! Conseguimos registrar o trabalho de campo. Agora, precisamos ir ao museu, aos laboratórios... não dá mais tempo para conhecer o parque nacional e seus cerca de trinta sítios abertos ao público. Com dor no coração, precisamos zarpar! Mas eu ainda volto com tempo à Serra da Capivara... ah, se volto!

Corremos para a cidade. Lá, passamos rapidamente pelo inacreditável museu – uma exposição superbem cuidada, com recursos museológicos de primeiro mundo! Vídeos, telas interativas, peças expostas com requintes visuais de alta qualidade técnica e bom gosto, tudo imerso no frescor garantido por um competente sistema de ar condicionado... Difícil imaginar que estamos não só no interior do Piauí... mas no Brasil! Lá, conheço uma das arqueólogas da equipe da dra. Niède. Gisele Felice nos guia numa visita relâmpago e grava entrevista, con-

Em cada cidade visitada, era preciso achar tempo para atender os colegas das emissoras locais. No meio da correria, faço uma pausa diante de uma das formações rochosas do Parque Nacional da Serra da Capivara e dou entrevista sobre a nossa maratona

firmando a informação que pretendo usar no encerramento da matéria: o patrimônio pré-histórico da região de São Raimundo Nonato ainda vai manter ocupadas várias gerações de arqueólogos! Essa é a única obra inacabada que merece ser comemorada nesse rincão do Nordeste.

Correndo, passamos pelos laboratórios recheados de espécimes a serem classificados, restaurados, estudados por futuras levas de pesquisadores. E, principalmente, conheço personagens que tiveram suas vidas diretamente tocadas pelos projetos da dra. Niède. Lucas Braga, órfão de pai pedreiro, são-raimundense da gema, é um dos primeiros arqueólogos formados localmente. Pronto para o mestrado no exterior, disposto a voltar para aplicar o conhecimento na terra das suas raízes. Encontro Sônia Rosário, retornada depois de doze anos em São Paulo. Regresso tornado possível pelo emprego de recepcionista na Fundação. Converso com Simone de Santana, técnica formada aqui mesmo que fala conosco enquanto trabalha na restauração de um osso de meio metro de comprimento, numa das bancadas do laboratório.

Vibro com as conquistas – as de Niède Guidon e as nossas... –, afinal, conseguimos registrar um pouco de tudo neste município que dá exemplo de preservação arqueológica e ainda luta com dificuldades do presente. Adriana Caban e Dennys Leutz já registraram as estradas inacabadas, as queixas dos moradores sobre o sistema de esgotos, o comércio vibrante do centro da cidade. É o que temos feito diariamente, vencendo a limitação do tempo. Missão cumprida. Agora, temos o fim de semana para descansar um pouco em Petrolina.

Fim de semana. Podíamos ir a Teresina e esperar lá pelo sorteio do domingo. Mas a vontade de ficar parado em um só lugar, sem ter de refazer malas e voar, nos faz ficar em Petrolina. Sem falar na previsão de calor de mais de quarenta graus na sempre cálida capital do Piauí. Ficamos às margens do São Francisco e aproveitamos para visitar uma vinícola gaúcha que veio produzir aqui.

Passeio nota seis, com degustação de vinhos ruins. Os melhores ficam na prateleira, só pra quem quiser comprar. A guia explica que não dá pra sofisticar muito pelo preço (dez reais... descontáveis em caso de compra), nem pelo tipo de turista.

Comida boa nas barrancas do rio. Quando acabamos, Gigi está louca pra dar um mergulho no Velho Chico. No mesmo ponto da margem tem barcos que cruzam o rio para ilhas usadas como balneário pelos locais. Lugar meio improvisado, com barzinhos montados em barracas, mesas de plástico enterradas na areia e som alto. Uma espécie de Piscinão de Ramos pernambucano.

O domingo é de recolhimento, atualizando o diário, matando saudades via celular. À noite, somos despachados para Alto Alegre (!?!?!), Roraima. Lá vamos nós em outro voo de mais de três horas e meia...

Ernesto Paglia

ALTO ALEGRE (RR)

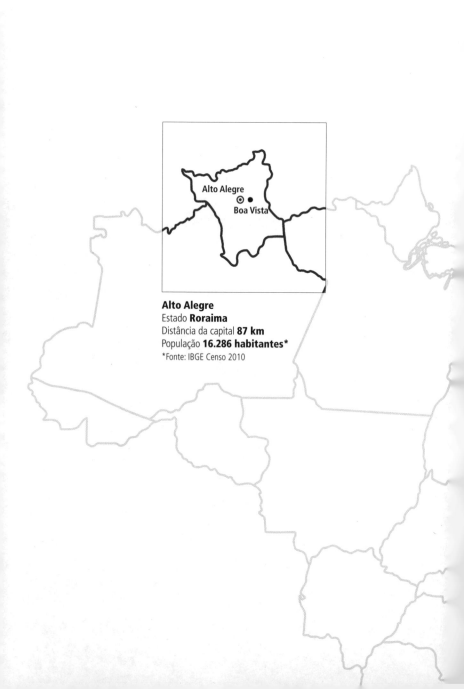

Alto Alegre
Estado **Roraima**
Distância da capital **87 km**
População **16.286 habitantes***
*Fonte: IBGE Censo 2010

trovões iluminam o céu nublado de Boa Vista. Pousamos à meia-noite e meia local, uma e meia da manhã para nós. Estou totalmente zonzo de sono, mas, ao pé da escada, o infalível colega da emissora local espera para gravar uma sonora. Ele precisa fechar o VT do dia seguinte e só tem a imagem da nossa chegada... e precisa desesperadamente da entrevista que quer gravar comigo. Respondo às perguntas com olhos vermelhos, repetindo palavras e tentando falar algo coerente sobre a nossa maratona. No dia seguinte, vejo o VT no *Bom Dia* local. Como desconfiava, não foi a minha entrevista mais brilhante...
Do hotel novo, confortável e, sinceramente, inesperado, em Boa Vista,

partimos rumo a Alto Alegre na nossa van. Três rambos aparecem, vestidos de preto dos pés à cabeça, coletes à prova de bala, armados até os dentes, óculos de sol escondendo os olhos. Que "meda"... eles formam a escolta contratada pelo pessoal da segurança do Rio de Janeiro. Parecem ter entendido mal o espírito da coisa. Preciso falar com os responsáveis e pedir agentes à paisana. Essa presença ostensiva intimida e é antipática. Mas a companhia de algum tipo de segurança me parece adequada. Apesar de não termos tido nenhum problema, o interesse das pessoas tem crescido e uma multidão bem-intencionada pode acabar nos impedindo de trabalhar. E ninguém está livre de alguma manifestação mais física... na internet, já li um par de comentários de gente "engajada" pedindo para que o JN no Ar seja hostilizado nas cidades que visitamos. Felizmente, ninguém deu ouvidos à provocação gratuita.

Certamente, não teremos problemas em Alto Alegre. Lugarejo de 14 mil almas, Alto Alegre encolheu, parecem indicar os números do IBGE que nos chegam, via produção do Rio de Janeiro. A cidade chegou a ter quase 18 mil habitantes pelo censo de 2000. Diminuiu de população, diz o superintendente do IBGE por telefone, por causa de alguma migração. E, admite ele com relutância, por não terem conseguido contar direito a elusiva população indígena, que inclui o maior grupo de ianomâmis de Roraima. Por causa desse "encolhimento", a prefeitura de Alto Alegre perdeu renda do Fundo de Participação dos Municípios. Coisa de 30 mil reais a menos por mês, explica o prefeito Viru.

Viru Oscar Frederich, gaúcho filho de imigrantes que só falou alemão até os oito anos de idade, professor de filosofia, quase padre carmelita descalço, é o prefeito incomum deste lugar colonizado por migrantes. Praticamente metade da população macuxi tem essa história. Mas ninguém tem as mãos do prefeito Viru... alguma alteração congênita fez o descendente de alemães nascer sem os polegares... mas com dez dedos. Ou seja, no lugar dos dedões, o prefeito ostenta dois indicadores extras. Por causa disso, é conhecido por "mão de anta", como ele mesmo informa, sem o menor constrangimento. Gozador e articulado, o ex-religioso conta o caso do sujeito que pediu carona, certa vez, num meio-dia de sol incandescente, numa beira de estrada do interior do município. "O sujeito pensou, pensou", diz o prefeito, "neste calor dos infernos, só o Capeta seria capaz de passar por aqui, mas eu ia pedir carona do mesmo jeito." Logo depois, Viru passou a bordo de uma moto, a caminho da cidade. O cidadão pediu carona e foi levado na garupa. A certa altura da viagem, deve ter notado as mãos estranhas do homem que o conduzia. Nervoso, bateu no ombro do motoqueiro, que mantinha o rosto escondido pelo capacete, e pediu para descer ali mesmo. Foi prontamente atendido. Dias depois, o prefeito soube que, depois de apear da moto, o homem correu a rezar na igreja local e ficou uma semana em jejum, crente que tinha recebido carona do demônio em pessoa!

Depois da introdução da piscicultura, os currais da fazenda do Zé do Tambaqui abrigam, apenas, cavalos. Os bois foram substituídos pela produção dos peixes que mudaram até o apelido do proprietário

Isso tudo o prefeito contou na varanda da fazenda do Zé do Tambaqui, um dos maiores criadores de peixe em cativeiro de Alto Alegre, enquanto esperávamos passar a tempestade. A piscicultura é orgulho da cidade, fonte de renda e alternativa cada vez mais importante à pecuária. No mesmo hectare onde se cria um boi de mil

O Zé do Tambaqui nos brindou com uma bela degustação do principal produto da sua fazenda. Os belos peixes ficam deliciosos na churrasqueira. E a técnica de desossa exibida pelo genro do fazendeiro retira todas as espinhas do tambaqui

quilos em três anos, informam os convertidos, dá pra produzir 5 mil quilos de tambaqui no prazo de apenas um ano.

Desta vez não conseguimos nos livrar dos políticos. Uma verdadeira carreata nos acompanha pelas estradas da fazenda, debaixo de chuva torrencial. Para piorar, a maioria dos carros é de campanha, com adesivos garrafais de candidatos a deputado, senador etc. etc. Um esforço inútil para eles. Deixamos todos para trás... das câmeras. Ninguém vai aparecer, a não ser o orgulhoso cearense-que-virou-macuxi, pecuarista-que-está--se-tornando-piscicultor.

Encharcados, comemos tambaqui na brasa, feito para atender ao nosso pedido e ilustrar com mais uma iguaria a nossa série de vts. Alfredo, piadista incansável, sugere que eu faça um livro de receitas só com as comidas que apareceram nas matérias... ahã.

De volta a Boa Vista, novo "vivo", sorteio e... toca pra Brasília – São Sebastião nos espera!

A bordo, enquanto o comandante Kede providencia o plano de voo e Ulisses e Vinícius (que veio substituir o Hailson no comando da antena *fly-away*) desmontam a tralha de transmissão, rimos muito com os comentários dos internautas recebidos pelo Alfredo. Pela primeira vez, recolhemos quase 100% a favor. Não importa nosso desejo de retratar de forma equilibrada os lugares. As pessoas querem elogios, têm sede de notícia boa. E as matérias dos últimos dias têm sido mais generosas, por pura coincidência. Tomo nota da reação, mas vou continuar a seguir o bê--á-bá da profissão: matérias nem contra, nem a favor, mas sobre.

Decolamos para mais três horas de voo. Estou bem resfriado. Mesmo cansado, não consigo dormir a bordo. Aproveito para atualizar o meu querido diário... quem sabe agora, com os olhos ardendo de escrever na tela do notebook no escurinho da cabina, não consigo tirar uma soneca antes do pouso?

Amparado pela presença solidária do cinegrafista Dennys Leutz e do editor de internet, Alfredo Bokel Filho, uno o útil ao agradável e devoro o tema do dia...

SÃO SEBASTIÃO (DF)

**São Sebastião
Distrito Federal**
Distância da capital **20 km**
População **Estimada em mais de 100 mil habitantes***
*Fonte: Portal da Região Administrativa de São Sebastião

acordo com a dor lancinante da pressão ameaçando explodir os ocos entupidos do meu crânio. O descongestionante que tenho tomado diariamente, antes do voo, evitou problemas com os ouvidos. Mas a sinusite está me matando.
Aterrisso com os olhos vermelhos e intumescidos. Só eu sei que não é só de sono... as lágrimas de dor que escorreram pelo meu rosto me deixaram com a cara mais inchada ainda.
Em terra, nos espera um velho conhecido – o ex-Globo São Paulo – Guilherme Portanova. Gaúcho que começou na RBS de Porto Alegre, Portanova foi para São Paulo em 2005. No ano seguinte,

Atletas de São Sebastião exibem medalhas e confirmam a vocação esportiva do lugar, outra conquista exclusiva da mobilização comunitária

enquanto Bial e companhia rodavam por Minas Gerais na Caravana JN, ele vivia o drama de ser sequestrado por supostos integrantes do Primeiro Comando da Capital, o PCC, quadrilha liderada por chefes criminosos encarcerados nos presídios paulistas.

Portanova e o técnico Alexandre Calado foram sequestrados na saída de uma padaria vizinha à sede da Globo em São Paulo, na zona oeste da cidade.

Alexandre foi libertado cerca de doze horas depois, com um DVD entregue pelos marginais. A exigência para a libertação de Portanova era de que o conteúdo do disco fosse veiculado sem cortes pela emissora. Depois de nervosas consultas à polícia paulista, a entidades internacionais de imprensa e a uma empresa especializada em gestão de riscos, a direção da empresa tomou a decisão priorizando a vida do repórter. Veiculou a gravação numa edição extraordinária (um "Plantão", apresentado ao vivo, da redação, pelo repórter César Tralli), exibida no começo da madrugada, apenas para os telespectadores da capital.

Guilherme, entretanto, só seria solto quase 24 horas depois, após a cobertura do *Fantástico* do dia seguinte ter levado ao ar, novamente, trechos da mensagem: uma atrapalhada fala de um homem encapuzado, cerca de três minutos e meio de confusa argumentação contra o regime disciplinar rígido imposto à época pelo governo nos presídios paulistas.

Depois do sequestro, Portanova voltou a trabalhar em São Paulo. Em 2007, veio para Brasília.

Hoje vai acompanhar o nosso trabalho, para fazer as reportagens sobre o JN no Ar para os telejornais locais. É estranho, mas faz parte do show.

A divulgação da cobertura nos telejornais locais é importante para a repercussão da cobertura nas comunidades que vamos visitar.

O deslocamento é mais complicado do que nas cidades pequenas. Os aeroportos periféricos permitem mais agilidade. Em Brasília, um avião executivo a mais não encontra facilidades... na terra dos jatinhos das autoridades e dos empresários, nosso "jatão" é só mais um. Começa pelo desembarque. Temos de pegar uma van da operadora local de táxi aéreo até o terminal, carregar e descarregar a tralha toda, e andar mais um bocado na segunda van da noite até chegar ao hotel. Delícia de cama... pena que só vai estar à nossa disposição por cinco horas.

Manhã seguinte, parada de Sete de Setembro no Planalto Central. O *Bom Dia* local só fala no desfile, no bloqueio do Eixão e não sei mais o quê. Penso que vamos a uma cidade da periferia pobre de Brasília em pleno feriadão. O quê, meu santo padroeiro dos repórteres, vamos poder fazer num dia como este?

Muito, eu iria descobrir.

Na curta viagem de menos de vinte quilômetros até São Sebastião, nosso bravo Alfredo Bokel, o editor de internet, abre um post bem escrito de um morador. O cidadão deu-se ao trabalho de escrever um detalhado roteiro de problemas institucionais – e soluções encontradas pela comunidade. Fascinante. Desprendido, o autor não dá nenhum contato além do e-mail. Alfredo, superantenado, me mostra a mensagem. E eu percebo que estamos diante do roteiro para o nosso dia. Falta, porém, o personagem, o cara engajado na vida da comunidade a ponto de se antecipar à nossa chegada e procurar fornecer dados sobre o lugar onde vive.

Tião da Areia, fundador e "padrinho" de São Sebastião, posa orgulhoso depois de dar entrevista e contar longamente a história da cidade. O município do entorno de Brasília nasceu dos acampamentos de operários como ele, vindos principalmente do Nordeste para a construção da capital federal

Sugiro o óbvio – só temos uma chance: o cara pode estar online e ler uma resposta. Dito e feito. Dez minutos se passam e Francisco "Beto" (???) liga para o celular da produção.

Combinamos o encontro num campo empoeirado, onde se enfrentam dois dos quase cinquenta times locais da surpreendentemente organizada liga de futebol. Hoje, o Marília pega o PSV (de São Sebastião...), pelo campeonato da Liga Amadora de Desportos de São Sebastião, a Ladess.

Quando ele chega, percebemos que estamos diante de um sujeito sério e engajado. Educador, seguidor da pedagogia de Paulo Freire, Beto é um líder comunitário. Discreto, articulado, ele não quer aparecer, ao contrário de algumas figuras que têm se aproximado nas nossas visitas. Só quer garantir que, além das mazelas, mostremos também as conquistas da organizada sociedade civil de São Sebastião. A começar pelo futebol. Mais de 3 mil crianças, jovens e adultos encontram um espaço para o lazer nos campeonatos das "ligas" (tem duas!) da cidade. Ele nos ajuda durante o resto do dia. Ele não está preocupado em ser entrevistado. Quer expor ao país a mobilização da sua gente. Sou eu quem quer que ele apareça, dando um contraponto à disposição da comunidade. Gravo uma entrevista. Provoco e obtenho a resposta que, a meu ver, arredonda a história. Ele diz que a organização popular é muito importante, mas tem limites. É preciso cobrar a eficiência do Estado. Bingo. Mais uma matéria está na mão. Um belo Sete de Setembro no Planalto Central.

A entrada no JN é uma tranquilidade. Como era de se esperar, o pessoal da Globo Brasília fornece uma infraestrutura de primeira. Nem precisamos montar a *fly-away* como garantia. E o sorteio nos despacha de volta ao Amapá, onde começamos nossa expedição. E a cidade é... Porto Grande!

Sem precisarmos esperar que o Ulisses e o Vinícius desmontem e empacotem toda a parafernália de transmissão, o embarque é relativamente rápido. Mas a partida demora – entramos na fila do movimentado aeroporto de Brasília. E o voo até o Nordeste consome mais um par de horas. Resultado: chegamos bem tarde a Natal. Lá, depois da chegada e da entrevista de praxe, entro na van e fecho os olhos, tentando retomar o sono interrompido pelo pouso. Depois de alguns segundos de desligamento, meu cérebro identifica uma demora incomum. Reabro as pálpebras pesadas e vejo que ainda estamos no mesmo lugar. Há certa pasmaceira na pista. Estamos todos liberados há uns vinte minutos, mas as vans não se movem. Gigi está do lado de fora de uma delas, negociando assuntos do dia seguinte com o representante da Infraero. Adriana também resolve algo com os motoristas. A essa altura, minha paciência chega ao fundo do tacho. E eu explodo num piti, como dizem no Rio de Janeiro. Rodo a baiana, reclamo da demora, da falta de consideração com o sono alheio, da confusão do transfer... cria-se um clima péssimo. As vans acabam tomando o rumo do hotel. Que, pra piorar as coisas, fica a meia hora de distância (isso à meia-noite e tanto, por avenidas desertas – como será na hora do fechamento da nossa matéria?).

Chego ao lobby do hotel resmungando. Reclamo com a Gigi ("Você podia ter deixado pra resolver a instalação da ilha de edição amanhã, enquanto a gente estiver na rua."), com a Adriana ("A gente não pode ficar em hotel tão distante do aeropor-

O repórter Guilherme Portanova apresenta, ao vivo, a matéria que fez sobre a nossa visita a São Sebastião. Hoje repórter da tv Globo Brasília, Portanova já foi colega da redação paulistana da emissora, ocasião em que foi vítima de sequestro

Ernesto Paglia   **133**

Abaixo, um avião comercial pousa no movimentado aeroporto de Brasília. Ao lado, jogadores da liga amadora de futebol de São Sebastião, no entorno da capital federal, descansam no intervalo de um dos jogos da rodada de Sete de Setembro. Mais de 3 mil moradores, principalmente jovens, participam dos animados campeonatos da cidade. Tudo fruto da mobilização da comunidade, que resolveu arregaçar as mangas e desempenhar as funções do Estado, ausente

to..."). Aí, percebo que a Adriana está chorando. O filho dela está doente, no Rio de Janeiro, e ela está preocupada. Nesse momento, noto a desproporção do meu mau humor. Vou para o meu apartamento arrependido da explosão no aeroporto. Mas, a esta altura, não tem mais conserto.

Na manhã seguinte, depois do café e antes de sairmos para o dia de trabalho, peço licença à equipe da TV Cabugi, que veio nos acompanhar, e convido a turma para uma rápida reunião. Nos sofás do fundo da recepção, peço desculpas à equipe pelo rompante. Mantenho minhas críticas, mas não é assim que se resolvem as coisas, admito de peito aberto. Uma parte da equipe, que estava em outra van e nem percebeu o episódio, brinca com o meu *mea-culpa*. Mas quem tinha de receber as desculpas parece ter posto uma pedra em cima da questão. Ótimo. Estou de alma lavada. Pronto para mais um dia no ar... e em terra.

Onde estávamos, mesmo? Ah, Porto Grande, Amapá. Fica mais ou menos na primeira travessa depois da linha do Equador...

Porto Grande (AP)

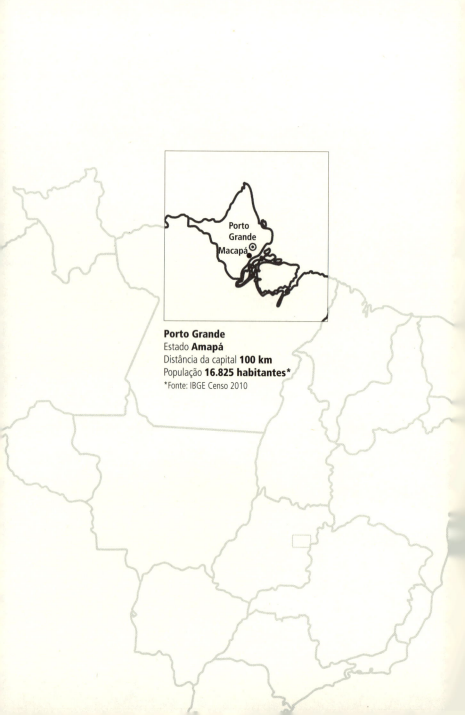

Porto Grande
Estado **Amapá**
Distância da capital **100 km**
População **16.825 habitantes***
*Fonte: IBGE Censo 2010

é só uma referência geográfica, mas confesso: eu presto atenção a essas coisas. Herança, quiçá, das boas professoras de geografia do passado. Não consigo deixar de pensar que cruzar o Equador e pisar no hemisfério Norte é uma espécie de mudança de jurisdição planetária. Por isso, cada vez que vou ao Amapá tenho a sensação de que estou mais longe de casa... Mas esta viagem é diferente. Duas semanas atrás, inauguramos a cobertura das eleições de 2011 aos pés da bela Fortaleza de São José, em Macapá. E eu piso em território familiar agora que vamos a Porto Grande, a cidade sorteada para representar o Amapá na matéria do dia.
Vencemos os 102 quilômetros da BR 156,

Porto Grande fica no hemisfério Norte, mas está a poucos quilômetros do Equador. O clima quente e úmido rende uma safra atrás da outra, um fluxo quase permanente de frutas, canalizado para o abastecimento de todo o Amapá

da capital ao jovem município, a bordo de mais uma indefectível van. O carro é novo, e o dono do microônibus, caprichoso (ou desconfia do nosso padrão de higiene...). Ele deixou intocadas as capas de plástico que protegem os bancos. Medida que, sem dúvida, protegerá o patrimônio do condutor, mas esquentará nossas costas e assentos, já devidamente aquecidos pela temperatura equatorial do Amapá.

A estrada, asfalto razoável em pista dupla, atravessa enormes plantações de eucalipto. São a matéria prima para fábricas de celulose europeias e asiáticas. Na chegada, não demoramos nada a confirmar que Porto Grande não justifica o nome. Com seus 16 mil habitantes, não seria adequado classificá-la como "grande". E o porto, ficamos devendo... o rio Araguari fornece peixe que mata a fome da parte carente da população, mas não apresenta nenhuma estrutura que mereça o título.

Só que, hoje, Porto Grande pode dizer que tem oceano. Oceano Atlântico de Silveira e Souza! O nome do motorista da equipe da TV Amapá que nos acompanha beira o inacreditável. Mas ele, um simpático sessentão de cabelos brancos, já se acostumou às reações incrédulas dos interlocutores e dispara o gesto tira-teima: saca do bolso a carteira de identidade e confirma oficialmente o nome. E parte para a explicação, que não fica devendo nada ao nome em, digamos, originalidade. O avô se chamava Moisés e vivia no Ceará. Migrou para o Amapá em 1895, a bordo de um vapor. Feliz com a vida nova, ao ter um filho, quis homenagear o mar que o levou ao seu Eldorado particular. E foi para o cartório disposto a registrar o rebento como Oceano Atlântico. Mas o escrevente tinha algum problema com a geografia (ou um sério caso de déficit de atenção...) e tascou oceano Pacífico no garoto! Ou seja, nosso Oceano Atlântico teve um tio igualmente caudaloso.

O sonho do cearense Moisés (convenhamos, com um nome desses, vovô tinha direito a uma boa dose de fixação marítima, não?) só virou realidade quando a filha dele deu à luz o nosso motorista, que acabou pagando a dívida que o ancestral julgava ter com as águas que o conduziram ao Amapá.

Nesse quesito das histórias humanas, temos um belo dia pela frente. Já que nossa produção central indicou que estamos na maior região produtora de alimentos do Amapá, vamos visitar os agricultores que representam um terço da população. Somos levados até eles por uma viatura da PM, destacada para essa tarefa por um gentil comandante local. O quartel foi a nossa primeira parada, atrás do grupo de Guardas Mirins que faz parte de um projeto de prevenção de drogas entre jovens. Adriana e Lúcio ficam por conta disso, enquanto seguimos para a zona rural.

Encontramos uma grande grupo de cearenses, feito o avô do Seu Oceano. Eta, gente valente! Expulsos pelas secas rigorosas do passado, o Ceará semeou seus filhos pelo mundo, e o vizinho Amapá ganhou uma colônia significativa. Gente habituada à terra seca, nada de braçada na generosidade úmida deste lugar. Seu Zezinho, um dos maiores produtores da Colônia do Matapi, nos recebe sem espanto (tenho de admitir, uma van cheia de telejornalistas, escoltada por uma viatura da PM é coisa que causa certa estranheza, ainda mais nestes confins... mas a companhia de policiais que ele conhece ajuda a desfazer desconfianças). E lá vamos nós

Seu Zezinho, agricultor cearense baseado em Porto Grande, exibe os abacaxis da sua propriedade, uma das mais produtivas do município. Deslocado da terra natal pela seca, na década de 1980, o agricultor encontrou o caminho da fartura no Amapá

Ernesto Paglia   **141**

O mamoeiro carregado de frutas é recompensa para o trabalho dos agricultores como o cearense Zezinho. A terra de Porto Grande precisa ser corrigida com insumos, mas devolve uma produção farta que faz do município o maior produtor de frutas do estado

A viatura da PM do Amapá nos ajudou a encontrar os agricultores na zona rural de Porto Grande. A gentileza do comandante do batalhão local foi uma colaboração preciosa num dia de pouco tempo e muito assunto para mostrar

atrás do produtor (vestido com uma humilíssima bermuda, camiseta regata e sandálias de dedo), em busca das plantações de papaia, melancia, coco e, principalmente, abacaxi.

A festa do abacaxi, "o" evento do município, começa semana que vem e um assessor da prefeitura, em busca de divulgação, já nos localizou no meio da roça. Ele espera respeitosamente que acabemos o trabalho com o agricultor, que fala da maravilha da produção local. O amapaense adotivo explica que a terra precisa ser corrigida com adubo, mas que o clima ajuda e o trabalho bem feito consegue arrancar safras e mais safras de produtos ao longo do ano. Peço ao Dennys pra ligar a câmera. E gravo o depoimento, que conduzo sutilmente para que ele repita diante do microfone o que acabou de dizer ao natural. Pergunto quando é a safra da melancia, ele responde. E quando acaba? E a do mamão? Ele emenda com outras frutas, bem convincente. Funcionou mais uma vez... nem sempre é possível reproduzir "on the record" a frase brilhante que o entrevistado soltou espontaneamente na conversa prévia.

Quando voltamos à estradinha de terra que atravessa o terreno arado para entrar nos carros, encontramos um auxiliar do seu Zezinho abrindo cocos verdes. Apesar de quentes, eles são um santo remédio para a desidratação que ameaça nos dissolver neste calor amapaense.

Na hora de ir embora, mais gentilezas irrecusáveis do agricultor... quero ver como o comandante Kede vai acomodar a dúzia de melancias e as braçadas de abacaxi que seu Zezinho mandou colocar na van! Mais tarde, na hora do embarque no jato, teremos de abrir mão com dor no coração da parte da safra que nos tocou...

Seguimos para outra propriedade modesta, desta vez, guiados pelo homem da festa do abacaxi. Pedi para mostrar o trabalho dos artesãos que produzem incontáveis derivados de abacaxi para a famosa festa. E vamos parar no quintal de uma casinha de madeira algo descuidada. É a sede do sítio de dona Benedita de Souza. A velha senhora não deve ter muito mais de meio metro de altura. Tem traços indígenas bem marcados e olhos tristonhos por trás dos óculos de aro redondo. "Meu marido morreu faz dois meses", explica num desabafo desconcertante. "A gente fazia tudo junto. Agora, não sei se vou dar conta da produção sozinha... meus filhos querem que eu vá embora pra cidade, mas minha vida é aqui...", diz a pobre senhora sem parar de trabalhar no caldeirão fumegante que está no fogo. O recipiente, apoiado sobre brasas de um fogão improvisado no chão de barro, contém uns vinte litros de um líquido amarelo que solta um vapor adocicado. "-Eu to fazendo licor de abacaxi pra festa", diz a viúva, enquanto despeja na mistura a primeira de uma série de garrafas de cachaça. "O pessoal gosta bem forte...", justifica. Dona Benedita entra na casinha e volta com panos de cozinha. Prepara-se para coar o licor. Eu me ofereço para ajudar, levantando o pesado caldeirão. Dá pra imaginar a falta que faz o falecido nesta fábrica caseira que produz um sem número de derivados do abacaxi. Caprichosa, dona Benedita arrumou uma mesa ao ar livre, forrada com uma toalha colorida e tomada por subprodutos da fruta. Lá vamos nós... ligamos câmera e microfone. Provoco: "Todo mundo diz que abacaxi é um problema mas, se derem um abacaxi pra senhora, vira solução, né?". "Ah, eu faço geleia, compota, licor, bombom, fatia crista-

O agricultor Zezinho veio na frente. Aos poucos, foi trazendo o restante da família do Ceará. Conseguimos reunir uma pequena parte do clã para esta fotografia diante da casa modesta onde vive o produtor, um dos maiores do município

Dona Benedita prepara licor para a festa do abacaxi. Um dos maiores eventos do interior do Amapá, a festa de Porto Grande é animada, em grande parte, pelos litros de cachaça que a velha senhora despeja nos caldeirões que ajudei a levantar. Façamos justiça: a mesa colorida exibe uma imensa variedade de subprodutos do abacaxi que a agricultora também produz

lizada...". Mais tarde, Gisele vai botar essa fala no final da matéria, terminando em suave *fade-out* do áudio... eu adoro isso!

Presenteados com bandejinhas de bombons de abacaxi, saímos apressados. Ainda precisamos gravar na cidade. A BR atravessa Porto Grande sem nenhum esquema de segurança. Um vereador local reivindica lombadas, sinalização, meios para evitar acidentes que já machucaram muitos moradores. É político, mais uma vez, e isso nos deixa com um pé atrás. Mas recebo confirmações independentes de que o problema é sério, e ele não é candidato a nada nestas eleições.

Além disso, podemos filmar rapidamente os aprontos para a feira do abacaxi e um balneário público na beira do Araguari. O qual, felizmente, possui um simpático restaurante de peixes nativos. Feliz coincidência. Vai dar até pra almoçar!

Na volta, enquanto meus sucos gástricos vão enfrentando tambaquis e assemelhados, escrevo o texto dentro da van chacoalhante. Não recomendo esse tipo de digestão mas, no nosso caso, não há escolha.

O *JN* precisa continuar no AR!!!! E, ainda esta noite, Porto Grande vai mostrar a sua cara para o restante do país.

E nós vamos para o Rio Grande do Norte, no glorioso município de São Gonçalo do Amarante. Já ouviu falar?

Melancias aguardam a céu aberto pelo transporte que as levará aos consumidores de Macapá e do restante do estado. O mau estado das estradas vicinais é uma das queixas dos produtores locais. O escoamento da produção é dificultado e muitas frutas se perdem por causa dos atrasos no despacho

SÃO GONÇALO DO AMARANTE (RN)

São Gonçalo do Amarante
Estado **Rio Grande do Norte**
Distância da capital **13 km**
População **87.700 habitantes***
*Fonte: IBGE Censo 2010

eu, não. Mas devia. A cidade foi cenário de um episódio importante da história da guerra pela expulsão dos holandeses do Brasil Colônia. Lá, os batavos promoveram a matança com requintes de crueldade de pelo menos cinquenta moradores, portugueses e mestiços. Uma represália por eles não terem aderido à coroa holandesa e por se recusarem a renegar a religião católica. Essa informação, por si só, já nos dá um norte. Tenho de tomar cuidado, porém, com a carga religiosa dessa memória. O episódio é encampado pela Igreja católica que, por motivos óbvios, lhe enfatiza a dimensão mística. O Vaticano define o ocorrido como um momento de martírio

Debaixo do sol do meio-dia, encontramos duas moças vestidas de longos acetinados, faixas de miss atravessadas no peito, saltos altíssimos enterrados na lama. Elas andavam no nosso encalço, tentando conquistar um espaço no JN. Entrevistei as meninas, mas não consegui encaixar o material no VT daquela noite. Para consolo das misses, nosso editor de internet usou tudo no blog do JN no Ar

(duas das vítimas do chamado "Massacre dos Mártires" eram padres. Um terceiro teria tido o coração arrancado pelas costas pelos índios janduís, aliados dos holandeses, enquanto rezava. Todos foram beatificados pelo papa João Paulo II). Acho importante garantir um enfoque mais laico e, portanto, mais abrangente. Peço à Adriana que tente conseguir uma indicação de historiador para entrevistarmos. Ela liga imediatamente para a InterTV Cabugi, que está nos dando apoio local.

Bons conhecedores do seu território, os colegas da produção da Cabugi nos indicam um professor de história que é um astro dos "cursinhos" potiguares. O professor Luiz Suassuna tem a cabeça coberta por uma fina lembrança do que deve ter sido, um dia, uma cabeleira. Visto pelo olhar irreverente e criativo dos seus alunos, ele é o professor Coquinho. E nos dá uma excelente sonora aos pés do monumento construído no lugar do "martírio", administrado pela Igreja católica e transformado em local de grandes celebrações anuais e missas campais. Além de uma festa arretada que, segundo o secretário de Turismo local (filho do Zé Rodrix! Eita, mundo pequeno...), reúne mais de 40 mil pessoas.

Enquanto esperamos a chuva passar para podermos gravar com o professor Coquinho, errrr, quer dizer, Suassuna, somos abordados por mais uma fila de pessoas que querem nos ajudar e/ou ganhar espaço no JN daquela noite. A PM local certamente viu a menção que fizemos ao trabalho de prevenção feito pelos colegas deles em Alto Alegre, RR. E quer mostrar a sua mensagem antidrogas. Interessante, mas esse aspecto já foi contemplado recentemente e há outras histórias a destacar em São Gonçalo do Amarante. Entre elas, as olarias quase medievais, que queimam lenha nativa e poluem o lugar. Logo alguém sugere onde podemos encontrar uma. Anotado. Tem também a carcinicultura (criação de camarões), sempre acusada de agredir o meio ambiente. Um produtor local, dono de uma fazenda de onde foram retiradas toneladas de argila para fazer tijolos, achou uma solução interessante: transformou em viveiros os buracos escavados ao longo de trinta anos de depredação na fazenda que era do pai dele. Só tem um problema... a conversa simultânea com vários interlocutores (é preciso dar atenção a todos, tirar fotos nos intervalos, mas ficar de orelha bem em pé...) me revela que ele é marido de uma secretária do município. Mas ele não se mete com política, me garante um par de fontes caçadas ao acaso na comitiva que nos cerca.

Ganhamos mais um personagem para a nossa história do dia.

Mas não basta mostrar viveiros. Precisamos gravar camarões como eles são mais conhecidos pela imensa maioria da população... dentro de um prato, em cima de uma mesa. Depois de algumas consultas, surge o nome do Bar da Rosa, em Pajuçara. Galpão rústico, construído no quintal da casa da dona, é um dos mais tradicionais restaurantes do lugar, frequentado por gente da vizinha Natal. Vamos pra lá. Vou ter de experimentar a iguaria local... para deleite do amigo Alfredo, que tudo fotografa e repassa para o blog.

Só tem um probleminha... dona Rosa é mais calada do que a matéria-prima dos pratos que serve no seu bar. E eu estou tendo um trabalhão para arrancar dela alguma declaração mais simpática. É o nosso "salame" do dia, e uma fala simpática da personagem é um charme que custa a aparecer... Enquanto provo alguns dos inúmeros pratos de camarão que ela preparou para filmarmos, chega um SMS da Adriana para o celular do Alfredo (os celulares estão pegando muito mal e as mensagens de texto são uma alternativa mais confiável). Ela recebeu um e-mail da turma da produção do Rio com informações sobre a carcinicultura. Entre os números e as estatísticas, uma informação preciosa e oportuna como só!!!! Alfredo se aproxima quase engatinhando da mesa onde eu degusto os crustáceos, sentado ao lado de uma monossilábica dona Rosa. Me passa o celular, mas eu não consigo ver o que ele quer que eu leia... num intervalo da gravação do Lúcio Rodrigues, ele explode, ansioso: potiguar, o gentílico de origem indígena do Rio Grande do Norte, quer dizer... COMEDOR DE CAMARÃO! Salvo pelo gongo!!!! Olho para a câmera, já gravando de novo, e digo que já estou me sentindo como um legítimo potiguar... o que quer dizer isso, dona Rosa? "Comedor de camarão", confirma a tímida senhora, com um sorriso que já me parecia impossível... Ufa! Mais um salame garantido!

À noite, a urna nos manda para o coração de Minas... Coração de Jesus, oitenta quilômetros de Montes Claros, norte de Minas Gerais. É o trecho mais nordestino das Alterosas. Vamos botar os pés no semiárido.

O forno da olaria de São Gonçalo do Amarante usa métodos medievais para queimar os tijolos produzidos no lugar. A lenha raramente tem origem sustentável, polui e é cada dia mais escassa. A cara substituição por fornos a gás é inviável para os proprietários das olarias artesanais. A atividade, que também provoca danos ambientais com a retirada da argila da beira dos rios, tem os seus dias contados

CORAÇÃO DE JESUS (MG)

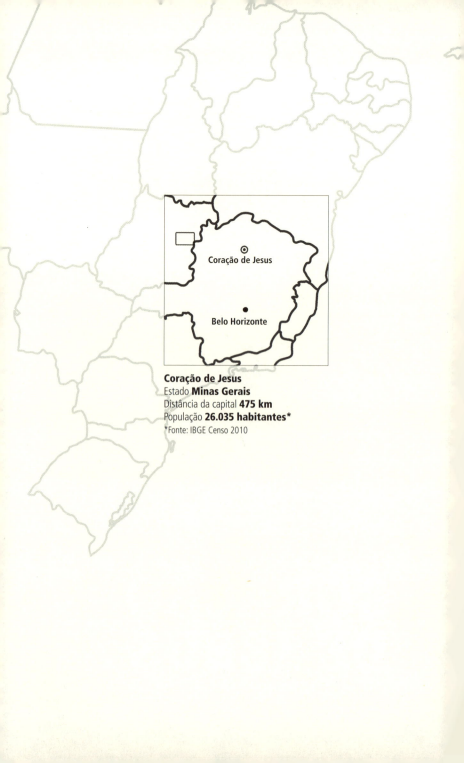

Coração de Jesus
Estado **Minas Gerais**
Distância da capital **475 km**
População **26.035 habitantes***
*Fonte: IBGE Censo 2010

Salão do café da manhã, no hotel honesto de Montes Claros. Adriana, com disposição de chefe de produção recém-desperta, chega unindo as pequenas mesas para que nossa primeira refeição do dia possa virar a habitual reunião de pauta. O garçom tenta protestar. Inútil. Ele não sabe o que é uma equipe de TV em movimento... pior do que um trator desembestado!
Alfredo nos brinda com os e-mails recebidos pelo blog do JN no Ar. Eles sempre trazem alguma luz. Mas ele está desconfiado... uma dúzia de posts nos sugere, como quem não quer nada, que entrevistemos um advogado de Coração de Jesus. "Convida o fulano para fazer

Conduzidos pelo nosso guia quase cego, sacudimos na caçamba empoeirada de uma picape que cruza o pasto nos arredores de Coração de Jesus. Os olhos nublados pela catarata não impediram o pesquisador autodidata, Bira, de nos levar à caverna onde uma parte do rico patrimônio pré-histórico do município foi depredada por vândalos

a reportagem com você. Ele sabe tudo sobre Coração de Jesus." "Nossa Coração de Jesus tem muita história pra contar. Mas ninguém melhor pra contar junto com você, Ernesto, do que o advogado fulano..." "Oiiiiiii, Ernesto. A única pessoa que conhece Coração de Jesus em todos os sentidos é o fulano. Você estará bem se chamá-lo, pois é uma pessoa que conhece muito a nossa cidade." De fato, cheira mal. Doze mensagens, com textos muito parecidos, tentam nos empurrar o tal advogado. Depois descobriremos que ele foi chefe de gabinete do prefeito atual, o qual, por sua vez, já foi destituído por problemas com as contas do município e só voltou graças a uma decisão judicial. Ufa. Nos livramos de outro cavalo de troia. O caminho verdadeiro é apontado por outra indicação, vinda da base de produção, lá no Rio de Janeiro. O Bira é uma figura. Enxuto nos seus 63 anos, óculos de lentes grossíssimas – uma côncava, outra convexa –, papetes gastas nos pés, colar de sementes nativas, ele faz pensar num hippie tardio. Só que com sotaque pra lá de "minerim"...

"Tô muito importante, moço!", é a resposta dele ao telefone quando me apresento como enviado do *Jornal Nacional*. Ubirajara Alves Macedo é muito importante, sim. Autor de três livros sobre a história de Coração de Jesus, Bira é um historiador autodidata. Funcionário público aposentado, ele é possivelmente o único jesuense que dá alguma pelota para a memória desta cidadezinha de 20 mil habitantes. E que memória tem o lugar...

Arqueólogos da USP, os únicos que se interessaram pelas informações levadas por Bira a várias instituições, já escavaram na região. Desenterraram esqueletos inteiros do que julgam ser dinossauros que habitaram a região, milhões de anos atrás. A equipe já prometeu a Bira que vai batizar uma espécie com o nome dele... mas quem consegue confirmar a história com a turma da USP? Nossos produtores, na "torre de controle" do JN no Ar, gastam os dedos em telefonemas e e-mails, mas os cientistas não querem confirmar o causo contado por Bira. Até que o André Modenesi, do Rio de Janeiro, consegue falar com um dos cientistas e descobre o porquê de tanta reticência... Os pesquisadores estão preocupados em não "queimar" o artigo que pretendem publicar sobre o assunto numa revista científica, espécie de "patente" do mundo acadêmico que garante a paternidade das novas descobertas dos cientistas. Mas, mesmo em off, o professor fornece a confirmação que precisamos para dar respaldo aos causos do mineiríssimo autodidata de Coração de Jesus.

Mas não ficamos esperando sentados. Enquanto a produção corria atrás da checagem, nós corríamos atrás das indicações de Bira. A gravação das imagens da cidade e das questões urbanas de Coração de Jesus estava garantida, nas mãos de Adriana e Lúcio. Portanto, eu podia me concentrar no belo personagem que Bira foi se revelando. Um idealista defensor do patrimônio pré-histórico do lugar. E o melhor exemplo da luta inglória deste homem está numa pequena gruta, na beira de um rio seco (como muitos outros, por causa do desmatamento desenfreado para a retirada de lenha para as siderúrgicas mineiras), informa o próprio Bira. Por trás das lentes grossas, ele pisca os olhos nervosamente e diz que as inscrições rupestres da gruta foram todas depredadas por pichadores. Nossa! É uma denúncia grave e resolvo investir nisso. Mas...

Dennys Leutz tenta gravar as inscrições rupestres da caverna de Coração de Jesus. Bira nos mostrou as pichações que cobrem a maior parte dos intrigantes desenhos. A obra dos homens pré-históricos nunca foi devidamente estudada e já pode ter se perdido sob os rabiscos – na maioria, assinados por um irresponsável chamado Vanderlei

onde fica mesmo a tal gruta? "Pertim daqui, uns vinte quilômetros de estrada de chão", informa Bira.

Muito bem. Pé na estrada. Mas Bira logo esclarece que a nossa van vai precisar dar uma volta um pouco maior. "A estrada tá muito ruim", revela Bira. Vamos andar um pouco mais, aparentemente. Mas, não. Logo a gente percebe que vai andar muito, muito mais. No final das contas, rodaremos mais de sessenta quilômetros pelas estradinhas empoeiradas da zona rural de Coração de Jesus. O celular não pega mais e não consigo nem falar com a Adriana pra ver se o lado que ela está abordando está rendendo. Preocupado, depois de uma hora de solavancos e poeira, aproveito a pausa que o Dennys pede para filmar gado na paisagem seca e tiro da mochila o meu celular por satélite. Por sorte, consigo sinal rapidamente. Adriana informa que as coisas correram bem para o lado dela. E já começa a voltar para Alta Floresta. Pelo menos isso.

Do nosso lado, continuamos rodando sob a direção cada vez menos confiante do Bira. "Faz tempo que eu não venho aqui", admite o nosso guia. "Tá tudo muito mudado"... Ai, ai, ai.

O tempo passa e eu começo a me desesperar. E se for tudo balela? E, o que é mais provável, se Bira não conseguir achar o lugar? Não tenho a parte mais charmosa da matéria e já não há tempo para procurar alternativas!!!

Finalmente, chegamos a uma porteira que Bira consegue reconhecer. Entramos com a van, conduzida, a esta altura, por um motorista amargurado, que não esperava enfiar o carro numa espécie de rally dos sertões para furgões. A estradinha vai se afunilando, até que atingimos uma sequência de valetas e lombadas que nos obriga a parar. Bira, já francamente informado da nossa angústia, desce e vai procurar alguém na casinha que vemos à frente. No caminho, Ulisses, que o segue, ouve-o desabafar: "Errei feio. Acho que não tô enxergando direito...". Na volta, em companhia de um garoto que se dispõe a nos indicar o caminho, Bira abre o jogo sobre seus problemas de visão: "Vou operar a catarata na segunda", nos informa, com franqueza perturbadora. "É a do olho esquerdo." E o outro? "Ah, sou cego desse olho há muito tempo..."

O menino assume o papel de guia. "Estradinha ruim, né?", puxo conversa. "Ah, aqui só passa trator", revela o garoto, para desgosto do motorista da van. Mas, de trás de uma lombada, repentinamente aparece a visão redentora da sede da fazenda. Lá de dentro, vem o Branco. O velho fazendeiro nos espera com dois acompanhantes. "Demoraram, hein?". Ele já estava nos esperando... informação, evidentemente, anda bem mais rápido do que o nosso grupo e seu líder visualmente prejudicado.

A gruta com as pinturas rupestres é na fazenda, sim. Mas não exatamente aqui, ao lado da sede. Precisamos seguir adiante. Já passa da uma da tarde e eu olho angustiado para a nossa van, já toda empoeirada. O Branco oferece a pickup. "Com esta barriga, eu não vou lá não. Mas dou carona procêis", diz o fazendeiro. E lá vamos nós, na carroçaria da camionete, chacoalhando e tentando nos segurar para não decolar antes da hora... A esta altura, já entreguei nas mãos do destino. Se não acharmos a gruta, só a procura e o nosso guia de óculos fundo de garrafa já são uma história e tanto. Não consigo conter o riso diante do ridículo da situação, meia dúzia de marmanjos na carroçaria da uma camionete, tentando manter-se de pé entre os solavancos,

O tempo passa e eu começo a me desesperar. E se for tudo balela? E, o que é mais provável, se Bira não conseguir achar o lugar? Não tenho a parte mais charmosa da matéria e já não há tempo para procurar alternativas!!!

Ernesto Paglia

tossindo por causa da poeira... e o Alfredo não perdoa: grava tudo na pequena câmera que carrega pra todo lado. Vai tudo para o blog...

Depois de uns intermináveis dez minutos nessa lida, a gente consegue chegar... perto! Agora, é só descer uma pirambeira tomada por arbustos secos, pular uma cerca de arame farpado, caminhar uns quinhentos metros por dentro do leito pedregoso de um rio seco e... lá está ela. A água que já correu por aqui escavou a rocha de um dos barrancos da curva do rio. Lá dentro do abrigo natural que se formou, homens pré-históricos devem ter preenchido o tédio de longas noites do passado desenhando as cenas do seu cotidiano primitivo. Animais extintos, figuras humanas, marcas repetidas num provável calendário ancestral, dezenas de desenhos feitos com argila branca se destacam na parede de pedra. Quer dizer, se destacavam, antes que algum vândalo cobrisse quase tudo com seus rabiscos revoltantes. Um tal Vanderlei, aparentemente filho do fazendeiro, passou os últimos anos assinando o nome sobre inscrições ancestrais, destruindo testemunhos milenares da presença do homem no continente. Talvez um trabalho de especialistas possa, um dia, resgatar aquilo que a antiga revista *Cruzeiro* registrou, sessenta anos atrás, com a ajuda de um arqueólogo francês. O próprio pai de Bira, de quem ele herdou a vocação para a história, teve o capricho de copiar os desenhos. Mas os originais estão tristemente comprometidos. E Bira dá uma entrevista revoltada e descrente, falando da perda de um patrimônio que, como ele disse, não é nosso nem de nossos filhos, mas dos nossos netos e bisnetos. Vou fechar a matéria com isso, é claro. Agora, é correr de volta para Montes Claros e encarar a pressa da Gigi...

Encontramos nossa editora relativamente tranquila, considerando-se o adiantado da hora. O texto está pronto. O problema é a minha voz, que ficou para trás, em algum daqueles solavancos empoeirados... gravo um off de além-túmulo... na pior das hipóteses, vai servir de guia para a montagem das imagens e sonoras. Vou para o hotel, tentar repousar um pouco a garganta. Ligo para a Sandra, minha mulher, e não preciso falar muito para ela entender a gravidade da situação. Brilhantemente, ela, que é do ramo, lembra da dra. Leny. E se encarrega de ligar para a competente fonoaudióloga da Globo São Paulo. Em cinco minutos, recebo a ligação da Leny Kyrillos, doutora em fonoaudiologia, autora de livros sobre o tema, a resposta para os meus problemas! "Não precisa falar muito, Paglia", diz ela, sabiamente, ao telefone. "Preste atenção no que você vai fazer de agora até a hora do JN..." E começa a me passar a receita pelo celular: gargarejos com soro fisiológico morno, exercícios de um jeito, agora, e de outro, imediatamente antes do "vivo", cuidados com os choques térmicos etc. etc. Sigo à risca o tratamento. Volto para o aeroporto com a voz ainda prejudicada, mas, pelo menos, inteligível. Regravo o off, que tinha ficado horrível. Na hora de falar no jornal, peço desculpas, digo que a secura e a poeira me deixaram com a voz baleada, mas que isso não me impede de contar a história do nosso dia... e lá vai VT!

É sexta-feira. Não é à toa que minha garganta deu sinal de cansaço. Isso se repetiria, sem a mesma gravidade, nas semanas seguintes. Mas eu já estava preparado, com a receita da dra. Leny gravada na memória e o frasco de soro fisiológico no banheiro do nosso jato.

As inscrições rupestres de Coração de Jesus são conhecidas há décadas. Não consegui entender por quê nenhum acadêmico se interessou por estudá-las. O único a se importar com elas, aparentemente, é o esforçado Bira

Mas, antes de prosseguir, um fim de semana especialíssimo: decolamos para Belo Horizonte, a cerca de meia hora de voo de Alta Floresta. A equipe vai passar o feriado em terra mineira, matando a saudade da família! A direção do Jornalismo vai bancar as passagens e hospedagem para que cada membro do time traga um acompanhante. Eu vou dar uma escapada até São Paulo, conhecer a nova nora "importada" da Europa pelo filho mais velho, Bernardo, que voltou ao Brasil no começo do mês, enquanto eu viajava pelo país. Bem-vinda, Alba! E conheça a rotina do seu sogro jornalista...

Domingo à tarde. Corro para Cumbica, pego o avião de carreira para BH (que diferença do "meu" Falcon...), desembarco em Confins (nunca vi nome mais adequado...), entro na van até o aeroporto da Pampulha, dentro da capital. Ainda tenho um par de horas para atualizar o diário de bordo na sala de espera da empresa de aviação executiva que nos dá apoio em terra.

Na hora do "vivo", tranquilidade garantida pelo apoio técnico da Globo mineira. O sorteio é no começo do *Fantástico*... Vamos para Mato Grosso. E a cidade sorteada é... Colíder!

Cuméquié?

O jato do JN no Ar aguarda o nosso embarque em mais um aeroporto do país. Com ele, pousamos em 26 estados, mais o Distrito Federal

O clima seco do sertão mineiro se tornou ainda mais inóspito por conta do desmatamento. A lenha desta região ainda queima em muitos fornos de siderúrgica do estado de Minas Gerais

COLÍDER (MT)

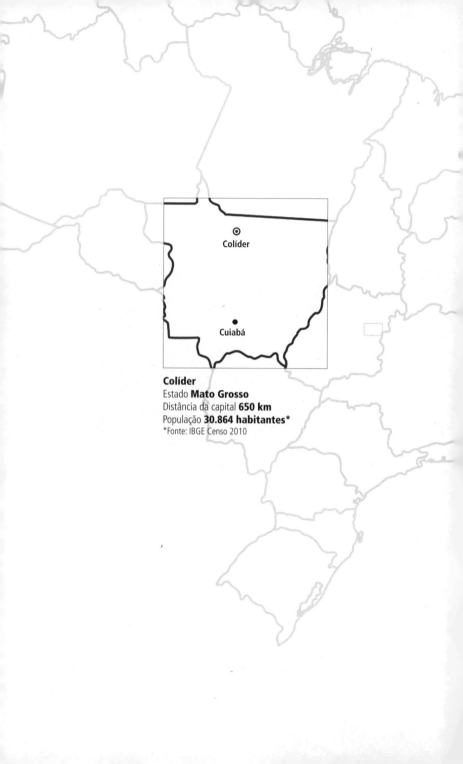

Colíder
Estado **Mato Grosso**
Distância da capital **650 km**
População **30.864 habitantes***
*Fonte: IBGE Censo 2010

fumaça no ar. Poeira infernal na pista onde pousa o Caravan. O grupo de uns vinte curiosos que nos espera na beira da pista de terra (ou de pó?) não entende nada. A gente pousa, faz o "táxi" na cabeceira, passa pelo "pátio" não menos empoeirado, desembarca o Dennys, o Ulisses, o tripé e a câmera, e volta pra pista! Decolamos de novo, adivinhando a surpresa dos colidenses. Eles nem desconfiam, mas não se pode dar corda a cinegrafista... bobeou, ele pede pra fazer de novo (qualquer coisa, dependendo do profissional. Já vi mandarem voltar o caixão de dentro do túmulo "pra ficar bunito"...). E foi isso que aconteceu. Dennys pediu para ser deixado em terra

A família do açougueiro Birtche chegou da Espanha, se instalou no Paraná e veio para Mato Grosso nos anos 1970, atraída pelas campanhas de interiorização dos governos militares. Hoje, o frigorífico dos Birtche abate cerca de oitocentas cabeças de nelores por dia. A produção é vendida para todo o Brasil e exportada para cinco países

(ou no pó?), para poder filmar, pela primeira vez, um pouso do Caravan. Afinal, sempre estamos dentro do avião, certo? Talvez não haja outra chance de registrar o nosso próprio pouso, em pleno dia. Deu supercerto. Naquela noite, o *JN* mostrou um ângulo novo da nossa maratona. Quando o Caravan ligou o reverso (o "freio" do avião, quando as pás das hélices são invertidas e fazem força para trás, diminuindo a velocidade da aeronave), uma poeira branca engolfou o avião. A imagem ficou fantástica.

Pousamos de vez, diante dos olhares algo incrédulos e curiosos de umas duas dúzias de locais. Ninguém se aproxima com as costumeiras câmeras. Diante de comportamento tão civilizado, começo a retribuir os olhares com saudações educadas. Que são educadamente respondidas. Estou começando a gostar de Colíder!

E havia de gostar ainda mais! Descarrego minha pasta e minha mochila de rodinhas dentro do micro-ônibus alugado que está à nossa espera. Recebo, via Alfredo, uma página impressa com um verdadeiro currículo de um sujeito que se apresenta como pioneiro do lugar. Quem entregou? Um cara de chapelão de caubói e estranho avental azul de operário qualificado. Conta umas rápidas passagens do tempo em que chegou a Colíder, para "desbravar" o lugar e plantar arroz. Siga esse homem, diz-me a inspiração jornalística! Desço do ônibus, mas... cadê o cara?

Enquanto Adriana e Dennys tomam o rumo do "quartel" da Guarda Mirim, uma locação que nos foi sugerida pela produção e em que resolvemos investir, começo a conversar com a turma que está de pé, junto à casinha modesta que serve de terminal do aeroporto de Colíder. As pessoas se apresentam de forma educada. Parecem disponíveis, dispostas a ajudar, sem a ansiedade que costuma tomar conta de algumas pessoas diante de uma equipe de TV...

Pergunto sobre um personagem da cidade, fundador de Colíder, citado num e-mail enviado pela produção do Rio. O cidadão está viajando. O frigorífico dele foi arrendado para o grupo Friboi, maior produtor de carnes do mundo. Com problemas operacionais, a planta está fechada. Bem... o primeiro tiro foi na água. E o outro frigorífico? É dos Birtche, diz o sujeito alto e corpulento que está na roda. "Sou piloto deles", diz o cidadão, que acrescenta que o frigorífico está abatendo a todo vapor neste momento. Peço pra ir lá e ele não se faz de rogado. Passa a mão no celular, faz uma ligação e pronto. Podemos filmar a empresa. Ótimo.

Vou com o piloto, na pickup cabine dupla dele. Assim, posso colher mais informações. Antes de sairmos, uma pessoa cola o rosto no vidro fechado (ar-condicionado a todo vapor para tentar combater o calor externo e o forno em que a cabine do carro preto foi transformada pelo sol). É o gerente de uma indústria de laticínios. Coloca-se à disposição. Interessa, sem dúvidas. Fica longe? Que nada, responde o paranaense de Toledo. É na saída do aeroporto. Vamos parar lá!

Na fábrica de queijo, 100% mozarela "exportada" para as pizzas do mercado paulista, o gerente confirma a informação que tínhamos da turma do *back office*: Colíder é uma economia de pleno emprego. E faltam funcionários qualificados. Gravamos a sonora com o gerente dizendo isso diante de um trabalhador que retalha apetitosos pedaços de queijo ao fundo. Ao contrário do que eu esperava,

Em Colíder, dois frigoríficos, um curtume, uma fábrica de biodiesel e um laticínio garantem o emprego. A produção de queijo tipo mozzarella vai toda para as pizzarias de São Paulo

O frigorífico da família Birtche tem a sua produção 100% rastreada. Ou seja, cada carcaça processada tem origem e história conhecidas – exigência dos compradores internacionais

a atmosfera do lugar não é azeda. Ao contrário, tem cheiro bom de leite e de queijo fresco.

Lá mesmo, encontramos o cara do currículo-com-chapelão. Apesar do visual de festa de peão, Cícero é o eletricista do laticínio. Veio plantar arroz, como escreveu na cartinha entregue no aeroporto. Quebrou a cara com a agricultura e virou técnico em eletricidade. Gravamos com ele e temos, num personagem, a síntese da migração sulista dos anos 1970.

Agora só falta... todo o resto! Lá mesmo na conversa de comadre do aeroporto, ficamos sabendo que o lendário cacique Kaiapó Raoní está na cidade. Colíder tem casa de apoio da Funai (já tinha visto isso na internet, num link enviado pela Mônica Labarthe – ela sabe do meu interesse por índios. Pudera... ela dirigiu o premiado *Globo Repórter* que fizemos sobre o cacique-deputado Mário Juruna, três décadas atrás!) e Raoní, que tem aldeia na região, veio participar de reunião sobre questões de saúde indígena. Vamos nessa, diz meu feeling. E eu vou discutir? Mais tarde, encerrarei a matéria com a sonora dele, alertando para as armadilhas do progresso. "Não sou contra empresa nem empresário", diz o cacique pop. "Mas estou preocupado com coisas que fazem mal não só para o índio, mas pra todo mundo." Dá pra entender por que o Sting colou no cacique...

Mas ainda temos muito pela frente... e o relógio, no fuso de uma hora a menos que no Rio, engana muito.

Ainda vamos ao frigorífico, um espetáculo de modernidade e eficiência. Filas de nelores curiosamente padronizados andam pelos corredores da morte formados pelas cercas de metal. Antes de morrer e virar bife para exportação, eles recebem banhos e têm um tempo para relaxar. Isso melhora a qualidade da carne e dá um fim mais decente para os bichos. Os proprietários, segunda geração da família Birtche, são filhos do velho açougueiro espanhol que veio do Paraná e acabou inventando a pecuária de Colíder.

De lá, para a sede da prefeitura. Vou arriscar, apesar da desconfiança natural na conversa com um político em ano de eleição. Até agora, deixamos todos os prefeitos de fora. Apesar de só poderem voltar às urnas daqui a dois anos, eles sempre estão envolvidos com a política, e não podemos correr o risco de favorecer alguém. Mas eu preciso saber as coordenadas geográficas da futura hidrelétrica do rio Teles Pires, e só a prefeitura tem essa informação. Quero aproveitar o voo de retorno a Alta Floresta para sobrevoar o trecho do rio que vai receber a barragem. Adriana já esteve na prefeitura, recebeu um DVD com imagens virtuais da futura represa, mas ela não sabia que eu queria essa informação. Preciso voltar lá.

A prefeitura, num prédio modesto, mas amplo, está fechada. O expediente é interrompido às onze e meia, e já é meio-dia em Colíder, uma da tarde no Rio de Janeiro!!! Por sorte, o prefeito resolveu nos esperar. E nos atende com muita simplicidade e transparência.

O sujeito é um empresário (faz móveis para as lojas modernas do Rio e de São Paulo) que resolveu assumir o pepino da administração pública. No terceiro ano do segundo mandato, já não tem muito mais o que esperar. Garante que não vai ser deputado. Talvez seja verdade. E os quadros do Sebrae na parede do gabinete, com prêmios regionais, esta-

O lendário Cacique Raoní, líder do povo kaiapó, estava em Colíder para uma reunião sobre saúde indígena. O município tem 3.712 habitantes indígenas de oito etnias

duais e nacionais por apoio ao empreendedorismo, mostram que estamos diante de um administrador preocupado com eficiência.

Sinceramente, não entrevistei nenhum político até agora (com exceção do vereador que pedia sinalização e *traffic calming* para a BR-110, que atravessa Porto Grande, no Amapá). Mas o chefe do executivo de Colíder parece um administrador concentrado no futuro da cidade. Vamos entrevistá-lo, mesmo correndo o risco de não usar.

E a pergunta que faço o estimula a sintetizar aquilo que já ouvi de muita gente na região: os moradores de Mato Grosso não gostam da pecha de devastadores da natureza. Eles querem dizer que foram trazidos para a região pelo governo militar, que foram obrigados a derrubar a vegetação para conseguir seus títulos de propriedade, que receberam orientação para desmatar as margens dos rios para evitar malária.... é um ponto de vista importante, que dá a perspectiva histórica da ocupação deste canto do país. Vou gravar a primeira sonora com um prefeito desta cobertura. E ela acabará indo ao ar do jeito que foi incluída na matéria.

O dia termina com tudo pronto para o "vivo" na pista de Alta Floresta, surpreendentemente a mais longa do estado de Mato Grosso. Falta um minuto. De repente, vejo, lá no território escuro do "atrás das câmeras", uma inacreditável multidão! Umas 150 pessoas se aproximam em bloco, numa formação de falange macedônica que me dá um frio na espinha! "Segurem esse povo!", eu imploro. "O jornal está no ar!!!!"

Docilmente, a multidão para diante do solitário segurança da Infraero que levanta a mão, num gesto providencial. Ufa!

Passado o *JN*, vou até o grupo e agradeço a gentileza. Tiro umas vinte fotos (até bebezinho acaba no meu colo...), e entro no Falcon sem mais susto. Vamos decolar para... Joinville!

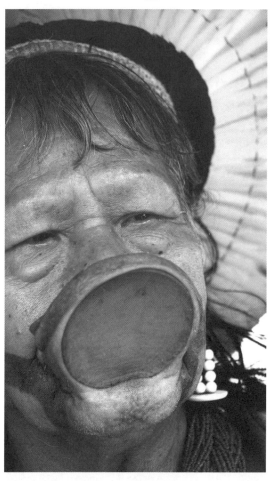

O famoso adereço toma todo o lábio inferior de Raoní e atrapalha consideravelmente a sua dicção. Mas isso não fez nenhuma diferença: o cacique preferiu gravar entrevista na sua língua natal, traduzida por um intérprete que o acompanhava. O grupo do cacique, tornado internacionalmente famoso pela mão do cantor Sting, é o mais numeroso de Colíder

JOINVILLE (SC)

Joinville
Estado **Santa Catarina**
Distância da capital **180 km**
População **515.250 habitantes***
*Fonte: IBGE Censo 2010

quase que Joinville, a maior cidade catarinense, fica de fora do sorteio. O presidente Lula e a sua então candidata, Dilma Roussef, passaram a segunda-feira em campanha no estado, e o espaço aéreo estava fechado para garantir prioridade ao avião presidencial. Poucos minutos antes do sorteio do *JN*, nossos produtores conseguiram falar com a Infraero da cidade e obtiveram a promessa de que um canto do pátio do aeroporto seria reservado para o nosso Falcon. Nem era preciso. Quando pousamos, à meia-noite e meia, o AeroLula já havia decolado. Dia seguinte, na sempre providencial reunião do café da manhã, enquanto esbravejo entre dentes contra quem

Joinville disputa com todo o estado de Minas Gerais o título de segundo maior parque metalúrgico do país, atrás, apenas, de São Paulo. A Tupy, instalada na cidade, tem orgulho do fato de ser a maior fundição da América Latina e a maior do mundo em um só endereço

implantou o self-service nos bufês, obrigando o sonolento hóspede a vencer a gincana do "onde está o garfo", "onde é servido o café?", "cadê o leite frio?", um cidadão se aproxima pelas minhas costas e provoca: "Por que não vieram ontem? Podiam ter entrevistado o Lula...". Tão gentilmente quanto o meu humor matinal permite, explico que, justamente por ele estar na cidade, quase que a gente não vem!

O cara desfaz a má impressão inicial com simpatia. Pergunta se já temos um roteiro em Joinville. Pra não ser muito telegráfico, digo que devemos ir ao Bolshoi (sinceramente, não estava muito empolgado com essa ideia. Minha primeira reação foi achar que a presença da única filial do balé russo na cidade já é tão conhecida que poderia me dispensar de falar do assunto. Mas eu já começava a fantasiar com uma estrutura narrativa mais ousada...). O cidadão, um simpático representante de laboratório farmacêutico, diz que conhece o ortopedista que é o atual presidente da Escola Bolshoi. "Se você quiser, ligo já pra ele."

Claro que quero! A produção do Rio de Janeiro não começou a trabalhar e ainda não ligamos para a emissora local. Já que o gentil colega de hotel se dispõe a colaborar e tem o número do dr. Valdir Steglitz no celular, pode mandar brasa.

Assim, mais uma vez meio por acaso, é feito o primeiro contato. E a história renderia maravilhosamente! A minha fantasia não era tão enlouquecida, afinal.

A ideia era relativamente simples, mas talvez permitisse juntar numa mesma história as duas características mais marcantes de Joinville: o segundo maior centro metalúrgico do país e a única filial do Bolshoi fora da Rússia. Pedi ao dr. Valdir para localizar um aluno do Bolshoi cujo pai trabalhasse, por exemplo, na Fundição Tupy – a maior da América Latina e a maior do mundo num único endereço. Bingo! "Temos vários assim!", responde o médico. "A começar pela filha do presidente da Tupy." Aí, desculpe, mas prefiro um filho de operário. Nenhum preconceito. É que o contraste entre a vida dura do pai e a sofisticação da escola do filho vai enriquecer muito mais a nossa história. E o presidente do Bolshoi bota a sua assessoria atrás do meu personagem.

Vamos para a fundição para gravar as cenas clássicas (ferro derretido, vergalhões incandescentes, fagulhas faiscantes). Enquanto estamos lá, recebo o telefonema da assessora de imprensa do balé. Ela fornece dois nomes de pais operários. Num piscar de olhos, o assessor de imprensa da Tupy localiza ambos e manda buscá-los em casa (são trabalhadores do turno da tarde).

Dá supercerto. Mostramos os dois metalúrgicos em seus postos de trabalho. Um de esmeril em punho, arrancando faíscas de blocos de motor de mais de cem quilos. O outro, comandando o forno que expele o perfil de ferro em brasa, um cilindro de metal aceso de meio metro de espessura, a 1.280 graus de temperatura.

De lá, vamos direto para o Bolshoi de Joinville. Uma estrutura impressionante, onde o próprio dr. Valdir nos recebe. Antes de falar com ele, tenho de ser gentil com a Rainha da Festa das Flores, um evento importante de Joinville. A moça, bela como sabem ser as rainhas de festa, veste um traje típico de algum lugar do interior da Alemanha e me entrega, algo nervosa, uma caixa de bombons. Vai para o jantar a bordo, com certeza! Mas não posso dar muita atenção à misse. Já passa da uma da tarde...

Metalúrgicos dão entrevista sobre os filhos bailarinos. Vestidos com os pesados macacões do uniforme da siderúrgica, não parecem pais típicos de estudantes de balé clássico, mas estes operários depositam suas melhores esperanças na formação dada aos garotos pelo Balé Bolshoi

Ernesto Paglia **183**

Única filial internacional do Bolshoi, a sede de Joinville tem 257 alunos de quinze estados brasileiros, além do DF. 98% deles são bolsistas. Na maioria, filhos de famílias pobres, os estudantes recebem ajuda para pagar alimentação, transporte, dentista e médico e acompanhamento pedagógico, de psicólogos, nutricionistas e fisioterapeuta. Recebem aulas de balé, inglês, música e danças folclóricas. Além disso, frequentam escolas regulares. E quem não tira pelo menos nota sete fica sem dançar até melhorar o boletim

começo a me preocupar com o tempo da edição. Adriana e Lúcio Rodrigues estão na cidade, gravando de um tudo... até a confeitaria que produz as melhores empadas de Joinville – dica do fotógrafo do jornal local que nos acompanha. Mais um que veio buscar matéria e virou fonte.

Sem tempo para trocar de roupa, os operários ainda vestem o uniforme de brim azul. Melhor assim! Entramos, finalmente, na sala de ensaios onde estudam os dois garotos. Eles vestem bermudas pretas de Lycra, camisetas imaculadamente brancas e calçam sapatilhas. O contraste é maravilhoso. Intimamente, vibro e festejo a minha mudança de rumo matinal – imagine se eu tivesse dispensado o Bolshoi para ir atrás de algum aspecto menos "óbvio" de Joinville???

Os pais se emocionam, eu me emociono... a matéria, que terminará com uma bela colagem de imagens de balé e ferro em brasa, também vai emocionar os editores do JN, no Rio. A frase final de um dos garotos ("Tudo o que eu conseguir vai ser graças ao meu pai...") mexe com os corações mais calejados... a começar pelo meu.

A matéria termina sendo favorável. A cidade tem o que mostrar de bom. O único aspecto negativo é o rio Cachoeira, assoreado e poluído, escorrendo suas águas sujas diante da sede da prefeitura, em pleno centro da cidade. No geral, é inegável que esta cidade do Sul tem mais a mostrar de positivo do que a média dos municípios que visitamos até agora.

Pleno emprego, indústrias superaquecidas, balé de classe mundial. Tchau, Joinville. Vamos para o Rio... Rio Largo, Alagoas!

O Bolshoi de Joinville tem 155 alunas e 82 meninos entre nove e dezoito anos. Funciona desde 1998 com verbas do município, do estado de Santa Catarina, do governo federal e do patrocínio de empresas, via lei Rouanet

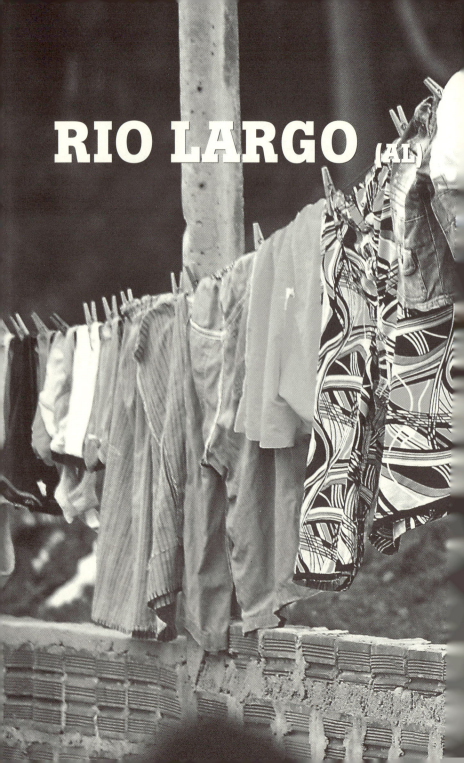
RIO LARGO (AL)

Rio Largo
Estado **Alagoas**
Distância da capital **27 km**
População **68.512 habitantes***
*Fonte: IBGE Censo 2010

a cidade é mais um quase subúrbio, na região metropolitana de Maceió. Mas Rio Largo será uma exceção na nossa viagem. Ao contrário de todas as outras comunidades que visitamos, retratadas em seu cotidiano, este lugar ainda se recupera da trágica enchente que o atingiu há menos de três meses. Um tsunami, como definiu o colega Chico José nas matérias que fez na época.
Paramos no posto de gasolina na entrada da cidade, bem ao lado do aeroporto "Zumbi dos Palmares" (o aeroporto de Maceió, na verdade, fica em Rio Largo). Vamos nos dividir na tradicional configuração paralela. Mal paramos, aparece o primeiro assessor do prefeito.

Em Rio Largo, 289 famílias desabrigadas pela enchente foram alojadas em barracas da Defesa Civil. As 243 tendas, compradas com dinheiro do estado e do governo federal, abrigavam cinco pessoas cada. Torneiras comunitárias foram espalhadas pelo acampamento, para higiene pessoal e limpeza de utensílios. Ouvi reclamações sobre a qualidade da comida. Mas os refugiados podiam contar com três refeições diárias

Entrega o cartão e vejo que ele não esconde o papel dele na administração: trata-se do marqueteiro do líder local. Sujeito articulado, oferece ajuda e se afasta – pronto, evidentemente, para nos seguir. A política é quente por aqui. Reduto "collorido", Rio Largo tem um prefeito que é a cara do ex-presidente Fernando Collor de Mello. Mas só descobrirei isso mais tarde, quando ele fizer a sua rápida aparição, já na nossa saída de Rio Largo. Mais uma vez, obrigado pela discrição, senhor prefeito.

Adriana e Dennys ficam com a missão de filmar a cidade, uma usina de açúcar centenária, que também foi atingida pela cheia e já voltou a funcionar, e outros itens que não parecem exigir a minha presença. Vou com Lúcio para o campo de refugiados de Rio Largo. Não estamos habituados a chamar assim os abrigos improvisados onde vão parar os nossos desabrigados – o termo é muito mais usado pelas agências internacionais. Até porque, normalmente, aqui, as pessoas que perdem tudo em enchentes acabam em escolas transformadas em refúgios. Mas, pela primeira vez no Brasil, encontro um campo ocupado por barracas cuidadosamente alinhadas. Todas novas, elas abrigam quase trezentas famílias (cinco pessoas por tenda, no máximo). Há uma reunião semanal de promotores, representantes de várias instituições envolvidas no socorro, gente da prefeitura, do governo do estado, refugiados. E o encontro desta semana está acontecendo agora. Ou seja, dá pra notar que há um esforço para mostrar serviço. Mas, mesmo que seja algo meio "cenográfico", todas as instâncias do estado estão presentes. Até demais. Tem gente da Saúde, bombeiros, Defesa Civil. Um vaivém de coletes. Cada grupo tenta uma abordagem. Se aproxima, passa informações, bate o seu tambor em busca de espaço. Mas quem chama a minha atenção é uma mulher dos seus quarenta anos. Enfezada, braços cruzados, ela me avisa que quer falar e se afasta, só olhando a movimentação de assessores que mal me deixam caminhar. Um casal jovem está particularmente excitado. A mocinha, uniforme de agente sanitária, já se revela no prefixo "Não é que eu queira falar bem do prefeito, nem votei nele, mas ele fez isso e aquilo...". O rapaz também, "Não é pra falar bem do prefeito...", e desfia o rosário de louvações à sua obra irretocável à frente do município.

O organizado acampamento de Rio Largo tinha até banheiros químicos. Mas esta realidade não se repetiu em todos os vinte municípios atingidos pela enchente de junho de 2010

Tenho tido uma paciência digna de um candidato em campanha. Ouço praticamente todo mundo que me procura, aperto mãos, tiro milhares de fotos demoradas em celulares que ninguém sabe operar direito ("tira mais uma, não ficou bom..."). Mas, hoje, o assédio incomodou. O cortejo de assessores no corredor formado pelas barracas não me deixa conversar com os refugiados. É um desrespeito com estas pessoas que já perderam tudo e ainda ficam expostas 24 horas por dia à sanha eleitoreira dos representantes dos políticos. Parecem gado dentro de um cercado, visitado a todo momento pelos enviados dos açougueiros. A paciência vai minguando... até que eu rodo a baiana! Faço um discurso em altos brados contra a interferência no meu trabalho e peço a todos que me deixem em paz com os meus entrevistados. "Por favor, só fique aqui quem mora nas barracas!", imploro aos gritos. Sou atendido por uns cinco minutos... e todos voltam ao assédio. Inútil esbravejar.

Bem... melhor deixar os chatos de lado e dar atenção à figura emburrada que me espera perto dos banheiros químicos (sim, o arrumado acam-

Ernesto Paglia   **191**

Refugiados jogam cartas para ajudar a passar o tempo. Quando visitamos Rio Largo, as previsões mais otimistas falavam em entregar casas populares aos desabrigados no prazo de um ano

pamento tem até banheiros químicos). Chegamos com a câmera ligada e a mulher sai falando como uma metralhadora. Despachada, começa se queixando dos banheiros ("Dizem que limpam dia sim, dia não, mas fica um nojo... já comprei até penico!"). Apresenta a mãe, que não está no acampamento porque se hospedou na casa de parentes. A senhora acusa a Defesa Civil de não entregar a cesta básica desta semana. Sem dar tempo nem a um suspiro, o coordenador da Defesa Civil se materializa ao lado da entrevistada e logo informa que está a postos para responder à queixa. Responda, então. Para minha surpresa, em vez de desmentir, o cara confirma: os armazéns do município estão vazios. O estado não repassou os mantimentos e, de fato, não tem cesta básica nesta semana. Ah, entendi a disponibilidade para dar entrevista... Mais tarde, cobro isso da representante do governo alagoano. Ela diz que não é bem assim, que vai checar, mas que acha estranho. Abaixo o microfone, mas o Lúcio continua com a câmera ostensivamente apontada para ela, a cerca de um metro de distância. Desarmada pelo meu gesto de abaixar o microfone, a mulher resolve falar sem tantas metáforas e revela que "ano político é assim mesmo. O pessoal segura mesmo, manipula...". Falou com jornalista, na frente da câmera, tá valendo. Essa será a sonora que usaremos naquela noite.

Feita a acusação, a minha agitada personagem (que se apresenta como dona de lanchonete que perdeu tudo que tinha... menos o freezer que veremos na barraca) continua sua caminhada nervosa em direção à sua tenda. Abre o eletrodoméstico salvo da cheia e retira uma das três quentinhas que os desabrigados recebem por dia da organização do acampamento. Mostra e dispara: a comida é uma droga, não tem tempero... às vezes vem azeda. Puxa, minha senhora... é comida de acampamento, não dá pra exigir tempero de primeira, né? Mas ela quer cozinhar no acampamento, algo absolutamente proibido. E fico com a impressão de que tem uma má vontade de inspiração política por trás de tanto mau humor. Saio de lá em busca de outras sonoras menos raivosas. As pessoas, evidentemente, estão irritadas, mas há de haver gente com críticas mais equilibradas e razoáveis.

A questão da proibição da cozinha nas tendas, evidentemente, é inegociável. Quando já estamos embarcando na van, preparando a nossa saída, uma correria atrai a atenção do Lúcio Rodrigues, um especialista em flagrantes. Saímos correndo na direção do tumulto. Ele me pede para segurar a câmera, enquanto escorrega apressado pelo barranco de cinco metros de altura que nos separa da parte baixa do acampamento. Eu passo a câmera para ele e começo a descer pela terra, tentando não me enlamear muito. Lá embaixo, um dos assessores que andavam nos perseguindo está todo molhado, segurando um balde e ajudando a apagar um princípio de incêndio. Uma senhora semidesmaiada é levada para uma viatura da polícia. Um garotinho de três anos, com cara de assustado, está no colo da mãe. Ela explica que o menino botou fogo num pano da barraca brincando com o isqueiro da avó fumante. Imagine se botarem fogões e botijões de gás nas barracas...

Vamos para o centro da cidade, filmar a locomotiva e os vagões que ficaram presos na estação de Rio Largo. A fúria das águas do rio Mundaú virou vagões, retorceu trilhos e arrancou pontes.

Sem nenhuma privacidade, a criança toma banho vestida, numa das torneiras instaladas no acampamento

Ernesto Paglia   **193**

A força da enxurrada derrubou barrancos e tomou todo o centro de Rio Largo. Visitamos o município exatamente um mês depois da cheia e a correnteza ainda estava forte. A igreja, na parte baixa da cidade, parece flutuar sobre as águas que correm barrentas, fora do seu curso normal

A ligação com Pernambuco foi perdida e não se vê nenhuma obra de restauração na paisagem revirada pelo rio. Não tenho gravado passagens nesta cobertura. A minha participação já está mais do que garantida com as intervenções constantes nas situações, e o "vivo" antes e depois do VT já promove uma superexposição. Mas, diante da evidente demonstração de força bruta do rio, que arrancou a ponte e só deixou parafusos órfãos na sua base, resolvo ilustrar melhor a situação ficando de pé sobre o que era o ponto de apoio da ponte construída pelos ingleses, mais de um século atrás.

No outro extremo da estrada de ferro no município, no trecho que liga Rio Largo a Maceió, os trilhos ainda desaparecem no meio da água marrom turbulenta que continua a ocupar a principal via de acesso ao lugar. A viagem de doze quilômetros até a capital, com tarifa subsidiada de cinquenta centavos, está suspensa até segunda ordem. Agora, os rio-larguenses que trabalham em Maceió precisam pagar R$ 2,80 para chegar ao serviço. "É impossível!", indigna-se o radialista local que passou a informação à nossa produção e, agora, nos cicerona pelas áreas atingidas pela enchente.

A assessora da Secretaria de Obras do estado nos localiza quase na hora de ir embora. Quer nos levar aos lugares onde, ela garante, as obras de reconstrução já começaram. Não, muito obrigado. Por favor, passe uma lista por e-mail. Sei pela Adriana que o Dennys já gravou o trabalho numa das pontes levadas pela cheia. E ainda vamos parar no lugar onde estão começando a construir as 307 casas prometidas para daqui a um ano (difícil de acreditar...). Mais tarde, a informação chegará pela internet e eu usarei alguns dados, creditando a fonte.

Por sorte, o aeroporto é perto. Gisele já está lá, com a ilha montada, à espera dos discos para "ingestar". O *player* faz isso, em média, à base de quinze/vinte minutos por hora de gravação. É um tempo morto que eu uso, normalmente, para escrever e gravar o off. Isso quando não trago o texto pronto. Mas escrever, por exemplo, no Caravan saltitando por causa do calor das duas da tarde, é algo para dar enjoo nos mais calejados marujos. Nessas horas, prefiro ir pensando no off e deixar para escrever em terra. Afinal, como dizia o lendário Antonio Maria, jornalistas não escrevem com as mãos.

Mas, hoje, chegamos ao aeroporto antes que eu pudesse ligar o notebook. Escreverei na elegante sala de reuniões que a Infraero alagoana nos cedeu. No relatório via e-mail que Adriana me passa com a lista das imagens e sonoras que ela fez com o Dennys, vejo que há uma sequência que tem todo o jeito de ideal para abrir o VT. Aproveito as rezadeiras que o Dennys gravou na igreja na usina de açúcar vizinha à cidade para começar a matéria com um toque da cultura local. Deu certo, mais uma vez...

Próximo destino, Tefé. Amazonas.

De repente, um tumulto. E a ordem do acampamento de Rio Largo é quebrada por gritos que anunciam um incêndio. Uma criança acendeu o isqueiro esquecido pela avó fumante dentro de uma das barracas e quase tocou fogo em tudo. Um incidente que ilustra bem o motivo da Defesa Civil ter proibido que os desabrigados cozinhassem dentro das tendas

TEFÉ (AM)

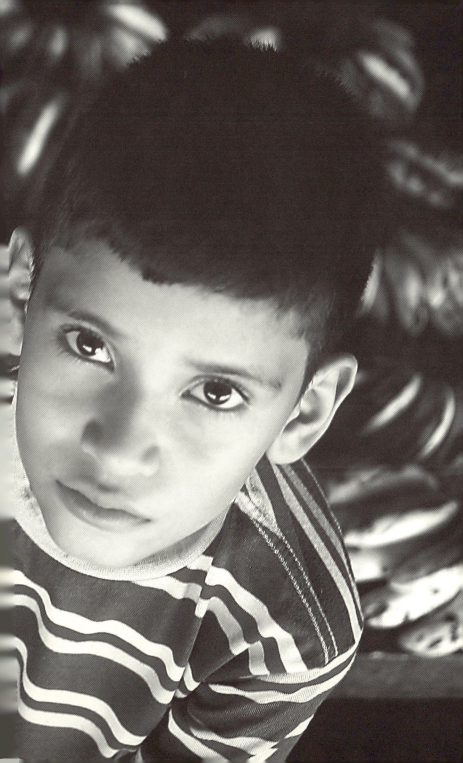

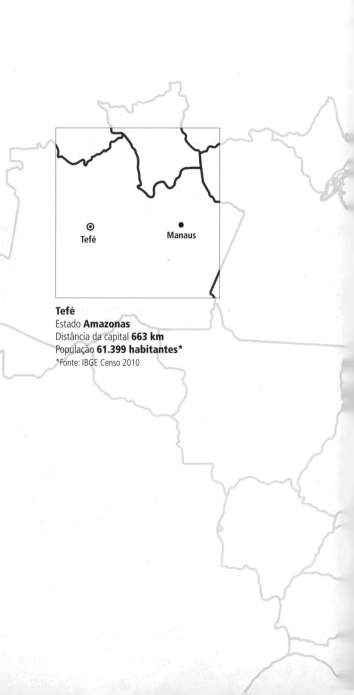

Tefé
Estado **Amazonas**
Distância da capital **663 km**
População **61.399 habitantes***
*Fonte: IBGE Censo 2010

fazemos o mais longo voo da nossa agenda, quatro horas e meia no Falcon. O avião é confortável, mas, a esta altura, já tem os corredores e a parte de trás das espaçosas poltronas ocupados por mochilas, câmeras e lembranças que vamos acumulando.
Desembarcamos no modesto aeroporto de Tefé. Um grupo de mototaxistas espera do lado de fora. No caminho para o hotel, umas duas dúzias deles nos seguiram, tocando "selvagemente" as estridentes buzinas. Uma recepção calorosa, que deve ter incomodado bastante os moradores dispostos a dormir.
O melhor hotel da cidade não parece ser grande coisa. De toda forma, está lotado. Vamos para o "segundo melhor".

Crianças de Tefé mostram traços indígenas, herança das raízes indígenas amazonenses

O rio Solimões é a única ligação de Tefé com Manaus, a 525 km, e o restante do estado do Amazonas. Encontramos a cidade quase isolada por uma das piores secas dos últimos tempos. A canoa espera pela volta das águas, caminho pelo qual chegam mantimentos e até o óleo diesel para os geradores elétricos do município (página ao lado)

O grande mérito do estabelecimento é ser o único de Tefé com gerador próprio. Não é pouca coisa. A cidade convive com apagões e racionamentos desde abril, quando começaram a falhar dois dos doze geradores a diesel da companhia de eletricidade. A única esperança de conseguir dormir é ter ar-condicionado, e um apagão significa passar a noite em claro, suando em bicas.

Na manhã seguinte, tomamos café no salão do quarto andar (por escadas...), quando chega um grupo que, em pouco tempo, se revelaria uma comitiva da prefeitura local. Estamos fechados numa roda, conversando. Eles vão sentando por perto, servindo-se do bufê... até que uma senhora cria coragem e se apresenta. É a secretária da Saúde e vem em nome do prefeito etc. etc. Aproveitamos para checar algumas informações e confirmamos que o município tem um projeto de educação musical que gira em torno de uma banda. Marcamos para a uma da tarde, em frente à prefeitura. E nos livramos da turma. Saio em busca da agência local da Eletrobras-Amazonas Energia, a responsável pelas encrencas elétricas de Tefé. Em frente ao hotel, umas duas dúzias dos incansáveis (e chatíssimos!) mototaxistas desocupados nos espera. Sou recebido por uma ovação. Respondo com um gesto à la Vargas, me sentindo entre ridículo e gozador. Pra quem jamais gostou de exposição, esta maratona está um arraso.

E o resto do dia vai pôr à prova a minha tolerância ao assédio popular. Não importa para onde tentemos nos mover, as duas ou três dúzias de motoqueiros sempre estarão no nosso encalço, buzinando e fazendo farra na porta dos lugares onde vamos tentar trabalhar. Na segunda locação, os dois

O cartório de Registro Civil de Tefé registrou 2.247 nascimentos em 2009. Apenas 833 em hospitais da cidade. Apesar de cerca de 80% da população viver na zona urbana, o parto domiciliar ainda é uma tradição por aqui

PMs que vêm nos escoltando espontaneamente desde a saída do hotel resolvem pedir reforços. A partir daí, a escolta se torna oficial. O próprio comandante do policiamento de Tefé se juntará à comitiva. Agora, além do bando de motoqueiros, temos três viaturas policiais, um par de motociclistas da PM e outro do serviço de Trânsito da prefeitura. Quando chegamos à Policlínica, para filmar o único mamógrafo do SUS em funcionamento no interior do Amazonas, a rua já foi fechada pelos batedores da PM. Situação absurda, mas é assim que vamos ter de trabalhar.

A cena se repete na rua em frente às instalações da subsidiária local da Eletrobrás. Duas dezenas de manifestantes começam a fazer um coro de rima tristemente verdadeira: "Tefé, terra de Jesus, de dia falta água, de noite falta luz...".

Desviando de manifestações promovidas por supostos estudantes (contra os apagões que, o gerente da Eletrobras garantiu, vão terminar no fim de semana seguinte), nossa comitiva insólita entra na contramão, atravessa uma praia da beira de um rio Tefé depauperado pela seca, mas consegue nos levar de um ponto a outro da cidade num piscar de olhos. Sempre para encontrar mais uma multidão ansiosa, disposta até a forçar portas e janelas para se aproximar de nós. À uma da tarde, troco informações com a Adriana Caban (via SMS – a telefonia celular ainda "é dúvida" em Tefé...) e concluímos que temos o suficiente para "fechar" o VT. Vamos correr para o aeroporto, onde Gigi, mais uma vez, transformou a sala do superintendente da Infraero numa ilha de edição. Entre duas ou três interrupções de praxe ("Seu Ernesto, posso tirar uma foto com o senhor?", "Minha filha adora o William Bonner, o senhor dá um autógrafo pra ela?"), consigo terminar o texto. O material está outra vez nas mãos hábeis da Gisele. Matamos mais um leão. Agora, é só esperar o "vivo" da noite e o novo sorteio. O Maranhão nos espera...

E a cidade escolhida é... o berço da família Sarney!!!

Segundo o IBGE, Tefé tem pouco mais de 61 mil habitantes e mais de 18 mil estudantes matriculados nos ensinos Fundamental e Médio. Ou seja, um em cada três tefeenses é um jovem estudante

PINHEIRO (MA)

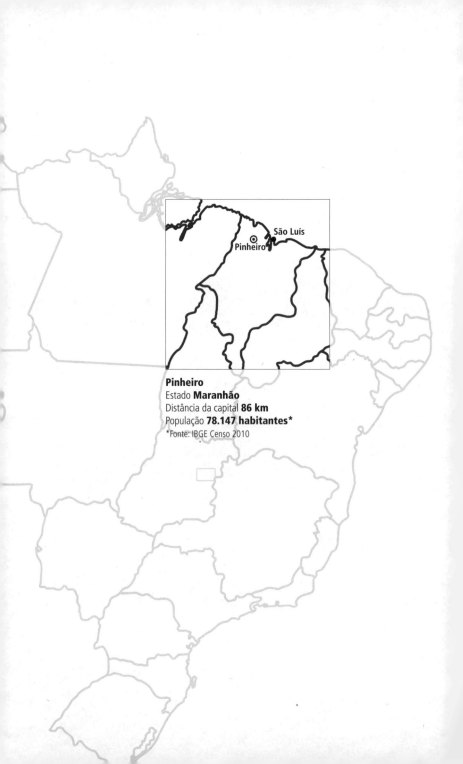

Pinheiro
Estado **Maranhão**
Distância da capital **86 km**
População **78.147 habitantes***
*Fonte: IBGE Censo 2010

Pinheiro tem cerca de 70 mil habitantes, mas seu filho mais ilustre é, de longe, o ex-presidente. Fato que não ajuda muito – nem Pinheiro, nem nossa cobertura. Sei que, em plena campanha política, tudo que fizermos na cidade será motivo de polêmica e poderá ser usado como munição pelos marqueteiros a serviço de A ou B. Mas isso é desafio para amanhã. Hoje, ainda temos de cruzar a Amazônia em direção a São Luís. Chegamos no começo da madrugada ao belo aeroporto da capital maranhense. Aqui, o prestígio do ex-presidente parece ter sido usado para trazer à capital do estado uma pista e um terminal de primeira, com pontes de embarque e mármores reluzentes.

Pinheiro não tem saneamento básico. O esgoto corre a céu aberto pelas sarjetas, em direção à malcheirosa Vala do Gabião. Constrangida, a dona de casa nos mostra o líquido escuro que escorre pela calçada, diante da porta da sua casa

Vamos ficar hospedados numa área nobre da cidade, região moderna, de avenidas largas e prédios de alto padrão. Uma surpresa para quem, como eu, só foi à cidade uma vez, há mais de vinte anos, e só se lembra dos casarões do centro antigo. Ainda bem. Nosso próximo fim de semana será aqui. Mas, antes, temos de lidar com Pinheiro.

A cidade fica a menos de cem quilômetros em linha reta. Mas não há linhas retas no chão. A estrada é interrompida pela grande baía de São Marcos, que só pode ser cruzada a bordo de *ferryboats*. A jornada acaba durando mais de três horas. A boa notícia é que há uma pista de pouso em Pinheiro (grande o suficiente para receber um Airbus... mas a única coisa que lembra um terminal é o quiosque de palha na beira do asfalto). Vamos usar o Caravan.

Meia hora de voo, por cima da bela paisagem dos campos alagados maranhenses (a versão local do pantanal), e chegamos à cidade. Dennys e Lúcio já instruíram os pilotos a dar uma volta na cidade, para eles poderem fazer imagens aéreas. O barulho do sobrevoo é a senha para reunir dezoito carros na beira da pista. Dois são nossos. Os demais, de curiosos e assessores, gente que nos cerca logo que descemos do último degrau da escada do Caravan (não há nenhum isolamento da pista).

Tiro as inevitáveis fotografias abraçado a recém-amigos de infância nos incontáveis celulares. Embarcamos numa van toda decorada com a publicidade de uma ótica local. E, quando digo toda, eu realmente tento expressar a inteira superfície da van! "É pra ajudar a pagar a prestação", justifica o motorista. Enfim... vamos lá. Saímos do "aeroporto" atravessando um capinzal marcado por uma trilha de pneus. E damos os primeiros passos na terra natal de José Ribamar Ferreira de Araújo Costa, que o país conhece como José Sarney, nome adotado pelo político em homenagem ao pai. O ex-presidente da República, presidente do Senado em 2010, onipresente na política nacional desde o golpe militar de 1964, é o filho mais ilustre desta terra. O busto de bronze na praça Sarney confirma. Mas concluímos que isso deve ficar de fora da nossa matéria. Num primeiro momento, temo pela repercussão. Mas, depois, tenho de concordar que até agora só falamos da realidade dos lugares, sem mencionar conexões externas, prefeitos nem autoridades. O enraizamento de Sarney e seu clã na política maranhense torna qualquer referência uma tomada de posição. Da mesma forma, torna-se dispensável falar no nome dele. Pelo menos no Maranhão, todo mundo sabe de onde vem a família. Tanto que nossa matéria, mesmo sem citar a relação da cidade com Sarney, será usada, indevida e ilegalmente, na propaganda política de Jackson Lago, adversário de Roseana Sarney, candidato derrotado por ela na eleição para governador maranhense.

Bonitos prédios coloniais no centro de Pinheiro. O lugar só se tornou município em 1920, mas Pinheiro é distrito desde 1855

Como diz o fundador e diretor do *Globo Rural*, Humberto Pereira, em ano eleitoral, tudo é eleitoral. E, no Brasil, completa ele ironicamente, pode-se dizer que todo ano é ano eleitoral!

Andando por Pinheiro, fica claro que a cidade nos espera com ansiedade. Pelas ruas, somos parados por gente que vem se queixar. De tudo: escolas sucateadas, esgoto inexistente, obras milionárias inacabadas. A parte ruim da cidade vem à tona facilmente. A atmosfera é tensa. Simpatizantes e adversários do prefeito, um ex-aliado que rompeu com os Sarney, nos perseguem pelas ruas. Do meio da enxurrada de acusações que trocam, vou sele-

O cavalo que atravessava o rio Pericumã chamou a nossa atenção. As águas do rio, que banham os Alagados Maranhenses, estão poluídas por esgoto, confirma o morador

cionando os assuntos que parecem relevantes e verdadeiros. O parque de lazer que ficou inacabado. As fossas que tomam as calçadas das residências e extravasam para a sarjeta. O rio Pericumã, poluído pelo esgoto *in natura*. Os juízes e promotores que só trabalham na base do TQQ (terça-quarta-quinta –ninguém aparece de sexta a segunda...). A certa altura, um carro todo cheio de adesivos da campanha de "A" passa por perto de nós, enquanto filmamos a fossa a céu aberto conhecida como a Vala do Gabião. Perto o suficiente para um corpulento apoiador da campanha de "B" se sentir agredido e dar um tapão no para-brisa do Uno. Ato contínuo, eu, que estou ao lado do taurino autor do tapa e da janela do carona do veículo, vejo alarmado o motorista do carro (o qual, sejamos honestos, estava a um quilômetro por hora...), apanhar uma faca e descer com tudo para tirar satisfações. Pronto, pensei, vamos ter uma tragédia diante de nós. Alerto o Lúcio Rodrigues, que filma o horror da vala. Ele vira a câmera para o deixa-disso que se segue. Felizmente, a coisa esfria. Mais tarde, decido não incluir essa sequência no VT. Há assuntos bem mais sérios. E a escaramuça, cá entre nós, não tem a menor importância para a vida dos moradores de Pinheiro. Esse, em minha opinião, deve ser o critério número um em qualquer decisão desta e de outras coberturas.

Quem fez a diferença no lugar foi o padre Risso. O nome dele vem à tona numa das caminhadas entre o povo do lugar. Alguém diz que o religioso é a única pessoa que trouxe coisas boas para a cidade sem pedir nada em troca. Quero conhecer esse personagem, é claro!

Sou conduzido pela praça José Sarney até o Colégio Pinheirense, o melhor e maior da cidade.

A escola foi criada pelos padres missionários, liderados pelo padre Risso. Ele vive no prédio em frente, do outro lado de uma avenida com florido canteiro central.

Entro no convento sentindo uma mudança de clima. Há resquícios medievais nestas paredes construídas há apenas meio século pelas mãos de inacreditáveis missionários vindos da Itália. Sempre me intriga e comove essa dedicação ao semelhante inspirada num ser superior de existência não comprovada.

Encontro Luigi Risso. Romano, apaixonado pela Ferrari e fanático por aviação (o pôster das Frecce Tricolori ocupa um dos muros do convento... deve ser o único padre do mundo a se permitir essa inocente idolatria pelo esquadrão de acrobacias da força aérea italiana), o missionário da Ordem do Sagrado Coração de Jesus é um guerreiro. Um velho guerreiro, numa referência que talvez não seja totalmente inadequada. Afinal, este combativo frade não tem papas na língua e se expressa com uma veemência que faz lembrar um pouco o Abelardo Barbosa da TV.

Só que as ironias do padre Risso não querem fazer graça. Preferem mirar os poderosos. E desfiar um rosário de queixas. Ele, que cavou poços com as próprias mãos, abriu estradas quando Pinheiro não tinha um centímetro de asfalto, construiu escolas quando só os ricos locais podiam mandar os filhos pra estudar em São Luís, não conta com um tostão sequer da administração pública e toca todos os projetos sociais com doações da Itália...

Gravo longamente até conseguir uma fala que possa ser usada na matéria. Não adianta colocar trechos em que o padre desabafa, com ataques pes-

Moradores atravessam águas contaminadas para chegar ao seu destino. Pinheiro foi um dos poucos lugares onde foi difícil achar um lado positivo para mostrar na nossa reportagem

Apesar das evidências visíveis das suas precariedades, Pinheiro não é dos municípios mais pobres do Maranhão. "Apenas" 58,19% da sua população estão incluídos na faixa de pobreza definida pelo IBGE

soais aos poderosos do passado e do presente. Isso exigiria dar espaço a réplicas, algo inviável. Vou gravando a sonora, que fica longa. Presto atenção no que o padre diz, mas alguma instância do meu cérebro está preocupada com a câmera que pesa no ombro do Dennys, e com a Gigi, que vai ter de passar tudo isso para o computador antes de editar... o ouvido treinado vai decupando automaticamente a sonora, tentando encontrar o trecho que vai para o ar... A fala é forte, mas o padre Risso se perde em menções acessórias. Não temos tempo pra isso. Mas, se há entrevistados enrolados, é do repórter o desafio de encontrar a pergunta capaz de cortar os gongorismos do discurso. A certa altura, consigo espetar: "Por que o senhor investiu tanto esforço na construção de escolas, na educação?". E ele responde redondinho, no tempo necessário, com a concisão e o *punch* adequados, sem exigir um "outro lado": "Porque um povo educado é mais difícil de ser dominado". Ah, que alegria perceber que a moral da história foi traduzida por uma sonora fundamental para a matéria.

E a busca continua. Falta algum "lado bom". E, em Pinheiro, isso é um Santo Graal perdido nos campos alagados do Maranhão ocidental...

Admirador de uma boa mesa, sempre pergunto pela expressão culinária da cultura local. Não me entenda mal, é só uma questão profissional... e o lugar mais pobre e desassistido pode ter orgulho da cozinha nativa. Não dá outra: alguém lembra da piaba da Maria Santa. Ora, vamos já pra lá!

À beira do belo e poluído rio Pericumã, a opulenta dona Maria Santa frita peixe há mais de trinta anos. Ela é testemunha da degradação dos alagados que se estendem até onde a vista do cliente alcança, por cima das mesas rústicas marcadas por gerações de pratos saborosos... e suspeitos. Os peixes são capturados ali mesmo, nas águas que, acabamos de mostrar, estão pra lá de poluídas pelo esgoto despejado *in natura*.

Dona Maria Santa prepara um banquete em questão de minutos. Num piscar, coloca na mesa um perfumado bagre ensopado, acompanhado da famosa farinha "de biriba" e precedida pela lendária piaba (o lambari do Sudeste). Tudo saborosíssimo, devo admitir. Mas experimento só um pouco... e com imensa desconfiança. A equipe observa com um ar entre o gozador e o preocupado. "Você vai comer?" Bem, poucos coliformes resistem à fritura em óleo fervente... E o tempero da dona Santa é uma delícia. A situação do rio, infelizmente, é uma tristeza... Mas a presença dela no final da matéria dá uma humanizada na história e um toque de cultura local ao elenco de desgraças do VT.

Feita a matéria, voltamos para São Luís. O fim de semana a milhares de quilômetros de casa é amenizado por um bom hotel e pela visita a bons restaurantes da cidade.

Domingo à noite, a urna do JN no Ar está no *Fantástico*. E nós vamos para... Barbalha!

Acima, nosso técnico Ulisses Mendes sai de trás da câmera por alguns segundos e se deixa fotografar entre moradores de Pinheiro, às margens do rio Pericumã. Abaixo, presos da cadeia da cidade. Segundo a delegada Laura Amélia, Pinheiro é o município com maior número de investigações de crimes de pedofilia e abuso sexual em todo o estado do Maranhão

Ernesto Paglia

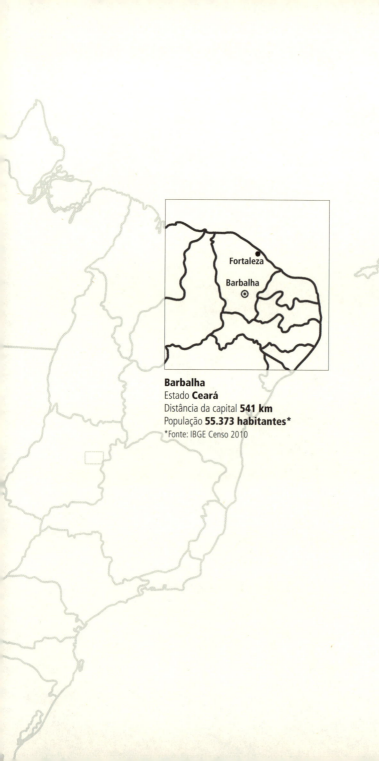

Barbalha
Estado **Ceará**
Distância da capital **541 km**
População **55.373 habitantes***
*Fonte: IBGE Censo 2010

Conhece? Vamos tentar de novo: sabe o Crato, Juazeiro do Norte, a terra do "Padim" Padre Cícero? Pois é... com essas duas cidades, e mais 43 municípios da região da Chapada do Araripe, Barbalha compõe a Região Metropolitana do Cariri. Lar para 500 mil moradores do sul do Ceará, na divisa com Pernambuco.
Você e eu podemos não ter ouvido falar de Barbalha. Mas milhares de nordestinos sabem muito bem onde fica a cidade – e não só por causa da rapadura, a preferida dos romeiros que visitam a vizinha Juazeiro do Norte. Barbalha é um polo avançado de medicina. O "turismo de saúde" e a "ambulancioterapia" levam pacientes aos três hospitais privados e ao único hospital público.

Confesso: não sou grande fã de rapadura. Mas a rapadura de Barbalha não tem igual! Macia, mais parece um doce de leite. Apesar do aspecto, digamos, rústico da linha de produção, o sabor é suave e delicioso

Nós, evidentemente, vamos mostrar essa pouco conhecida vocação barbalhense para a medicina. O melhor hospital é uma Santa Casa, fundada e gerida por uma ordem religiosa católica alemã, as Irmãs Beneditinas Missionárias de Tutzing. A irmã Edeltraut Lerch chegou a Barbalha na década de 1970. Encontrou bons médicos e uma população pobre. Dedicou-se a implantar um hospital, para promover o encontro dessas duas fatias da cidade.

Hoje, o Hospital São Vicente de Paulo é um brinco. Em instalações dignas dos bons hospitais do Sul e Sudeste, é um centro de referência do SUS para o tratamento de câncer. Tem um dos dois aceleradores de partículas do interior do Ceará, o único banco de leite humano, três UTIs bem equipadas. Passamos duas horas preciosas do nosso tempo dentro do hospital. Mas o lugar merece. E rendeu um belo material – um raro exemplo de eficiência e excelência no uso do dinheiro público para a Saúde. Na sonora, provoco a irmã diretora com a pergunta: "É preciso ser religioso para administrar direito um hospital só com verbas públicas do SUS?". E ela responde exatamente o que eu preciso para encerrar a matéria... "Os leigos podem administrar direito, sim. É só pensar primeiro nos pobres..." É difícil descrever a satisfação de ouvir o entrevistado dar o *soundbite* que, a gente sabe, vai encaixar feito luva na matéria.

A versão local do "estilo leigo" logo vem à tona. Antes mesmo de sairmos do hospital das freiras, os próprios executivos nos pedem que visitemos o outro hospital da cidade. Os dirigentes do Hospital Santo Antônio já ligaram para o São Vicente de Paulo, reclamando a nossa visita. Na verdade, o Hospital Santo Antônio foi desmembrado em dois.

Um dedica-se à cardiologia. O outro é um centro de referência em neurocirurgia. E tem uma unidade renal muito ativa. Referências que recomendam, pelo menos, uma visita.

Desde o princípio, porém, resolvi privilegiar o São Vicente de Paulo. Minha decisão foi baseada num critério social: as freiras têm um empreendimento sem fins lucrativos. As outras instituições são empresas privadas, com objetivos absolutamente legítimos de lucro e geração de riqueza para os seus donos. Tenho igual respeito por ambas. Mas existe aí um divisor de águas evidente. E a intenção era mostrar com detalhes o trabalho filantrópico e apenas citar a existência dos outros hospitais, confirmações da vocação médica de Barbalha.

Mas os excitados proprietários do hospital particular não podiam esperar. Não satisfeitos em assediar por telefone os administradores do concorrente filantrópico, eles ataranताram o assessor de imprensa da prefeitura e deixaram o sujeito tão ou mais ansioso do que eles. O cidadão me encontrou na praça em frente à Santa Casa, entrevistando o lendário médico Napoleão Tavares Neve, historiador e clínico geral com cinquenta anos de consultório e janela. Uma fala maravilhosa de velho sábio, chamando a atenção para o fato de que ninguém investe em saneamento porque "obra enterrada" não dá voto. Mal entrei na van, para tomar justamente o rumo dos tais hospitais, e o assessor chegou esbaforido, correndo como se eu estivesse escapando. "Você precisa visitar o hospital Santo Antônio", disse ele, sem nenhuma delonga. "Os donos estão muito nervosos porque você só está mostrando o hospital das freiras..." Ora, respondi, se eles tiverem paciência, é justamente pra lá que

O proprietário do Engenho Padre Cícero, um dos últimos de Barbalha, explica que os romeiros que visitam o santuário, na vizinha Juazeiro do Norte, são os maiores clientes das rapaduras. O consumo do dulcíssimo produto, na verdade, um estágio preliminar da produção do açúcar, é tradição sertaneja. Temperado com canela e outros ingredientes, vira tentação. Que o Padim Cícero não nos ouça...

Ernesto Paglia **219**

vamos. Mas o cara não se convenceu e pediu carona. Bem... vamos lá, respondi. Enquanto o motorista começava a movimentar o furgão, expliquei sem meias palavras que iríamos passar na porta e apenas filmar a fachada, só para termos material para citar os outros dois hospitais da cidade. O cidadão mal conseguiu esconder o pânico, mas, para não correr risco maior, aceitou. Não sei quais compromissos ele tem com os proprietários do empreendimento, mas parecia sinceramente preocupado com a nossa falta de interesse.

Paramos em frente ao hospital do C_raç_o (algumas letras caíram e ninguém se preocupou em repô-las...). Maldosamente, não pude deixar de pensar na ironia da falta de cuidado com o "coração" do letreiro do hospital que se dispõe a cuidar do próprio. Repeli o pensamento e procurei me manter neutro. Mas os irmãos proprietários do complexo hospitalar Santo Antônio (do qual fazem parte o Hospital do Coração, o centro de referência em neurocirurgia, uma maternidade e um centro renal que já realizou, de acordo com os donos, 190 transplantes) não me deram muito tempo para amadurecer essa isenção idealizada... Atravessando a rua no mesmo pique do assustado assessor, a dupla me abordou quase com grosseria: "O pessoal do outro hospital mentiu pra você. Aquele não é o único hospital daqui", disparou o irmão mais impulsivo, ignorando o fato de um dos administradores da Santa Casa estar junto conosco. "Desculpe", eu respondi. "Mas o senhor está sendo injusto. Foram exatamente eles que insistiram para eu passar por aqui, apesar da minha falta de tempo. E eu já estou indo embora", completei, para desespero do sujeito. A essa altura, a expressão de reprovação se transfigurou e o cidadão começou a se desculpar e a insistir para eu entrar "pelo menos um pouco", para conhecer o hospital dele. "Você não pode ir sem ver o nosso hospital", implorava e insistia, enquanto apertava o meu braço, com medo de me ver escapar. Notando o estilo nada sutil do sujeito, resolvi entrar para evitar complicações futuras. Não quis dar munição para ele se queixar de alguma forma de parcialidade ou favorecimento da Santa Casa. Entrei, prometendo ficar cinco minutos. E assim foi. O cidadão entrou comigo, revelando o contraste do seu estilo administrativo com o das freiras que havíamos acabado de visitar. Escancarou portas, bateu freneticamente naquelas que encontramos fechadas (incluindo a da UTI...), chamou a atenção de todos os funcionários e médicos com quem cruzamos no caminho. Atravessou os dois hospitais (são ligados pelos fundos, no meio da quadra que o complexo ocupa na cidade) insistindo em me guiar pelos corredores, ora agarrando o meu tríceps, ora passando o braço sobre os meus ombros para não me "perder"... uma experiência detestável. Por onde passamos, vi olhares assustados de funcionários, claramente intimidados pela presença nervosa do patrão. Não sou nenhum expert, mas ele não me pareceu ter o perfil típico de um empresário do setor de saúde... De toda forma, tudo que ele conseguiu com a sua intervenção truculenta foi me convencer do acerto da escolha. O hospital das freiras representou muito melhor a vocação médica de Barbalha na nossa matéria daquela noite.

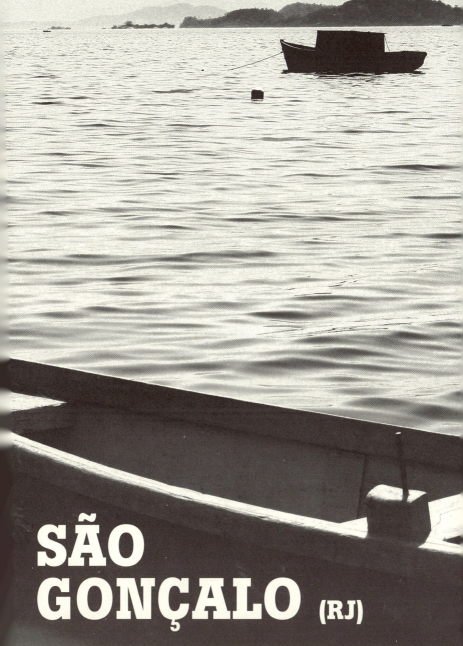

SÃO GONÇALO (RJ)

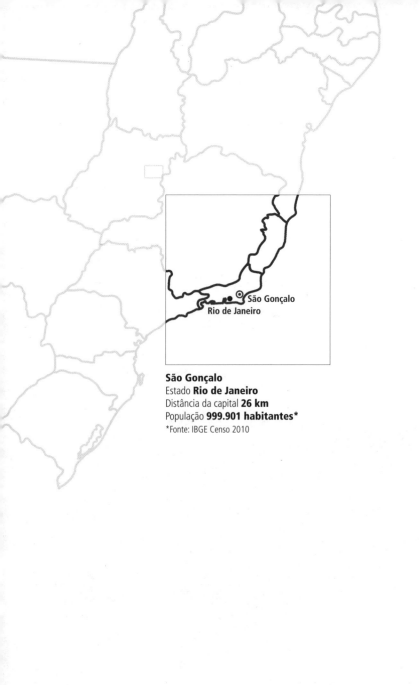

São Gonçalo
Estado **Rio de Janeiro**
Distância da capital **26 km**
População **999.901 habitantes***
*Fonte: IBGE Censo 2010

a próxima cidade seria no estado do Rio de Janeiro. Lamentamos o próximo resultado do sorteio... Em vez de algum lugarejo menos conhecido, com vida própria, a mão que puxou o cartão da urna revelou um destino dentro da área metropolitana carioca... São Gonçalo! Quase um milhão de moradores, gente que, na maioria, trabalha na capital e superlota os bairros pobres do município do fundo da baía de Guanabara. Da colônia de pesca da praia das Pedrinhas dá até pra enxergar o Pão de Açúcar, refletido na água imunda. Entrevisto o pescador que limpa a rede, depois de uma manhã de pescaria magra. Ele diz que traz pouco peixe e muito lixo. "O outro dia, tirei da rede uma dessas

A imagem bucólica não revela a poluição que suja a Baía de Guanabara. Pescadores confirmam que recolhem mais lixo do que peixes em suas redes

bolsas de colostomia..." Reajo rápido, para facilitar o uso da sonora, e completo, à guisa de legenda: "Lixo hospitalar, né?". Ele confirma. Temos uma fala fortíssima para traduzir a agonia das águas da bela baía, poluída por esgoto *in natura* e lixo de todos os tipos.

Ouço comentários sobre assaltos e o aparecimento de um taxista morto em plena luz do dia, ali mesmo nas Pedrinhas, três dias antes da nossa visita. Decido incluir isso também. A violência é um dos problemas mais graves da cidade. Do outro lado da pista, tem o shopping. Peço ao Dennys, que hoje está com a Adriana, para fazer essa imagem. Enquanto isso, vamos correndo tentar entrevistar o porta-voz da empresa que está construindo outro shopping no centro da cidade. Por que investir numa cidade que tem tantos problemas sociais? Faço a pergunta depois de esperar quarenta preciosos minutos pelo supervisor do novo empreendimento, que estava almoçando sem pressa em algum restaurante da cidade, enquanto nos desesperávamos na obra. "Porque todas as pesquisas indicam que os moradores de São Gonçalo fazem compras em Niterói e no Rio de Janeiro. O poder de compra aumentou na classe C, a nova classe média, e queremos que ela consuma aqui mesmo na cidade", diz o engenheiro que comanda a construção das 220 lojas, cinco cinemas e dezoito lanchonetes do futuro shopping. As congestionadas ruas estreitas do centro de São Gonçalo vão ter de lidar com mais esse desafio... mais uma vez, a cidade cresce sem planejamento. Mas a população parece gostar da ideia de ter o seu próprio shopping. Autoestima também é qualidade de vida... se o trânsito deixar.

Passo por um muro onde se lê a mensagem provocativa: "Espaço reservado para pichadores amadores". Parece funcionar. A parede do estacionamento da igreja evangélica onde a frase foi pintada está intacta. Peço ao motorista para parar. Vamos ver quem teve a ideia. Foi o pastor, informa uma fiel evangélica que encontramos na casa vizinha. Infelizmente, o religioso não está. Gravo com ela, uma figura espevitada que conta a história de forma pitoresca. No final das contas, não vou usar no VT. Pra falar a verdade, até acho bom – tenho medo de que a exposição na TV desafie algum pichador mais irreverente e acabe estragando o "truque" do pastor. Mas o esforço não foi em vão. O Alfredo Bokel vai colocar a entrevista no blog do JN no Ar. Belo uso da mídia complementar. É a primeira vez que trabalho assim, em estreita cooperação com o site. É claramente um caminho para o futuro e está dando supercerto. Toda vez que o tempo permite, eu aproveito a última entrada ao vivo (aquela do sorteio) para "chamar" o blog. O Ulisses Mendes, nosso incansável técnico-fotógrafo, tem contribuído com belíssimas fotos dos bastidores das nossas andanças. O retorno que recebemos via posts dos internautas é um material interessantíssimo que já ajudou a pautar nossas visitas.

Matéria no ar, estamos prontos para decolar do Galeão para Goiás. É só a mãozinha da Fátima Bernardes escolher direito... uma bela cidade goiana pode estar à nossa espera. Pirenópolis, com sua natureza mística... ou Goiás Velho, com seus casarões centenários. Ou alguma capital do agribusiness, vocação do estado. Mas, não. Sorteio é sorteio. E vamos parar em mais uma cidade-dormitório do entorno do Distrito Federal. Preciso me benzer...

Os pescadores da praia das Pedrinhas conseguem arrancar peixes das águas poluídas da Baía de Guanabara. O líder da colônia admite estar preocupado com a contaminação, mas a atividade ainda fornece sustento para os cerca de sessenta pescadores que ainda exercem a atividade diariamente, entre mais de seiscentos associados

PLANALTINA DE GOIÁS (GO)

Planaltina de Goiás
Estado **Goiás**
Distância da capital **258 km**
População **81.612 habitantes***
*Fonte: IBGE Censo 2010

planaltina de Goiás é conhecida como "Brasilinha". Nasceu junto com a "novacap", destinada desde o início a hospedar os trabalhadores, vindos principalmente do Nordeste, da construção da capital. Pouquíssimo goiana, Planaltina é diretamente influenciada pela proximidade com a capital. Nada dos rebanhos, da cultura da pecuária... só prestadores de serviço, domésticas, funcionários de menor remuneração que, muitas vezes, mentem o endereço para conseguir emprego em Brasília.
Vamos lá. Informado pelos dados enviados pela equipe de apoio, vem a lembrança do posto de saúde vazio de médicos e

Durante a longa espera para filmar os alunos do curso de violão de uma instituição beneficente de São Sebastião, cedo à tentação e descarrego a ansiedade no instrumento de um dos jovens. Toquei o que a memória permitiu, um trecho da trilha sonora de Sérgio Ricardo para um filme de Glauber Rocha. Um surpreso Alfredo Bokel Filho, nosso atento editor de Internet, registra tudo para posterior publicação no blog do JN no Ar

pacientes da vizinha São Sebastião. E decido começar pelo PA. Mas o posto de Planaltina tem médicos. E, à cata deles, centenas de pacientes, que lotam o prédio modesto. A diretora, uma jovem com ar tenso, está no saguão de entrada, tentando organizar o fluxo de gente que zanza de um lado para o outro, em busca de atendimento. A doutora banca a recepcionista, talvez já preocupada com a nossa possível chegada. Entretanto, ela não parece tentar esconder nada. Ao contrário, começa a nos guiar pelos corredores superlotados. Aí, vejo uma cena insólita: uma estranha procissão de pacientes de braço em pé, segurando as próprias bolsas de soro, se esgueira entre a multidão. Buscam um canto para sentar – deitar é um luxo que o pequeno PA não permite. Num consultório, uma moça segura a bolsa do filho, um menino de nove anos que apoia a cabeça no colo da mãe, deitado no banco duro de madeira. Esta mulher precisa falar, penso comigo mesmo. Mas o que perguntar a alguém nessa situação? Nada muito brilhante vem à mente. Acabo puxando conversa, encaminhando para a sondagem inevitável: "Como se sente com o seu filho nessa situação?". Ela sintetiza: "É muito triste. Mas não tenho outra opção...".

Ao pé da ambulância enferrujada, a diretora desabafa: "A gente encaminha paciente para os hospitais de Brasília, eles seguram o médico e a ambulância o dia inteiro, e muitas vezes acabam não aceitando a remoção. A gente fica o dia inteiro sem apoio. E não adianta nada...".

No ano passado, o governo do Distrito Federal prometeu ajuda, uma forma de melhorar o atendimento local no entorno de Brasília e evitar o fluxo de pacientes encaminhados para lá. O então governador (o cassado José Roberto Arruda) mandou entregar 300 mil reais, com promessa de que esse seria o valor mensal para a contratação de médicos e o pagamento de recursos. Houve cerimônia em Palácio, com foto da primeira parcela num cheque simbólico de dois metros de largura... Planaltina de Goiás e outras cidades do entorno contrataram e começaram a dar o atendimento represado. Só que não houve mais repasse... Fico sabendo que a prefeitura guardou o cheque de mentira. Peço para trazerem ao Pronto Atendimento. Entrevisto a secretária da Saúde (outra jovem médica) segurando o cheque que não se repetiu.

Mas a melhor fala é a da psicóloga que encontrei no corredor entupido de gente: "Planaltina só existe quando é véspera de eleição. Depois, parece que a gente desaparece, apagam a cidade do mapa".

Faço minhas as suas palavras...

E sigo em frente. Na porta do hospital, um grupo de manifestantes faz um protesto. Uma dúzia de pessoas anda de costas pelo meio da rua, carregando cartazes que explicam o espírito da coisa: Planaltina, segundo eles, está "andando para trás". Muito criativo. Mas não vai entrar na matéria. Tomei a decisão, apoiada pela equipe, de não mostrar manifestações, espontâneas ou armadas. Primeiro, que não vai ser fácil diferenciar umas de outras. Depois, se eu cair nessa, não vou mais conseguir mostrar nada que tenha alguma semelhança com a normalidade da vida nos municípios que visitarei. Nossas matérias vão acabar mostrando só uma sequência de protestos, com endereço diferente. As razões das queixas estão na matéria, de forma extremamente clara. Não preciso embarcar em manifestações e encher a bola de nenhum lado da política local.

Alunos do curso gratuito de violão posam ao lado do seu mestre voluntário, Sérgio Kolodziey. O musicista viaja de Brasília a São Sebastião duas vezes por semana, e dá aulas gratuitas aos jovens da cidade

Antes de gravar, uma conversa para descontrair. Filhos de agricultores da zona rural de São Sebastião, jovens entre quatorze e quinze anos frequentam cursos que complementam a sua jornada escolar no Instituto Felipe de Leon, entidade filantrópica criada por uma servidora federal aposentada

Agora, vamos procurar algo bom. Fico sabendo do trabalho de uma entidade filantrópica espiritualista. Uma alta funcionária pública aposentada dedica a vida a tentar melhorar a formação dos estudantes da zona rural de Planaltina, oferecendo cursos profissionalizantes e emprestando as instalações para uma escola municipal poder funcionar. Procuro Vitória Garófalo pelo telefone. Consigo localizá-la em Brasília. Não é longe, mas ela está ocupada, não pode voltar a Planaltina antes do fim do dia. Ela passa as informações, dá referências, autoriza a nossa entrada na instituição, mas não demonstra o menor interesse em aparecer. Gostei. Na dúvida, ligo para o Alexandre Garcia, que ela mencionou na conversa. Preciso saber se estou falando com uma pessoa séria. Alexandre confirma não haver nada que a desabone. Vamos em frente.

E tome frente... a instituição é distante. Dois funcionários da Secretaria de Turismo, que se aproximaram depois da visita ao PA, se oferecem para nos guiar. Desconfiando da nossa capacidade de orientação, resolvo aceitar. Eles, é claro, aproveitam e sugerem que mostremos o lago que faz o lazer da cidade. É na mesma área, garantem. E seguimos por estradinhas empoeiradas até a beira do lago Formoso. Grande, cercado por plantações de soja que arrasaram a mata ciliar e por sítios particulares, o lago é a fonte de abastecimento da cidade. E só tem um pedacinho aberto ao público. O lugar, um pesqueiro com, no máximo, uns cem metros de frente para a água, está sujíssimo, cheio de lixo do último fim de semana. Uma família cheia de crianças aproveita o dia de sol e prepara o piquenique, com uma galinhada que espera, fria, na panela coberta pelo alvo pano de cozinha.

Isso me faz lembrar do arroz de pequi, prato típico goiano. Mas esta versão é piauiense, como os membros da família que transformou o lugar árido em parque aquático. Talvez a gente consiga encontrar algum lugar que faça o legítimo, deixo escapar. E a turma da secretaria presta atenção.

De toda forma, ainda temos de ver a tal instituição filantrópica. Chegamos lá por mais alguns quilômetros de estrada de terra. É hora do almoço para os seres humanos (coisa que não vale para nós...) e a escola municipal que funciona no prédio da instituição está vazia. Os alunos só voltam depois das duas e meia da tarde. Inviável esperar. Não há muito mais o que mostrar... a oficina de tijolos "ecológicos" também está parada. Mas, daqui a pouco, a turma do violão vai chegar. Isso é bom, penso comigo. Decido esperar. Enquanto isso, os colegas da equipe que veio de Brasília gravam conosco. Azar de uns, sorte de outros... Quase duas da tarde e eu estou ficando preocupado. Mas, finalmente, chega o maestro, um musicista brasiliense que se desloca, uma vez por semana, para ensinar música aos jovens carentes da periferia deste lugar periférico...

Conseguimos antecipar a chegada de quatro alunos. São principiantes, mas já dá para tocar uma música tipicamente... pantaneira!!! O maestro só conseguiu ensinar as notas básicas do clássico "chalana". Goiás vai ter de me perdoar... mas vai ter de servir.

Enquanto isso, chega ao sítio mais um carro. Transporta o famoso prefeito de Planaltina de Goiás. "Famoso" é uma definição muito discreta para o paraibano José Olinto Neto. Figura conhecida por toda a imprensa do Distrito Federal, já fez gre-

Colegas da Globo Brasília gravam entrevista sobre o JN no Ar. A presença da nossa equipe virou notícia nos telejornais locais

ve de fome para protestar contra o monopólio das empresas de ônibus, já surpreendeu uma repórter, ao declarar ao vivo que estava "com hemorroidas e de Modess" numa manifestação. Enfim, uma figura folclórica, para dizer o mínimo. Mas, apesar das evidências em contrário, uma conversa muito razoável me convenceu da sanidade do prefeito. Chefe do executivo num lugar órfão (não é lembrado nem por Goiânia nem por Brasília), representante de uma cidade-dormitório que cresceu no limbo do entorno do DF, José Olinto descobriu na esquisitice um atalho para conseguir espaço na mídia. E ele, plenamente consciente de que não vai aparecer no meu VT, se oferece para me ajudar. Bem, já que é assim, será que tem um arroz de pequi na cidade?

Assim, vamos parar num simpático restaurante típico, onde coloco um pouco do tempero goiano na nossa matéria. E, contrariando velhas promessas, faço as pazes com o pequi, esse saboroso e traiçoeiro coquinho que esconde no seu interior uma bomba de espinhos impalpáveis, que já tive o desprazer de sentir explodir sobre a minha língua...

Desta vez, o aparelho fonador foi preservado. E assisto no *JN* o novo sorteio. Vamos para Rondônia – e a escolhida é uma terra cheia de surpresas: Cacoal!

O maestro Kolodziey prepara seus pupilos para a nossa gravação. Sintoma do desenraizamento da população desta cidade do entorno do DF, os jovens goianos do Planalto Central tocaram... "Chalana" – sucesso de Almir Sater, com temática pantaneira

CACOAL (RO)

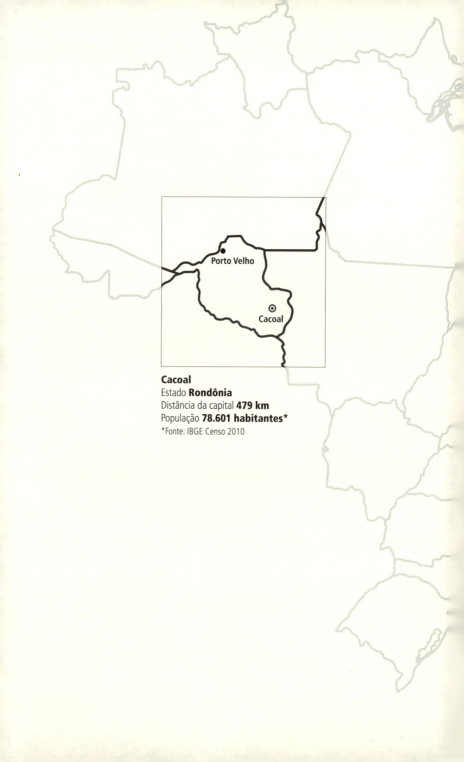

Cacoal
Estado **Rondônia**
Distância da capital **479 km**
População **78.601 habitantes***
*Fonte: IBGE Censo 2010

Vamos ao centro do estado que nasceu na ponta do fio de telégrafo instalado no começo do século passado pelo marechal Cândido Mariano da Silva Rondon. O traçado da linha que integraria o extremo oeste à então capital federal, Rio de Janeiro, e ao restante do país, ainda está visível: a larga faixa de sessenta metros de largura aberta no meio da mata pelos homens de Rondon para a implantação dos postes do telégrafo virou a BR-364. Mas nós vamos pousar a 210 quilômetros de distância, em Vilhena. Quando estivemos lá, o belo aeroporto recém-inaugurado de Cacoal ainda esperava pelos equipamentos de navegação e controle aéreo que permitiriam o pouso noturno do Falcon 2000.

Cacoal tem cerca de 7 mil universitários. Nossa inesperada entrada numa das classes do campus local da Universidade Federal de Rondônia despertou a sanha fotográfica dos alunos do curso de engenharia de produção agroindustrial. Abaixo, Lúcio Rodrigues filma alguns dos 2.530 alunos (e o indefectível esqueleto) dos cursos da área de saúde da Faculdade de Ciências Biomédicas de Cacoal

O Caravan entra em ação, mais uma vez. A torre de controle do aeroporto de Vilhena vai logo avisando: visibilidade prejudicada em todo o trecho. As queimadas estão proibidas até o final de setembro, mas os céus do centro-oeste do país estão tomados pela fumaça. Lúcio e Dennys gravam o estranho céu branco, num dia ensolarado e sem nuvens.

Resolvo gravar uma sonora com o comandante Toscano. Por causa do ruído do avião, vamos colocar o microfone de lapela dentro de um dos lados do fone de ouvido que ele usa. Assim, a voz do piloto ficará clara. E poderemos usar a entrevista logo no começo do vt, explicando a dificuldade de voar na região nesta época do ano.

A surpresa de quem sobrevoa a jovem Cacoal pela primeira vez é imediata. As largas avenidas impressionam. A cidade, criada pela política de integração nacional do governo militar, na década de 1970, é, visivelmente, um lugar próspero.

O aeroporto, apesar de incompleto, confirma a primeira impressão. A encarregada me recebe com uma reclamação... por que não pousamos em Cacoal com o JN no Ar (a essa altura, os nomes do projeto e do jato já se fundiram...)? É a eterna cobrança de pequenos aeroportos que, apesar de perfeitamente habilitados para pequenos aviões, não conseguem atender às exigências impostas pelo Falcon. Repasso a queixa ao especialista, o comandante Kede (que, mais tarde, enviará detalhado e-mail à superintendente do aeroporto, explicando cortesmente a impossibilidade de pousar lá). E começo a disparar perguntas aos diversos cicerones que vieram nos receber. Queremos mostrar a vida acadêmica, os mais de 7 mil estudantes, as diversas faculdades que fazem de Cacoal um dos mais importantes polos universitários do norte do país. Começa a discussão. A maior instituição é privada. Prefiro ir à escola pública, sempre dando prioridade aos serviços acessíveis à maior parte da população. Enquanto Adriana e Dennys vão atrás dos hospitais inacabados, das plantações de café (Cacoal é o segundo município na cafeicultura de Rondônia), de pelo menos um dos quatro frigoríficos (a cidade tem o quarto maior rebanho de corte do estado), eu me mando com o Lúcio, Ulisses e Alfredo para a Universidade Federal de Rondônia. Na chegada ao campus, sou cercado por uma pequena multidão, da qual me desvencilho sem muitas delongas. Há muito que fazer, e não dá pra ficar tirando fotos. Logo aparece a diretora, Lúcia Yamada, uma paulista, descendente de japoneses, que adotou Cacoal e adora Rondônia. Entramos numa das poucas salas onde há aulas no período da manhã. É a turma do curso de engenharia agroindustrial. Converso um pouco com a moçada e saio. Algo desanimado com a falta de movimento da escola pública, acabo dando o braço a torcer e peço para ver a sede da maior instituição privada. E a agitação diante da sede da Faculdade de Ciências Biomédicas de Cacoal (Facimed) me convence. Para mostrar a vida universitária deste lugar, vamos ter de filmar aqui. No barzinho em frente à faculdade, alunas de farmácia, medicina e odontologia lotam as mesas, esperando o almoço. Gente de todo o estado, estudantes que vêm de longe em busca de diplomas tão jovens quanto elas.

Checo com a diretora, que atravessa a rua e vem me encontrar. A faculdade de medicina ainda não formou a sua primeira turma. Só saíram diplomas para estudantes de enfermagem, fisioterapia, ciências biológicas e física. Mas as instalações pa-

As faculdades públicas e privadas de Cacoal oferecem cursos que vão da enfermagem e medicina ao direito e à engenharia de pesca. A cidade virou um polo universitário que atrai jovens de todo o Noroeste do país. Todos com quem conversei deixaram clara a vontade de se estabelecer na região

Sempre que possível, procurei incluir as populações indígenas em nossas matérias. Em Cacoal, visitamos a articuladíssima Associação Metareilá do Povo Indígena Suruí. Na ausência do cacique, que estava na Suíça, fomos recebidos pelo diretor de comunicação da entidade, Chicoepab Suruí

recem adequadas. Há laboratórios por toda parte, e começamos a gravar. Numa sala, mais de cem alunos se apinham numa aula de medicina. Resolvo aproveitar o visual e pergunto para todos (depois de pedir licença ao professor, é claro...): "Que curso é este?". "MEDICINA!", gritam em uníssono – um prato cheio para o sobe-som da noite. Sigo pelos corredores, ciceroneado, agora, por dois ou três diretores e pelo dono do estabelecimento em pessoa. O diretor do curso de odontologia quer-porque-quer que a gente vá até a sua faculdade, "a dez minutos daqui...", para mostrar os vinte e tantos gabinetes dentários montados para o treinamento de alunos que prestam atendimento gratuito à população carente. Soa interessante, mas Lúcio me olha preocupado. O tempo está correndo e ele me garante, num sussurro ao pé da orelha, que já temos todo o material universitário de que precisamos.

Portanto, muito obrigado pela acolhida, mas temos de ir embora...

Preciso mostrar o impacto da presença de 7 mil universitários na cidade de 80 mil habitantes. Perguntando sobre onde mora essa gente, descobri que o fluxo de jovens criou um novo tipo de investimento na cidade: investidores decidiram construir pequenos prédios de três ou quatro andares, com pequenas quitinetes feitas para serem alugadas aos universitários por cerca de trezentos reais por mês. Vamos aproveitar o horário do almoço para pegar o maior número possível de estudantes num desses prédios, a cem metros da faculdade.

Somos recebidos por três garotas, do curso de farmácia. Noto na escada o cartaz com as regras de convivência, acrescidas, à mão, do aviso maroto: "Proibido esfaquear o vizinho em caso de barulho!"...

Encabuladas, as moças desconversam sobre a origem de uma regra tão específica, e subimos as escadas em busca dos alojamentos e histórias dos estudantes, que logo começam a aparecer e a contar causos.

A seguir, eu gostaria de mostrar algo das comunidades indígenas da região. Sei que os cintas-largas têm sua reserva na vizinhança. Foi lá que ocorreram, há alguns anos, problemas com garimpo de diamantes. Mas somente consigo contato com um cacique da etnia suruí-paíter. Alguém me fornece o número do celular de Almir Suruí. Ligo. Ele atende. Mas não vai dar pra gravar entrevista. Almir está na Suíça...

A organizada etnia suruí-paíter (o primeiro nome foi dado pelos antropólogos, o segundo é o que os próprios indígenas adotam) tem lideranças muito ativas. Almir vive no exterior, me dizem com alguma malícia pessoas não índias que ouviram minha tentativa. Mas Almir, mesmo a distância, sugere que eu vá à sede urbana da tribo. E lá vou eu, encontrar os dirigentes da Organização Metareilá do Povo Indígena Suruí.

A organização é um caso raro de ONG preservacionista indígena. Desde o fim da década de 1980, um setor dos suruís-paíteres decidiu acabar com os tristes acordos que permitiam aos madeireiros entrar nas terras indígenas e desmatar as reservas em troca de dinheiro. A Metareilá nasceu para destituir as lideranças que aprovavam essa prática que vai na contramão de tudo que se imagina do suposto convívio pacífico do índio com a natureza... Até hoje, há polêmica dentro das aldeias, especialmente em épocas em que falta dinheiro e alguém lembra que sempre há madeireiros dispostos a "colaborar". Essa luta, aliada a um projeto de reflorestamento de 300 mil mudas, chamou a atenção mundial. Por

Adriana Caban, nossa chefe de produção, tenta relaxar dentro do Caravan, na viagem de volta a Vilhena. A competentíssima infraestrutura de produção foi alicerce que fez o JN no Ar, literal e figurativamente, decolar

O copiloto Bruno Alvarado confere o plano de voo. Além dos sorteios diários e do nosso faro jornalístico, o JN no Ar dependia, em grande parte, das informações colhidas pela tripulação do Falcon 2000. Condições meteorológicas, estado de pistas e torres de controle, tudo era checado ao longo do dia pelos pilotos. Qualquer dúvida sobre a segurança da operação podia suspender um destino ou mudar o trajeto

isso Almir Suruí vive viajando por aí. Até o Google colabora com os projetos de monitoramento da floresta, além de contribuir para os cursos de inclusão digital dos índios. Quando visitamos a sede, em Cacoal, um grupo de jovens guerreiros começava um curso de vídeo que iria durar dois anos. Em breve, nas telas, os índios, por eles mesmos.

Enquanto isso não acontece, nós registramos tudo e disparamos para a pista. Lá, ao lado do Caravan, estão Douradense e Cuiabano. A dupla caipira me abordou ainda na porta da faculdade, quando a nossa van quebrou e esperávamos por outro carro para continuar a matéria. Acho que foi Cuiabano (ou terá sido Douradense?) quem me ofereceu um CD e perguntou se poderíamos mostrar o trabalho deles na reportagem. Ora, disse eu, esteja no aeroporto às duas da tarde. Se der, a gente grava.

Já que eles levaram a sério, vamos tentar. Colocamos ambos diante do nosso turbo-hélice e eu peço que eles toquem algo que fale do estado. Eles atacam uma moda de viola da mais alta competência, falando da acolhida que ambos, "estrangeiros", receberam em Rondônia. E terminam dedilhando os acordes de abertura do Hino Nacional. Ah... que maravilha!!!!! Fecharemos a matéria de Rondônia com chave de ouro!

Exultante, vou escrevendo o texto no saltitante voo de volta a Vilhena. Na cidade, o deslocamento é fácil. E a Gisele montou a ilha de edição no próprio hotel. Dá tempo de tomar um banho e esperar um pouco pelo *JN*. Estou ansioso. É quinta-feira e o próximo estado é São Paulo. O que significa: fim de semana em casa!!!!!!

Nossa maratona revelou retratos incomuns do interior do país. Aqui, crianças rondonienses exibem pinturas indígenas. O que diria o marechal Rondon, desbravador da região que, hoje, leva o seu nome e protetor das populações nativas, ao saber que a maioria dos brasileiros do século XXI só tem contato com a cultura indígena na escola?

LENÇÓIS PAULISTA (SP)

Lençóis Paulista
Estado **São Paulo**
Distância da capital **295 km**
População **61.454 habitantes***
*Fonte: IBGE Censo 2010

Vamos para o meu estado. Cidades da Grande São Paulo foram retiradas. Quase bairros da capital, eles estão diariamente nos telejornais. Vamos privilegiar o interior. E... viva! Sai Lençóis Paulista! Lençóis P-a-u-l-i-s-t-a!
Lugar singular, sim. O nome da arrumada cidade do interior paulista precisou ser mudado na década de 1940, nos informa o cuidadoso levantamento prévio feito pela produção. Decreto do governo Vargas decidiu que não podia haver cidades homônimas no país. A Lençóis baiana era mais antiga. Resultado, a Lençóis Paulista somou o gentílico para não ter de mudar radicalmente de nome (tentaram alterar para Ubirama, mas a população preferiu a tradição...).

O "caipira" paulista trocou o chapéu de palha pelo capacete. A industrialização do interior do mais rico estado brasileiro criou nova paisagem rural. Usinas de açúcar e álcool comandam a modernização da região responsável por 45% da produção nacional

Lençóis tem uma bela pista de pouso, construída e mantida pela maior empresa do lugar (e uma das maiores do setor sucroalcooleiro no país), o grupo Zilor. Os proprietários da Usina Barra Grande, origem do atual conglomerado que inclui filiais nos Estados Unidos e na Noruega, usam jatos executivos para se deslocar. O piloto da Zilor, pra completar, é amigo dos tempos de FAB do nosso comandante. Mas a operação noturna em Lençóis depende de alguma improvisação. E o comandante Kede é rigoroso. Vamos pousar em Bauru...

Melhor assim. Vamos ficar numa bela metrópole regional, e a distância não passa de 55 quilômetros, a serem percorridos em impecável (e "pedagiada"...) autoestrada paulista.

Ainda no caminho, outro sinal de que entramos em território mais sofisticado. Chega o e-mail da assessoria de imprensa do segundo grupo empresarial de Lencóis Paulista, uma rerretificadora de óleos lubrificantes. A gigante Lwart mantém na cidade a maior empresa do gênero no país, dedicada à reciclagem, além de uma fábrica de produtos químicos e outra de celulose, que processa matéria-prima das próprias (e quilométricas) plantações de eucalipto. Uau. Mais uma fonte de emprego e riqueza que precisamos mostrar na cidade. Decidimos que Adriana e Lúcio, que hoje trabalharão juntos, vão parar logo na rerretificadora, que fica na entrada da cidade.

Eu seguirei com o Dennys para a usina. Mais da metade do município de Lençóis Paulista é coberta por canaviais. O Brasil é o maior produtor e exportador mundial de açúcar e álcool de cana. São Paulo entra com 45% dessa produção. Esta será a oportunidade de falarmos de uma atividade que faz a riqueza do interior paulista.

E tem, também, o meu passado...

Cresci no interior paulista, em cidade cercada de canaviais. Lembro bem das queixas da minha mãe, resmungando do cheiro fermentado do "garapão" (o azedo subproduto da fabricação de açúcar) e da cinza de palha de cana das "queimadas" sujando roupas no varal... Quero ver como essa indústria lida, hoje, com as exigências de um planeta preocupado com o meio ambiente. E o que aconteceu com os boias-frias que mostrei num Globo Repórter de trinta anos atrás (caramba, *tempus fugit*!!!).

Aconteceu muita coisa. E ainda está acontecendo. A legislação ambiental paulista exige o fim das queimadas que sujavam o quintal da minha saudosa mãe (e os pulmões de várias gerações de vizinhos de usinas e canaviais...) até 2014 (em terrenos planos; as plantações em solos com mais de 12% de inclinação têm prazo até 2017). Sem queimar a cana, não é possível colher manualmente. Entram em cena as sofisticadas colhedeiras, máquinas de mais de 800 mil reais, cabinas climatizadas, capazes de fazer o trabalho de noventa boias-frias pela metade do preço. Não precisa nem dizer que os cortadores de cana estão com os dias contados. Os intermináveis canaviais de Lençóis Paulista, hoje, absorvem apenas 780 boias-frias, agora chamados de "rurícolas".

Pronto. Mais uma história para compor a nossa matéria do dia. Um retrato instantâneo do interior paulista – rico, próspero e desafiado por questões sociais. Qual será o destino dos trabalhadores rurais desempregados pela mecanização? Valdinês Leme, o ex-cortador que virou operador de colhedeira, concorda que não haverá lugar para todos. "Eu tive sorte, mas não é todo mundo que vai conseguir lu-

Os tradicionais boias-frias podem desaparecer de São Paulo. A legislação ambiental do estado exige o fim das queimadas até 2017 e, sem elas, a colheita manual é impossível. Hoje, Lençóis Paulista tem apenas 780 "rurícolas" trabalhando em seus 47 mil hectares de cana

Ernesto Paglia

gar de operador", reconhece do alto de uma cabina tão limpa que ele prefere trabalhar de meias. A poucos quilômetros, num canavial enegrecido pela queimada, Luís Antonio Andreoze concorda com a incerteza da função. O canavieiro sua debaixo dos treze itens de EPI (equipamento de proteção individual) que esta turma de boias-frias recebe para trabalhar. A poucos metros, está estacionado o ônibus que os trouxe de uma cidade vizinha para o turno de oito horas de facão em punho. Pranchas forradas de metal se projetam da lateral do veículo, improvisando um refeitório debaixo do toldo afixado no alto do ônibus. Muitos boias-frias paulistas já não merecem sequer o apelido tradicional. As usinas mandam comida em "quentinhas". E eles já não chacoalham desprotegidos em carroçarias de caminhões. Hoje, ganham até 1.200 reais por mês num trabalho pesado que, como diz Marilene da Silva, "é uma coisa só, diferente de trabalhar em casa de família, onde tem de fazer de tudo". Mas, todos sabem que vai ser preciso arrumar outro serviço. Ou outro canavial, menos sofisticado, onde as mãos calejadas dos canavieiros ainda sirvam de ferramenta para o fazendeiro.

Do ponto de vista ambiental, a equação parece ter melhorado. O malcheiroso garapão é reaproveitado na fertilização do solo. A usina Barra Grande é a primeira do país a recolher no campo as palhas da cana e a utilizá-las junto com o bagaço como combustível para suas caldeiras. Além da energia para suas próprias máquinas, o processo ainda produz um excedente de 45 megawatts/hora, vendido para a empresa de eletricidade da região.

Muita informação. Vai ter de caber tudo nos três minutos do VT desta noite... ao lado da imensa biblioteca de Lençóis Paulista (homenagem ao escritor nativo e ilustre Orígenes Lessa – a quem eu entrevistei, terrivelmente mal-humorado às cinco e meia da manhã, para um *Bom Dia São Paulo* de muitos anos atrás...), das bandas da cidade (a prefeitura promove a revitalização das fanfarras dos colégios locais), do eucalipto, do óleo... e o presidente da associação de plantadores de cana, um esclarecido e preparado engenheiro agrônomo e consultor, ainda nos oferece para filmarmos um dos poucos alambiques que restam na região. Tentador, mas tenho material demais. E a preocupação de não "glamourizar" a produção de bebida alcoólica acaba prevalecendo. Vamos aceitar a gentilíssima oferta de algumas amostras, mas a cachaça vai ficar de fora. Da matéria, é claro.

Mas será sorteada na festa de confraternização da equipe, em São Paulo. Aproveitando que estamos perto da casa de parte da equipe, a nossa chefe Maria Thereza de Almeida (ou Terezoca, como é mais conhecida) ofereceu gentilmente o seu apartamento para reunirmos a turma toda, com tripulantes, jornalistas, técnicos, famílias, filhos... um delicioso break na correria do JN do Ar.

Tudo que é bom dura pouco. A noite de domingo chega rápido, fria e chuvosa. Lá vamos nós para os fundos do Aeroporto de Congonhas, onde ficam os hangares da aviação executiva. A semana está para começar e o sorteio de domingo é no *Fantástico*. Vamos torcer para o Luizinho Nascimento, o lendário comandante do dominical, atender novamente ao nosso apelo e paginar nossa entrada logo no começo do programa. O *Fant* tem começado por volta das 8h45, depois do Faustão. E um sorteio muito tardio pode: 1) nos roubar minutos precio-

> Cada colhedeira de cana substitui cerca de noventa boias-frias. Os trabalhadores rurais, que recebem de oitocentos a 1.200 reais por mês, devem perder espaço para as máquinas. O Brasil já é o maior fabricante e consumidor de colhedeiras do mundo

sos de sono no próximo destino e, pior ainda; 2) fazer-nos perder o *slot* reservado pelo comandante Kede para a nossa decolagem. No congestionadíssimo aeroporto paulistano, que fecha às 22 horas, quem perde a vez numa decolagem noturna se arrisca a ficar pro dia seguinte...

Ufa! Luizinho bota a gente logo no primeiro bloco, depois de uma longa matéria sobre os mineiros chilenos que estão presos debaixo da terra pelo desabamento de uma galeria.

Vamos poder entrar na surreal fila de aviões que se alinham à margem da pista principal de Congonhas, à espera da vez. A fileira de luzes no céu revela que outra fila, aérea, se aproxima, numa alternância cronometrada com os aviões que decolam. É um do chão, um do céu... um balé assustador para nós, leigos dos ares. Melhor não pensar muito nisso. O comandante Kede há de dar um jeito. Afinal, vamos para... Sergipe!!!!

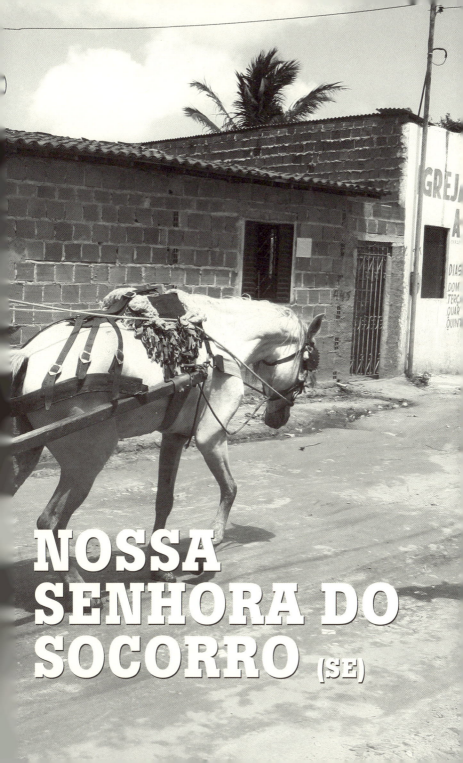

NOSSA SENHORA DO SOCORRO (SE)

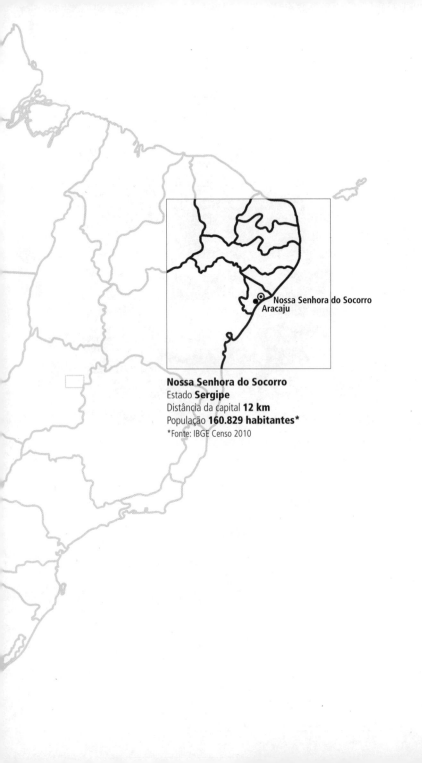

Nossa Senhora do Socorro
Estado **Sergipe**
Distância da capital **12 km**
População **160.829 habitantes***
*Fonte: IBGE Censo 2010

era o que faltava... no Nordeste. O último estado a ser visitado na região é o menor do país. Vamos direto de São Paulo para Aracaju. É voo pra mais de três horas. Enquanto lemos os e-mails enviados pela equipe de plantão, no Jardim Botânico, a Lu começa a servir o jantar. E jantar de *catering* de São Paulo é o seguinte... canapés de salmão, camarões à Provençal etc. etc.
Pouso de brigadeiro em Aracaju.
Hotel de primeira, para retomarmos a rotina de poucas horas dormidas numa cama que dá pena abandonar... mas é a última semana. E todos estamos começando a ter a sensação de que vamos sentir saudade desta correria produtiva.

O distrito industrial de Nossa Senhora do Socorro cresce movido pelos empreendores que fugiram da especulação imobiliária de Aracaju, a capital. A moderna fábrica de fios de algodão, de 6 mil m², foi criada por um grupo do Sudeste que investe em Sergipe há uma década

Depois do café da manhã, que os colegas da emissora local tiveram o bom gosto de não gravar, tocamos pra Nossa Senhora do Socorro. É isso mesmo. Quando ouvi a apresentadora do *Fant* revelar a cidade sorteada, quase não acreditei. Mas a cidade com nome de interjeição é um belo lugar para se fazer matéria.

São apenas doze quilômetros de Aracaju. Como disse na frase de abertura do meu off, quem não presta atenção nem percebe que mudou de município! As avenidas continuam largas, como na parte moderna da capital. Os ônibus são os mesmos, graças a um convênio de bilhete único entre os municípios da região metropolitana de Aracaju.

Esta cidade-dormitório é um caso raro. Conseguiu se livrar da maldição de receber só os problemas de periferia de capital para absorver a riqueza que "transbordou" de Aracaju. A boa fase da economia incendiou o mercado imobiliário da capital e muitas empresas resolveram se mudar para Socorro, em busca de terrenos mais baratos. O crescimento do poder aquisitivo das classes C e D transformou os trabalhadores de baixa remuneração da cidade em consumidores. E um atento empresário de Aracaju já lançou o primeiro shopping center da cidadezinha. Vendeu as primeiras 56 lojas com tamanha facilidade que resolveu acrescentar outras tantas ao projeto original.

Logo ao entrarmos na cidade, paramos para filmar um terminal de ônibus recém-inaugurado. Não demora e somos abordados por um grupo bem vestido. O assessor de comunicação da prefeitura e o secretário da Fazenda se apresentam com gentileza, com cuidado para não nos melindrar. A aproximação é elegante e a conversa, rica de informações.

O homem do dinheiro tem estatísticas sobre a implantação de novas empresas no município, tem o contato com o dono do shopping e está disposto a ajudar. Por que não?

Assim, em pouco tempo, estamos na obra do shopping (o projeto original incluía pouco mais que um supermercado com uma alameda de serviços. Ganhou novos corredores, ar-condicionado, lojas de todas as grifes obrigatórias nos shoppings de capital... um sucesso!). Depois vamos ao hospital regional que está em reformas. Neste, chego de microfone em punho, entrevistando o pessoal que espera na recepção. Surpreendentemente, só uma queixa: como a clínica é catalogada como de baixa complexidade (por causa da proximidade da capital), não tem especialidades como... ortopedia! O rapaz que faz a queixa conta que, quando precisou, decidiu consertar sozinho o ombro deslocado em vez de ir até o hospital de Aracaju. Doeu muito, diz ele. Imagino... e boto a sonora bem espontânea na matéria!

Adriana e Lúcio saíram à procura de um bairro cujas casas ameaçam desabar por causa das explosões de uma fábrica e do que resta do mangue da cidade, aterrado e poluído pelo crescimento. Dona Ilza, moradora antiga, vai dar aquela que vai virar a sonora de encerramento do VT da noite: por causa da poluição das fábricas que se instalaram em Nossa Senhora do Socorro, o rio está envenenado. E gente como dona Ilza, que saía para "mariscar" e completar o orçamento, já não pode contar com esse reforço na magra despensa. É o que precisávamos para terminar a reportagem com um alerta para que o progresso em Nossa Senhora do Socorro, para ser bom mesmo, tem que ser para todos. Receita válida para o restante do país.

Na tentativa de escapar de alguma possível maquiagem da realidade, invado o Pronto Socorro do hospital público de microfone em riste. Os pacientes, fazendo jus ao nome, não se queixam do atendimento, apesar da precariedade das instalações em reforma

Ernesto Paglia   **263**

Sempre alerta, Ulisses Mendes conseguia tempo para enxergar belos enquadramentos enquanto assistia os cinegrafistas com cabos, microfones, luzes, baterias...

Chega a noite e temos mais uma matéria forte, rica em imagens, prenhe de informação, um retrato de um lugar que nunca aparece na mídia, de gente que não tem chance de falar em rede nacional. Estou cansado, mas feliz. A cada dia que passa, flagro alguém da equipe dizendo que o "VT de hoje foi o melhor até agora". Pode ser otimismo exagerado, mas é uma satisfação ver que o time está percebendo o nosso trabalho dessa forma. Cada dia melhor do que antes!!!

Nesse caminho do nirvana, nada mais adequado do que o nosso próximo destino. Amanhã estaremos no Paraíso!!!!!

Obras do shopping center de Nossa Senhora do Socorro. O que era pra ser um corredor de serviços, ao lado de um supermercado, virou centro de compras com promessa de lojas de grife, ar-condicionado, praça de alimentação. Tudo impulsionado pela confiança no poder aquisitivo da fatia local da nova classe média

PARAÍSO DO TOCANTINS (TO)

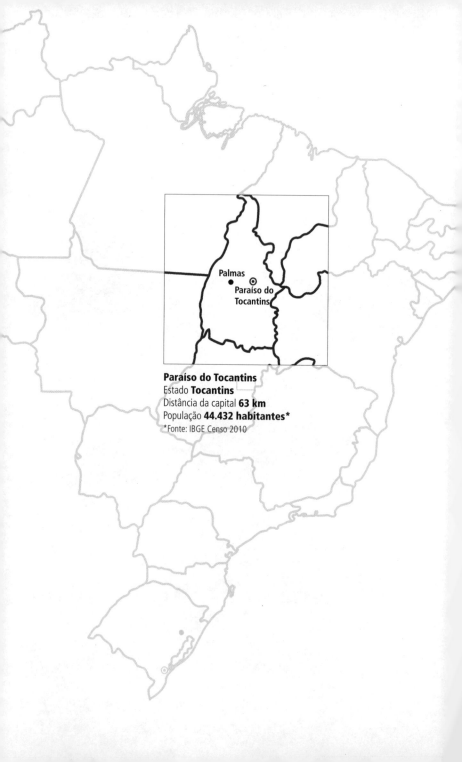

Paraíso do Tocantins
Estado **Tocantins**
Distância da capital **63 km**
População **44.432 habitantes***
*Fonte: IBGE Censo 2010

de Sergipe para o Tocantins.
Chegamos ao estado onde não chove
desde maio... vamos para Paraíso.
Cruzamos o rio que batiza o jovem estado,
represado pela barragem do Lajeado.
O município sorteado está sessenta
quilômetros à frente, no cruzamento com
a Belém-Brasília.
Boi, boi, boi. Tudo gira em torno da
pecuária. Incluindo o chambaril, o
delicioso ensopado de perna de... boi
(ossobuco, para os italianos), vendido
em barracas na calçada. A propaganda da
funerária Santo Ângelo, atrás do quiosque,
sugere certo cuidado. Mas quem come
chambaril vive muito, tenho a presença de
espírito de dizer diante da câmera,

O pátio de manobras do aeroporto de Palmas, TO. Durante o dia, sol incandescente. À noite, o asfalto devolve o calor

enquanto experimento a rústica delícia... nosso VT do dia já tem um "salame" marcante.

Mas Paraíso é mais do que isso. E, em meio à degustação, um pecuarista se aproxima e me convida para conhecer a "bolsa de valores" local. Funciona no pátio do posto de gasolina, às margens da Belém-Brasília. Vamos lá e, rapidamente, um grupo de homens de meia-idade, boa parte de chapelão, forma uma roda nos banquinhos que ficam à disposição dos "operadores" da "bolsa" paraisense. Estimulados pela presença da câmera, eles simulam uma conversa típica do "pregão" de fofocas e negociações. É tudo no fio do bigode, esclarece o dono do posto, ele próprio um dos "operadores". Boiadas, fazendas, imóveis, carros, a vida alheia, o noticiário, não tem assunto proibido na bolsa... ótimo material!

Mas ainda faltam o distrito industrial, o lixão, o abatedouro de aves... Ainda bem que o Dennys e a Adriana estão em campo. E nós vamos conferir a escola agrícola e o Hotel Pra Boi Dormir...

A escola técnica surpreende. Em vez de apenas aulas de, digamos, como fazer uma horta ou abater uma rês (itens incluídos no currículo), os setecentos alunos aprendem, também, ofícios menos óbvios como montar uma rede de computadores, medir indicadores de contaminação do meio ambiente, manipular e preservar alimentos numa linha de produção etc. etc. O campo anda mudado...

O hotel bovino parece feito sob encomenda para nós. O sítio na beira da estrada deu origem ao bem cuidado estabelecimento, trinta anos atrás. A família Mello começou recebendo caminhões boiadeiros, que pediam para desembarcar o gado no pasto da propriedade e descansar os animais das longas viagens pela Belém-Brasília. O movimento logo cresceu, e os Mellos criaram o Hotel Pra Boi Dormir. Bem-humorados, eles já estão habituados ao interesse da imprensa. Vamos fazer um registro rápido, o ineditismo do negócio não pode ficar de fora da nossa história.

Voltamos correndo para Palmas. O calor é insuportável. A fome foi aplacada pela degustação do chambaril, mas as garfadas apressadas não enganam o meu exigente sistema digestivo. Só que não há tempo para almoço. A Gigi está à espera. E não é prudente fazer a brilhante Gigi esperar...

Hoje, ela montou a ilha de edição no quarto do hotel. O ar-condicionado é mais eficiente, o hotel fica no caminho para o aeroporto e, assim, temos a possibilidade de tomar um banho antes de embarcar.

À noite, na pista que ainda reverbera o calor de um dia inteiro debaixo do sol de, não exagero, quarenta graus, estamos prontos para mais um sorteio.

Tudo certo... mas nada em ordem. O nosso link, via *fly-away*, despenca faltando cinco minutos para a nossa entrada. É claro... é a lei de Murphy azeitando as engrenagens do destino. Não tem problema – temos o circuito *stand-by* da afiliada, a TV Anhanguera. Mas Murphy é poderoso... o áudio desaparece a um minuto da entrada. O Alexandre Mattoso, da edição do *JN* no Rio de Janeiro, diz pelo retorno do meu fone que o som voltou, mas continua oscilando. Não dá pra arriscar, a matéria será chamada pela bancada. Fátima improvisa com traquejo e diz que "conversamos há pouco com o Paglia e ele nos falou que conheceu Paraíso do Tocantins e o chambaril...", e vejo o VT ir ao ar sem a minha chamada. Frustrante, mas ainda temos a volta, para o sorteio. Desta vez, a coisa funciona.

E o nosso destino é a terra de Todos os Santos!!!! Feira de Santana, aqui vamos nós!!!!

O autodenominado Rei do Chambaril exibe a iguaria. Especialidade comum no norte do país, o ensopado de perna de boi foi adotado como prato típico no novo estado. Lúcio Rodrigues procura um ângulo novo à beira do caldeirão. Alfredo e eu nos deliciamos com prudência

Ernesto Paglia

FEIRA DE SANTANA (BA)

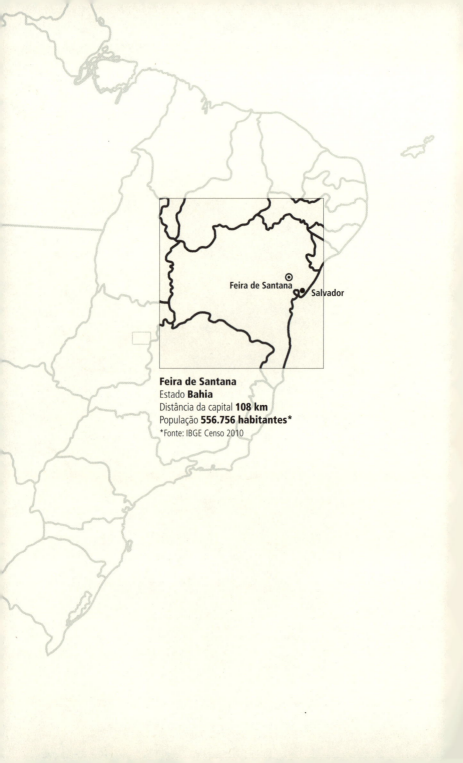

Feira de Santana
Estado **Bahia**
Distância da capital **108 km**
População **556.756 habitantes***
*Fonte: IBGE Censo 2010

O dia já deve ter clareado há algum tempo, mas a cortina *black-out* do luxuoso apartamento onde passei as últimas cinco horas, aqui em Salvador, segurou a onda. Oficialmente, para mim, o dia começa agora, quando abro a porta-balcão do 21º andar... e dou de cara com um minibalcão de meio metro de largura, pendurado sobre o mar cor de garapa da Bahia de Todos os Santos! Rapaz, que frio na barriga!!
Barriga vazia, diga-se de passagem. Pois então, é hora de sacudir a preguiça, tomar banho e recolocar as coisas nas malas (anos de janela me ensinaram um truque para preservar a sanidade em longas jornadas como esta. Em constante

A inesperada fábrica de aviões de Feira de Santana ocupa um galpão de quase 7 mil metros quadrados. O pioneiro Noé de Oliveira Souza Filho quer passar o negócio para o neto, mas restrições da legislação aeronáutica podem obrigá-lo a mudar a fábrica para os Estados Unidos ou a Índia

deslocamento, preciso manter a tralha o mais organizada possível. Ela é a referência que me resta, o pedaço de cotidiano que me acompanha nesta maratona...).

Deixando tudo em ordem, é só colocar a roupa suja da véspera no saco plástico fornecido pelo hotel (*sorry*, mas não vai dar pra lavar aqui, pessoal... é pra isso que trouxe quinze camisas, quinze cuecas, quinze pares de meia...), tirar a muda que vou usar hoje (a eterna combinação calça azul ou cáqui com camisa cáqui de bolso duplo, meu autoimposto uniforme – uma mão na roda!) e correr para o salão do café. Aliás... onde fica o salão do café ???

No imenso hotel soteropolitano onde ficamos hospedados de ontem pra hoje (hoje pra hoje, melhor dizendo... chegamos no começo da madrugada!), a missão pode não ser tão simples como soa... há três lugares pra fazer isso. Por pura sorte, 99% da equipe vai parar no restaurante da cobertura. O visual sempre atrai. Mas, curiosamente, o visualíssimo repórter cinematográfico Lúcio Rodrigues vai parar num dos outros lugares, uma sobreloja onde toma café tentando adivinhar se todos perderam a hora ou foi ele que se confundiu com o fuso horário... que a Bahia não tem. Mais sinais da confusão "temporal-espacial" que vai nos contaminando depois de quase quarenta dias em constante trânsito.

Finalmente, conseguimos juntar todos no saguão, a caminho da van du jour (mais de uma vez, confesso, pensei que seria mais adequado chamar o JN no Ar de JN na Van... neste projeto, experimentei todos os modelos disponíveis no mercado!!!). Vamos nos esgueirando entre levas de oftalmologistas a caminho de mais um congresso (esses podem dizer que só vieram a Salvador pela... vista – desculpe, mas, num pique destes, manter o humor é fundamental). Mais uma vez, repito o truque de convidar a equipe local para embarcar conosco no curioso veículo – tão cheio de poltronas, tão privado de espaço para a nossa tralha.

O cinegrafista da TV Bahia vai nos filmando, enquanto fazemos nossa "tempestade de cérebros" matinal. E o colega repórter serve de referência para filtrarmos as informações que já temos. Algo que chamou a minha atenção foi a existência de uma fábrica de aviões em Feira de Santana. Devo confessar que sabia pouco a respeito da cidade (a maior do interior baiano, a noventa quilômetros de Salvador), mas essa é uma total surpresa... Fábrica de aviões???? Tem, sim, confirma Mauro Anchieta, o repórter que nos acompanha. "Já fiz matéria com ele", acrescenta. "É um senhor personagem!"

E é mesmo. Noé de Oliveira Souza Filho, 68 anos, começou a vida empresarial com uma oficina de bicicletas, evoluiu para uma metalúrgica, enriqueceu – e nunca esqueceu do sonho dos tempos de menino no interior baiano: construir e pilotar aviões. Autodidata incansável, importou livros, frequentou feiras de aviação experimental e fez cursos de montagem de aeronaves nos Estados Unidos. Hoje, tem cinquenta funcionários num galpão de quase 3 mil metros quadrados, bem ao lado da pista do aeroclube de Feira. Pista desativada, mas isso vem adiante.

Baixinho, cabelos brancos, jeito meio reservado, seu Noé não ficaria mal de túnica, embarcando casais de animais numa arca. Mas este corajoso empresário enfrenta um desafio mais para o kafkiano do que para o bíblico. Depois de conquistar espaço e prêmios no mercado americano montando kits de

No saguão da Cidade do Saber, o museu de tecnologia de Feira de Santana, Dennys Leutz grava enquanto a recepcionista-musicista Céliah Zaiin canta o hino da cidade. A escultura em metal lembra as carrocinhas dos tropeiros, pioneiros do lugar

aviões experimentais, seu Noé vai ser proibido de trabalhar nesse nicho pela nova legislação brasileira de aviação. O Santos Dumont de Feira de Santana vai ter de ficar só com os dois modelos que ele mesmo desenhou e construiu (os engenheiros da fábrica apenas botam "na forma" as ideias do seu Noé). As mudanças já forçaram o fabricante a demitir trinta funcionários. Mas ele diz que vai insistir. "Já me convidaram para mudar a fábrica para os Estados Unidos e para a Índia", conta o empresário. "Mas quero ficar no meu país. Só vou se não tiver outro jeito." Acabo a gravação com a certeza de que já tenho o encerramento para a matéria.

A abertura vai surgir da forma mais inesperada. Num dos relatórios enviados pela produção, li sobre a existência de uma espécie de museu da tecnologia em Feira. Pode dizer que é preconceito, mas, infelizmente, não é o tipo de instituição que se costuma encontrar no interior do Nordeste. Mais um item para visitarmos. Mas o que tem nesse museu? "Tem um daqueles aparelhos que projetam imagens de estrelas no teto", procura a palavra a produtora local que se juntou a nós para facilitar os deslocamentos dentro da cidade. Um PLANETÁRIO???? "É isso!", concorda, animada, a companheira. Feira de Santana é um manancial de surpresas! Vamos lá, sem nenhuma dúvida.

A Cidade do Saber é um empreendimento da prefeitura de Feira. Isso pode ser um problema – não podemos mostrar algo que possa ser lido como elogio a A ou B num momento em que tudo está contaminado pela campanha. Mas também é injusto deixar de mostrar coisas boas da cidade porque a iniciativa foi de algum político. Chego pisando em ovos e, sondando aqui e ali, descubro que a cabeça por trás do museu é do matemático e professor universitário Augusto César Orrico. O astrônomo deixou a academia para implantar um plano de divulgação de ciência e tecnologia da prefeitura de Feira de Santana. O professor, que participou da viagem inaugural do Programa Antártico Brasileiro, vem ao nosso encontro quando já estamos filmando o moderno planetário que ele ajudou a trazer para a cidade. "Só tem seis como este no mundo", diz o orgulhoso feirense. "Disseram que eu era louco por trazer uma coisa dessas para cá, mas já recebemos 93 mil pessoas para ver de graça a mesma apresentação que é exibida em Tóquio", conta o professor.

E fala sobre o programa que instalou 165 antenas de wi-fi para oferecer acesso gratuito à internet na cidade, sobre o ônibus que leva aulas de informática à zona rural, o observatório astronômico cedido ao curso de astronomia de uma faculdade estadual etc. etc. Fico até constrangido, mas não vai dar pra falar do "santo"... só dos milagres. Ano de eleição é fogo...

Num intervalo, o diretor do museu se afasta com o Dennys para filmar alguma coisa... e eu conheço Céliah Zaiin. Ela mesma se apresenta. Assim mesmo, com "h" no final de Célia e dois "is" no sobrenome. Vestindo uniforme de guia do museu, a morena de traços árabes, idade insondável, personalidade exuberante, me presenteia com um CD que tem a própria foto na capa. "Sou a intérprete oficial do hino de Feira de Santana", anuncia sem hesitar. Ora, penso com meus microfones de lapela, está pintando mais um sobe-som... "Posso ouvir um trecho a capela?", pergunto, prudentemente. E sou surpreendido ainda uma vez pela bela voz, com empostação profissional. "Sou musicista, regente e compositora",

Feira de Santana quer ser um polo de ciência e tecnologia. A prefeitura oferece acesso gratuito à internet, via wi-fi. Além do moderno planetário, a cidade ostenta o mais bem equipado observatório astronômico do Nordeste. Infelizmente, não deu tempo pra incluir isso no VT daquela noite

O planetário de Feira de Santana recebeu mais de 93 mil visitantes nos primeiros 21 meses de funcionamento

explica Céliah. Num instante, chamo o Dennys. E o saguão do museu vira palco para a sonoridade da voz de Céliah Zaiin. Esta será a abertura triunfal do VT de hoje, meto na cabeça. E vai dar certo!

O "recheio", obrigatoriamente, vai fazer referência às assustadoras estatísticas de homicídios de Feira de Santana. Ao anel viário que vive entupido (mas, cá entre nós, quantas cidades médias do país têm anel viário, entupido ou não?), ao traçado antigo das ruas do centro... Enfim, um enfoque crítico pra população não achar que, ingenuamente, botamos óculos cor-de-rosa e só vimos as coisas boas da cidade. Que ironia, não? Mas não dá pra não falar do shopping, que, aos dez anos de existência, vai crescer 30%, ganhar um hotel, uma torre de escritórios/consultórios de dezoito andares...

Só que tem o grande contraponto, feito para andar junto com a história do seu Noé. Afinal, Feira de Santana tem uma fábrica de aviões... mas não tem aeroporto!!!!! O pequeno terminal está abandonado há um ano e meio (na verdade, essa é a data do fechamento, por falta de segurança. Devia estar abandonado há muito mais tempo!). Um vigia sem uniforme, ar de aposentado completando a renda da pensão, nos deixa inteiramente à vontade. Sem esconder indignação, mostra a sala de controle. O grande móvel de fórmica ainda tem alguns aparelhos antiquados, mas a maioria dos nichos está vazia. "Levaram tudo para outros aeroportos", diz o vigia, inconformado. Saio na direção da pista de pouso. Um cachorro late, assustado pela nossa presença incomum no lugar deserto.

Sem manutenção, o asfalto começa a esfarelar debaixo do sol baiano. Mas o pátio e a pista de pouso estão lá, à espera de dias melhores.

O presidente do Aeroclube de Feira de Santana logo aparece. Deve ter sido avisado pelo funcionário do aeroporto abandonado. O empresário do setor de transportes é um paulista que desembarcou na Bahia nove anos atrás como diretor de uma transportadora. Hoje, com empresa própria, já tem vinte carretas. Júlio Flávio Apolinário soube tirar vantagem do grande movimento de carga trazido a Feira pelas rodovias interestaduais que fazem entroncamento aqui. Nas horas vagas, o dono de transportadora dá asas à paixão, pilotando um modelo de avião comprado da fábrica do seu Noé. Só que, há um ano e meio, só dá para voar em Feira de Santana na base do "jeitinho". Tecnicamente, o aeroporto não existe. Quem se aventura a voar decola por conta e risco, como se estivesse operando em uma pista de fazenda, sem orientação de torre de controle. Só que Feira de Santana está a menos de cem quilômetros do agitado Aeroporto Internacional Deputado Luís Eduardo Magalhães, de Salvador, o quinto mais movimentado do país...

O dirigente do aeroclube se queixa, acusa as autoridades estaduais de negligência. "É uma vergonha a maior cidade do interior da Bahia não ter um aeroporto para apoiar suas empresas", diz Júlio Flávio. E lá vai mais uma entrevista para o ar... desta vez, sem torre de controle! (Desculpe... não resisti!)

Tudo gravado, despachamos dois discos para Salvador, onde Gisele espera ansiosamente para começar a edição. Temos uma meia hora de respiro. Famintos, pedimos para a colega local indicar um lugar para comermos bem e depressa. A silhueta esguia da nossa companheira não parece qualificá-la como grande frequentadora de restaurantes. Mas

Nosso editor de internet, talvez apostando numa fase espacial do JN no Ar, posa ao lado do astronauta que ilustra o painel da Cidade do Saber, em Feira de Santana, BA

O investimento da prefeitura em ciência e tecnologia não evita que Feira de Santana tenha, também, forte comércio informal. A feirinha dos camelôs tem farta oferta de DVD's piratas

ela é bem informada... e nos leva para a mesa do melhor restaurante de carne de sol de Feira. Uma delícia. Comemos a jato e, meia hora depois, já estamos na estrada para Salvador. Escrevo a bordo. Chego com o off pronto. Gisele já "ingestou" o material no computador. Agora, posso tirar uma soneca reparadora. Como o hotel fica longe do aeroporto, fizemos check-out logo cedo. O jeito, agora, é deitar no chão da salinha gentilmente cedida pela Infraero, numa loja desativada do saguão do aeroporto, e tentar fazer a digestão. Que beleza de sesta...

Às sete e meia, rosto lavado no confortável banheiro do Falcon, já estou na pista, ao lado do jato. Enquanto acerto detalhes do meu "vivo" com o nosso editor no Rio de Janeiro, o Alexandre Mattoso, vou acompanhando o som da novela *Ti-ti-ti*. Estou começando a gostar da história... mas só pego final de capítulo!

Escalada no ar, o *JN* abre, mais uma vez, com o sorteio. E a urna diz que o último capítulo da nossa jornada será na pontinha do mapa, lá no extremo oposto ao do cenário da nossa estreia: o destino derradeiro do JN no Ar, como diria o personagem de alguma novela antiga, será Rio Grande!

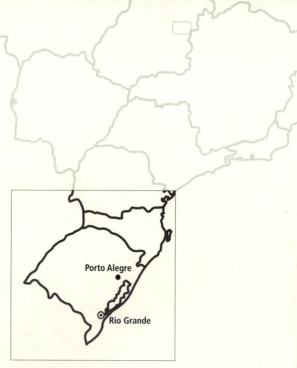

Rio Grande
Estado **Rio Grande do Sul**
Distância da capital **317 km**
População **197.253 habitantes***
*Fonte: IBGE Censo 2010

Mas, antes, vamos dormir em Pelotas.
Já passa da meia-noite quando pousamos no pequeno e arrumado aeroporto da cidade, a pouco mais de cinquenta quilômetros de Rio Grande.
A equipe da RBS nos espera de *sungun* acesa. Depois de cada pouso, já nos habituamos a olhar pelas janelas, em busca da luz brilhando em algum canto do pátio do aeroporto. Ela já se tornou o símbolo do reinício do trabalho. O dia ainda não acabou e eu preciso acordar da soneca aérea com a cara apresentável e o cérebro desperto para dar a inevitável entrevista ao colega que me espera ao pé da escada...
Talvez seja o cansaço acumulado. Preciso

O gaúcho Lúcio Rodrigues se ajoelha no solo natal para ficar da mesma altura do pequeno entrevistado. As categorias de base são a aposta do Sport Clube Rio Grande para tentar restaurar antigas glórias do mais antigo time de futebol em atividade no país

confessar que esta última sonora me pareceu a pior de todas. Espero contar com a misericórdia do editor que vai montar a matéria do *Bom Dia Rio Grande*...

Pano rápido, vamos para o hotel. Bem, nunca é tão rápido... tem que entrar na van, "viajar" até a cidade, fazer check-in – e o hotel gaúcho é o único que exige tirar cópia dos nossos documentos. No dia seguinte, mais uma evidência da cultura de segurança local: todos precisamos fornecer nomes e números de documentos para o motorista da van que vai nos levar até Rio Grande. Segundo ele, é exigência da Brigada Militar. Até a PM, por aqui, tem nome diferente...

A estrada para Pelotas está em obras. É mesmo preciso ampliar a rodovia. É o único acesso ao importante porto de Rio Grande e, nela, se afunila todo o trânsito de três BRs que chegam a Pelotas.

Pelo caminho, numa manhã iluminada pelo sol oblíquo do extremo sul, vamos nos maravilhando com a paisagem nova. Depois de ver caatinga seca, canaviais, currais lotados de gado, favelas, fábricas, rios, praias e arranha-céus, nossos olhos passeiam curiosos pelo horizonte sem fim do pampa gaúcho. Ovelhas, gado malhado de origem europeia, bem diferente do onipresente nelore do restante do país. Casinhas de madeira, sedes de pequenos sítios.

Hoje, Adriana está com Dennys no segundo carro da equipe. Eles param no acostamento e começam a filmar. Lúcio, Alfredo, Ulisses e eu seguimos viagem na van. Mal entramos na cidade, passamos diante do campo do Sport Club Rio Grande. Alfredo exibe o seu conhecimento enciclopédico de tudo que se refere a esportes e me informa que estamos diante do mais antigo time de futebol em atividade no Brasil! Ah, essa não pode passar em branco! Vamos entrar e ver o que dá pra fazer.

A sorte, mais uma vez, está do nosso lado (pausa para uma pequena digressão sobre a sorte na vida do repórter: adoro aquela história segundo a qual Pablo Picasso, diante do comentário de um admirador que dizia que, além de talentosíssimo, o mestre era um sortudo, respondeu: "A sorte bateu muitas vezes à porta do meu ateliê. Mas sempre me encontrou lá dentro, trabalhando!". Como dizem os italianos, se *non è vero, è bem trovato*).

Sem dar chance para o azar, partimos para o ataque.

A garotada das categorias de base está treinando! E o gerente de futebol, o veterano Valdir Lima, ex-tricampeão pelo Internacional, nos recebe sem fazer cerimônia.

Os dirigentes do Sport Clube Rio Grande querem transformar a antiga sede em campo de treinamento para alguma seleção da Copa de 2014. Falta conseguir patrocínio

Enquanto ele fala do orgulho rio-grandino pelos 110 anos ininterruptos de futebol do time, sigo com o rabo do olho a empolgação dos adultos que acompanham os meninos que treinam no campo sagrado do Rio Grande. As avós empolgadas serão as próximas "vítimas" do meu microfone, com certeza!

Um belo sobe-som da garotada, declarando amor ao time em uníssono (é fácil despertar esse tipo de reação. É só disparar: "Quem vai dar tudo pelo Rio Grande?"), e estamos conversados. Agora, só falta destrinchar duas pendências importantes. Vou pedir à Adriana pra dar um pulo na sede do centro da cidade e filmar as fotos antigas, do tempo da fundação do time pela comunidade alemã e, principalmente, checar a carta da CBD (denominação da Confederação Brasileira de Desportos, a antecessora da atual CBF), com assinatura do seu

Atrás de um marlim azul empalhado, o professor Lauro Barcellos fala da saga para montar em Rio Grande o que ele considera o melhor museu oceanográfico do país

lendário presidente Heleno Nunes, confirmando a antiguidade do S. C. Rio Grande e seu título de clube de futebol mais antigo em atividade no país. Deus me livre de mexer no vespeiro das emoções futebolísticas sem estar muito bem calçado...

Antes de sair, a orelha em pé volta a me trazer mais um pouco da tal "sorte": entre as animadas explicações dos ambiciosos planos para o futuro (os rio-grandinos querem que a cidade e o clube sirvam de base para algum time da próxima Copa do Mundo...), ouço alguém citar o nome de Vladimir dos Santos. É um maratonista de sucesso da cidade, atleta que poderia se beneficiar do futuro centro de treinamento que pretendem construir para o S. C. Rio Grande. Um personagem da cidade, que treina pelas ruas de Rio Grande sem se deixar vencer pelo seu maior limite: Vladimir ficou cego há cinco anos!

É claro que quero conhecer Vladimir. E o pessoal do clube, rapidamente, me ajuda a marcar um encontro com ele na entrada da pista municipal onde treina. Musculatura enxuta de fundista, 39 anos, óculos escuros esportivos, só a bengala lhe denuncia a cegueira. Chego perto falando, para que ele me localize, e toco o dorso da mão do atleta, como aprendi em entrevistas passadas com cegos. Ele entende o sinal e retribui com um aperto de mão confiante. Vladimir é um sujeito especial. Ex-operador de guindaste no porto de Rio Grande, o gaúcho carrega um problema genético que lhe tirou totalmente a visão em 2005. Aposentado, pai de uma menina que, à época, tinha nove anos, Vladimir usou sua responsabilidade paterna como ferramenta para vencer a limitação. Disposto a dar um exemplo de superação à própria filha, o ex-trabalhador portuário começou a correr. Caiu muito, foi até atropelado nos treinamentos nas ruas da cidade. Mas seguiu em frente e descobriu um talento para as longas corridas. Quando o entrevistamos, era o terceiro nos 5 mil metros do ranking da Confederação Brasileira de Desportos para Cegos. O segundo nos 10 mil metros. O primeiro na maratona!

Pedimos a ele que mostrasse um treino na pista pública do município. Com agilidade de profissional, o atleta nos atendeu rapidamente. O acesso à pista de saibro é tão amplo que o Lúcio, nosso cinegrafista, não hesita e pede para colocarmos a eterna van no circuito! O resultado é excelente. Vladimir, em mais uma demonstração de coragem e autoconfiança, corre segurando a bengala, a poucos passos do veículo que segue à sua frente. Pelas portas traseiras abertas de par em par, Lúcio capta uma imagem digna de transmissão da São Silvestre... o atleta correndo vigorosamente, de frente para a câmera, uma tradução perfeita da força de vontade desse homem. Terminada a sessão de imagens, espero que ele recupere o fôlego e começo a entrevista. Articulado, esclarecido, Vladimir fala da sua luta, do orgulho de ter superado as limitações. Percebo que estou diante de uma pessoa que pode me ajudar a colocar um final diferenciado na última matéria da nossa cobertura. E lanço a pergunta: como ele acha que o eleitor deve agir na próxima votação? Vladimir confirma minhas previsões mais otimistas. E gravamos:

"O que você diz para os eleitores?".

"Que não vendam seus votos, que sejam conscientes, que façam a melhor escolha possível, não importa o candidato."

Abaixo o microfone, Lúcio desliga a câmera e eu tenho vontade de abraçar o cara. Sinto-me

Vladimir dos Santos treina na pista municipal de Rio Grande. A bengala branca é sua única referência. Totalmente cego desde 2005, o ex-operador de máquinas do porto da cidade virou atleta profissional e já se tornou o melhor maratonista do pais na sua categoria

> Vem à minha mente a sequência de abertura do *Enigma de Kasper Hauser*, quando um cego conduz a caravana pelo deserto, a salvo das trilhas falsas das miragens... Nosso JN no Ar vai poder terminar com uma mensagem altamente lúcida de alguém que perdeu a luz

um Herzog (o diretor alemão, Werner). Vem à minha mente a sequência de abertura do Enigma de Kasper Hauser, quando um cego conduz a caravana pelo deserto, a salvo das trilhas falsas das miragens... Nosso JN no Ar vai poder terminar com uma mensagem altamente lúcida de alguém que perdeu a luz... e uma citação que, provavelmente, pouquíssimos captarão, se algum. Mas eu sei o que vou colocar na matéria. E, falando em puro gauchês, tenho ganas de pular de alegria!

Mas ainda não acabou. Pelo contrário, temos uma das melhores partes pela frente, mais um motivo de orgulho para esta cidade que parece colecionar vitórias. Vamos ao Museu Oceanográfico de Rio Grande!

O lendário professor Lauro nos espera na rua, em frente ao museu. Mas, para chegar a ele, vamos ter de passar pelo grupo exaltado de jovens que veio nos tocaiar. A notícia da nossa presença, evidentemente, já percorreu a cidade. E a turma, esperta, montou plantão diante da instituição que, certamente, não ficaria de fora do nosso trajeto.

Pois bem, do que se trata? Meia dúzia de vozes se eleva, tentando explicar a indignação contra o sistema de ônibus da cidade. Escuto pacientemente durante alguns minutos e concluo que as reclamações, aparentemente legítimas, contra o sistema de bilhete único implantando recentemente na cidade, não cabem na nossa história. O problema é de âmbito local, não interessa ao público do Jornal Nacional. É claro que o decorrer do dia poderá desautorizar esse meu primeiro julgamento. Na dúvida, portanto, peço que indiquem um porta-voz. Depois de uma discussão acalorada e uma votação rápida, escolhem uma universitária morena de ar sério para gravar a entrevista. Nem quero imaginar como devem ser as assembleias desse grupo incendiado...

Superado o piquete, consigo dar um bom abraço no simpático Lauro Barcellos. É a primeira vez que o encontro pessoalmente, mas é como se fosse um velho conhecido. Amigo fraterno de dois bons amigos meus, Cláudio Savaget (criador do *Globo Ecologia*) e Guy Marcovaldi (o "inventor" do Projeto Tamar), Lauro é uma lenda viva. Formado numa das primeiras turmas do mais antigo curso de oceanografia do país, o da Universidade Federal de Rio Grande, ele investiu na vida acadêmica. E se tornou uma dessas estrelas da pesquisa, cientistas que conseguem recursos aliando o trabalho sério de laboratório com um esforço monumental de relações-públicas. Graças a ele, Rio Grande tem o melhor museu oceanográfico do Brasil.

Começamos pelas bem montadas salas de exposição. Lauro, bonachão no seu jaleco branco e sem tirar a touca de lã com que nos recebeu lá fora, vai nos guiando entre enormes espécimes marinhos empalhados. E contando as histórias de cada peça do museu, uma criação da qual ele tem todas as razões para se orgulhar.

De lá, vamos ao caprichado atracadouro, construído na margem do estuário da Lagoa dos Patos, a maior do Brasil. Lauro, um apaixonado por tudo que se relaciona ao mar, mostra as canoas centenárias, cuidadosamente restauradas, testemunhas da coragem dos pescadores artesanais de mais de um século atrás. Gravamos a sonora dele com as embarcações ao fundo. E o cientista fala do destino de Rio Grande, sempre ligado ao mar. E da responsabilidade de preservarmos os estoques de peixe com uma exploração responsável e susten-

O mar é referência de todo o trabalho do professor Lauro Barcellos. O Centro de Convívio dos Meninos do Mar oferece cursos profissionalizantes relacionados à vida marinheira para trezentos jovens entre quatorze e dezessete anos

Ernesto Paglia

Alunos do Centro de Convívio dos Meninos do Mar aprendem a construir embarcações. Os cursos do CCMAR resgatam a tradição marítima local enquanto ajudam a ocupar o tempo ocioso dos alunos da rede pública de Rio Grande

tável, do papel da pesquisa no desenho e planejamento do futuro do lugar.

Terminamos? Não, diz o generoso anfitrião. Vamos almoçar! Como assim? Temos de ir embora!!! "Se tiverem cinco minutos, dá pra comer uma costela." Ora, diante de argumentos tão sólidos, aceitamos o gentil convite. E vamos para a simpática cozinha montada por Lauro na casa de barco sobre palafitas, bem ao lado do atracadouro. Num espaço de uns cinco por quinze metros, tomado por bandeiras presenteadas por embarcações de meio mundo, um balcão separa belos equipamentos de cozinha da enorme mesa que pode receber pelo menos duas dúzias de visitantes famintos. Não somos tantos, mas a fome compensa o tamanho do grupo...

Almoçamos em poucos minutos e vamos conhecer outro lado do trabalho do professor Lauro Barcellos, o Centro de Convívio dos Meninos do Mar. O dinheiro de doadores (entre eles, a Fundação Roberto Marinho) não abastece apenas os laboratórios de pesquisa. No antigo prédio construído pelo governo Getúlio Vargas para abrigar os pescadores de Rio Grande, abandonado durante décadas, Lauro Barcellos implantou uma escola profissionalizante com trezentas vagas por ano. Há 2 mil jovens na fila, à espera da chance de aprender um ofício nas áreas de panificação, corte e costura, agricultura urbana, informática ou construção de barcos de madeira.

O cheiro da padaria toma conta do ar. A câmera do Lúcio passeia pelas salas cheias de rapazes e garotas entre quatorze e dezessete anos. O Dennys, a esta altura, está com a Adriana no importante porto de Rio Grande. O relógio não dá trégua, e os temas não param de render!

A cada porta que abre, o professor Lauro é recebido pela turma com a mesma deferência: todos se levantam, como nas escolas de antigamente.

Um voluntarioso representante do Rotary local aparece inesperadamente nos corredores da escola e, todo solícito, quer nos mostrar outras maravilhas da cidade. Lauro, com firmeza, afasta o retardatário e abre caminho para filmarmos as últimas cenas que o tempo nos permite no estaleiro.

Dener, dezoito anos, ex-aluno, é monitor da turma. Vibra ao falar do trabalho que aprendeu na própria escola. Ele é um dos mil alunos formados desde a inauguração, dois anos atrás.

Na oficina bem cuidada, garotos como Luan, quatorze anos, aprendem a antiga arte de construir barcos de madeira, iguais àqueles centenários que vimos atracados ao lado do museu.

O adolescente de óculos redondos e jeitão de nerd explica que o avô era pescador. Ele quer seguir uma carreira no mar. Gentil, me presenteia com uma miniatura que ele mesmo fez. Vai para um lugar nobre na minha casa. E o seu autor, para a matéria!

Acabou. Agora, é sério. Precisamos nos despedir e correr para Pelotas. Não vamos dar mole logo no último dia... Um forte abraço do professor Lauro representa bem a acolhida generosa que Rio Grande nos deu.

Pé na estrada!

Chego ao hotel em menos de uma hora, com texto pronto e coração ansioso. Quero encerrar nossa cobertura com um bom VT. Matéria-prima não vai faltar...

Quem sabe não dê pra aquela soneca cobiçada antes do vivo derradeiro?

Rio Grande tem a maior frota pesqueira do estado. A sobrepesca ameaça a atividade: as capturas estão diminuindo desde 1971

Ernesto Paglia

Os colegas da RBS têm outros planos... o jornal *Zero Hora*, do mesmo grupo da rede de afiliadas, mandou um repórter e um fotógrafo de Porto Alegre. Eles querem fazer uma reportagem especial para o caderno de domingo. E a equipe da sucursal de Pelotas também precisa fazer sua matéria. O fotógrafo me convida para visitar o tradicionalíssimo café Aquário, ponto de encontro do calçadão de Pelotas. Ele explica que está preparando um livro sobre o lugar e gostaria de aproveitar a luz especial que entra pela janela, no fim da tarde, para fazer um ensaio comigo. Puxa, essa é original. Cansei de dar entrevistas nas últimas cinco semanas. Mas virar modelo fotográfico é novidade!

Enquanto isso, o colega de Porto Alegre vai tentando me entrevistar. Sentamos à mesa especificamente indicada pelo fotógrafo, para que a luz, de fato muito bonita, iluminasse o meu rosto. Enquanto ele, postado na calçada, do lado de fora, tira fotos através da vitrina que envolve o local (talvez daí o nome do estabelecimento...), o repórter faz suas perguntas. E eu interrompo as respostas a cada trinta segundos para dar atenção aos curiosos que se aproximam para deixar bem claro que me reconheceram. Essa é uma atitude que sempre me intriga... posso entender a curiosidade despertada por alguém que aparece na TV, até a admiração que muitos dizem ter pelo trabalho da gente. Mas tem aqueles que só se aproximam para informar: "Te conheço da televisão!". Ahã. Definitivamente, não tenho embocadura para o estrelato.

Na enésima interrupção, o colega desiste. E propõe que voltemos para o hotel.

Aceito mais que contente e terminamos a conversa no saguão.

Ainda tenho uns minutos para tomar banho e me preparar para o "vivo" final. E para o jantar de encerramento!

Já está escuro quando saio em direção ao aeroporto. Junto ao portão da pista, uma senhora salta à frente do carro em companhia de uma adolescente. Ar desesperado, ela bate no vidro do carro, exige que eu abra, grita que está me esperando há horas. Apressado, abro o vidro para saber o motivo de tanta agitação. E a mulher desabafa, numa voz arfante de ansiedade: tem uma carta para eu entregar para o Luciano Huck! Ora, minha senhora... não convivo com o Luciano, só vou para o Rio de Janeiro daqui a algumas semanas, estou em cima da hora para entrar no ar. É mais seguro entregar aos profissionais dos correios, digo a ela, que, pela expressão com que me brindou, certamente não acreditou na minha falta de intimidade com o Luciano. Afinal, aparecemos na casa dela na tela do mesmo eletrodoméstico! Mas não posso enganar a pessoa... não sou o melhor portador para a sua carta!

Consigo chegar ao avião. Mas, hoje, a movimentação está diferente. A tripulação veio uniformizada, como sempre. Mas a Lu não está atarefada com o embarque de comida, achando tempo para nos oferecer algo para beber antes do "vivo"... o comandante Kede e o Bruno não estão no cockpit, falando ao rádio, preenchendo planos de voo para quatro ou cinco cidades. Adriana, Alfredo e Gigi não ocupam os seus assentos de celular em punho. Hoje não vamos decolar para lugar nenhum. A equipe só está a postos para tentarmos realizar um plano pouco ortodoxo: pedi licença aos chefes para fazermos uma despedida especial, mostrando o conjunto da "tripulação" do JN no Ar na minha última "entrada". E a chefia autorizou! Agora, precisamos apenas acertar uma pequena coreografia. A ideia é só mostrar a equipe no finzinho da minha participação, que será breve, com um rápido balanço e com os agradecimentos de praxe à afiliada. Estamos todos do "lado de cá" da câmera. Apenas o Lúcio ficou de fora, sob a promessa de que ele vai deixar a câmera na hora "h" e se juntar a nós. Um pequeno ensaio, e fica tudo combinado.

A adrenalina de todo "vivo", hoje, é um pouco mais forte. Estou animado com o encerramento do trabalho, que me pareceu um sucesso. Mas já começo a sentir a saudade de uma empreitada sem igual, em companhia de uma equipe com uma química especial, num momento histórico único... ou seja, algo que não vai se repetir facilmente.

O *JN* começa, William e Fátima me chamam. Eu apresento a matéria, que termina com o significativo depoimento do atleta cego. Eu volto ao ar com a despedida. Os colegas aparecem na hora certa, tudo sai conforme o combinado. Encerramos mais uma missão.

Hoje, nós e o Falcon dormiremos em Pelotas. Isso, depois de uma indispensável reunião de encerramento numa churrascaria da cidade, é claro. Amanhã, seguiremos sem muita pressa para o Rio de Janeiro. No caminho, o jato pousa em São Paulo, para desembarque do Dennys e do Ulisses. Eu sigo viagem... meus planos de voltar pra casa imediatamente precisaram ser adiados. Fui convocado para um bate-papo sobre a nossa cobertura na bancada do *JN*. Uma deferência rara, da qual terei a honra de desfrutar pela segunda vez em pouco tempo (no aniversário de quarenta anos do *JN*, estive lá, representando os colegas de São Paulo).

Mas, se eu não posso ir pra casa, pelo menos uma parte da casa vem até mim... Minha mulher, Sandra, e minha caçulinha, Elisa, vêm se encontrar conosco em Congonhas. Já que o desembarque do Dennys e do Ulisses abriu duas vagas a bordo, elas vão viajar comigo até o Rio de Janeiro e acompanhar a reta final desta aventura. Sugestão da Gigi e da Adriana, que aceitei rapidamente! Não consigo imaginar final melhor para esta jornada, um dos desafios mais ricos que já enfrentei nas últimas três décadas de trabalho.

Scripts

APÊNDICE. Os scripts dos VTs

Os scripts das matérias são a base para o trabalho do editor de imagens. Eles incluem o texto a ser gravado em off pelo repórter e, também, todas as indicações de edição. É o lugar certo de colocar uma sonora, o momento de usar um sobe-som, indicações de imagens específicas, o trecho em que a passagem deve ser introduzida. É uma descrição daquilo que vai virar a reportagem a ser exibida. Inclui também os "créditos", a identificação dos entrevistados e outras informações em texto que devem ser introduzidas na tela durante a exibição da reportagem. Na maioria dos casos, em vez de anotar, peço aos entrevistados que se identifiquem durante a gravação. Por isso, alguns créditos no script ficam incompletos, à espera da decupagem a ser feita durante a própria edição. O leitor verá, também, alguns pontos de interrogação. Normalmente, indicam dúvidas que não puderam ser resolvidas durante a escrita do texto (em trânsito a bordo de algum veículo saltitante...) e ficaram para ser esclarecidas na ilha de edição ou em contatos posteriores. Mantive o formato original como registro do processo de trabalho.

A seguir, incluí os scripts dos 27 VTs produzidos durante a nossa maratona. Correspondem a cada uma das cidades visitadas mais o VT de estreia, em Macapá.

Os textos são entremeados de indicações de edição ("off" indica o texto lido por mim, "sonoras" são as entrevistas etc. O glossário explica melhor). Mantive o formato original, que variou de acordo com a pressa. Quando havia tempo, eu incluía trechos literais das entrevistas. Quando estava apressado, indicava apenas a ideia geral da sonora que queria usar e a Gigi selecionava o melhor trecho na hora da edição.

Acredito que a inclusão destes roteiros ajude a entender um pouco melhor o nosso processo de trabalho. Este é, também, o extrato final de toda a nossa cobertura.

Você poderá ver as matérias editadas na internet pelo link
http://g1.globo.com/jornal-nacional/jnnoar.html

VT 1 – APRESENTAÇÃO DO PROJETO PARA A ESTREIA DO JN NO AR, EM MACAPÁ (AP)

OFF
NO AR, O *JORNAL NACIONAL*.
E O NOSSO PRIMEIRO VOO TOMA O RUMO NORTE.
2.860 QUILÔMETROS A PARTIR DO RIO DE JANEIRO, SOBREVOANDO MEIO BRASIL, PARA COMEÇAR A MISSÃO DO JN NO AR NUM DOS NOSSOS ESTADOS MAIS JOVENS, O AMAPÁ.
EM TRÊS HORAS E QUARENTA, SEM ESCALAS, POUSAMOS NA CAPITAL, MACAPÁ.
A EQUIPE, UMA FORÇA-TAREFA DO JORNALISMO DA GLOBO, COMEÇA O TRABALHO NO PRÓPRIO AEROPORTO.
OS TÉCNICOS ULISSES MENDES E HAILSON DO CARMO MONTAM O EQUIPAMENTO DE TRANSMISSÃO.
GISELE MACHADO VAI EDITAR AS IMAGENS FEITAS PELOS CINEGRAFISTAS LÚCIO RODRIGUES E DENNYS LEUTZ.
A COBERTURA ON-LINE FICA POR CONTA DO EDITOR DE INTERNET ALFREDO BOKEL.
TODA A INFRAESTRUTURA, JORNALÍSTICA E OPERACIONAL, É DE RESPONSABILIDADE DA PRODUTORA ADRIANA CABAN.

PASSAGEM
CRUZAR OS CÉUS DO BRASIL EM BUSCA DAS HISTÓRIAS DO JN NO AR A BORDO DE UM AVIÃO COMO ESTE TEM VÁRIAS VANTAGENS.

A PRINCIPAL É PODERMOS VISITAR TODOS OS 26 ESTADOS, ALÉM DO DISTRITO FEDERAL.
E VAMOS FAZER ISSO A MAIS DE OITOCENTOS QUILÔMETROS POR HORA. OU SEJA, O CENÁRIO DAS NOSSAS REPORTAGENS VAI MUDAR, LITERALMENTE, A JATO!

OFF
A CADA NOITE, O SORTEIO FEITO PELOS ÂNCORAS DO *JORNAL NACIONAL* VAI DEFINIR NOSSO PRÓXIMO DESTINO.
E A AGILIDADE DO JATO VAI NOS DESPACHAR DO CERRADO AO PAMPA.
NUM DIA, A VIDA NA FLORESTA. NO PRÓXIMO, OS BRASILEIROS DA PRAIA.
NUMA EDIÇÃO, A ARIDEZ DA CAATINGA. NO DIA SEGUINTE, O CONGESTIONAMENTO DA METRÓPOLE.
NO FINAL, NO DIA 29 DE SETEMBRO, O *JORNAL NACIONAL* TERÁ MOSTRADO UM MOSAICO COMPLETO DO BRASIL.
O RETRATO DE UM POVO PRONTO PARA ESCOLHER SEUS NOVOS REPRESENTANTES. DE UM PAÍS QUE AMADURECE E CONFIRMA, A CADA ELEIÇÃO, O DIREITO DE DECIDIR SEU PRÓPRIO DESTINO.

VT 1 – A PRIMEIRA CIDADE

VT 2 – A PRIMEIRA CIDADE – IGARASSU-PE

OFF
DESTINO DECIDIDO, COMEÇA A CORRIDA.
O COMANDANTE FAZ PLANO DE VOO, A GENTE CUIDA DE HOTÉIS, CARROS, INFORMAÇOES...
EM MENOS DE UMA HORA, DEIXAMOS AS MARGENS DO AMAZONAS RUMO AO LITORAL PERNAMBUCANO.

AMANHECEMOS EM IGARASSU.
CIDADE MÉDIA, A 36 QUILÔMETROS DO RECIFE.
TRINTA INDÚSTRIAS, 14 MIL TRABALHADORES REGISTRADOS, 12 MIL PESSOAS VIVEM COM BOLSA FAMÍLIA. O PEQUENO CENTRO HISTÓRICO PARECE UMA CAIXINHA DE JOIAS... A MAIS PRECIOSA, A IGREJA DOS SANTOS COSME E DAMIÃO, A MAIS ANTIGA AINDA DE PÉ EM TODO O PAÍS.

PASSAGEM
MAS A IGARASSU MODERNA, APESAR DOS SEUS QUASE QUINHENTOS ANOS DE HISTÓRIA, CONTINUA CONVIVENDO COM PROBLEMAS TRISTEMENTE ANTIGOS...
UM DELES, O MAIS GRAVE DE TODOS, E QUE NÃO É EXCLUSIVIDADE DESTE MUNICÍPIO PERNAMBUCANO, A FALTA DE SANEAMENTO BÁSICO. DOS MAIS DE 100 MIL HABITANTES DE IGARASSU, HOJE EM DIA, APENAS 788, CADASTRADOS PELA COMPANHIA DE SANEAMENTO BÁSICO DE PERNAMBUCO, TÊM ACESSO À REDE DE ESGOTOS.

OFF
GRÁVIDA DE TRÊS MESES, A ESTUDANTE DE PEDAGOGIA SE PREOCUPA COM O ESGOTO A CÉU ABERTO DO LADO DA CASA DELA, NO BAIRRO A CINCO MINUTOS DO CENTRO...

SONORA/LARISSA DA SILVA/ESTUDANTE
— SEU NOVO BEBÊ NÃO MERECE ISSO...
— NÃO, NINGUÉM MERECE...

(CORTE)
—...É MELHOR ADMINISTRAR MELHOR AS FINANÇAS DO MUNICÍPIO, DO ESTADO, PRA QUE COM ISSO A POPULAÇÃO NÃO VENHA A ADOECER E GASTAR MAIS AINDA...

OFF
IGARASSU MELHOROU O ENSINO. MAS CONTINUA ABAIXO DA MÉDIA PERNAMBUCANA, QUE ESTÁ ABAIXO DA MÉDIA NACIONAL. A ESCOLA ABERTA PAULO FREIRE SURGIU HÁ DEZ ANOS PARA OCUPAR O TEMPO VAGO DOS JOVENS. TEM 120 ALUNOS DE ONZE A DEZESSETE ANOS. EM DOZE OFICINAS, ELES APRENDEM UMA PROFISSÃO. PADEIRO, POR EXEMPLO.

SOBE-SOM/PADARIA
— POSSO EXPERIMENTAR?
— PODE...
— SE GARANTE?
— ...
— VAMOS LÁ, ENTÃO... MACIO... PERFUMADO...

OFF
TODO DIA, CADA ALUNO LEVA DEZ PÃES PRA CASA. E AINDA RECEBE CINQUENTA REAIS POR MÊS PARA NÃO PRECISAR FICAR EXPOSTO AOS PERIGOS DA RUA.

SONORA
— QUER DIZER, A SENHORA TÁ TIRANDO MUITA GENTE DA RUA.
— GRAÇAS A DEUS. POR AQUI, JÁ PASSOU APROXIMADAMENTE SETECENTOS MENINOS.

SONORA/YARA PORTO/DIRETORA DA ESCOLA

SONORA/GAROTA SEM CRÉDITO
— VOU SER UMA COSTUREIRA!
— ISSO AJUDA NO FUTURO?

(CORTE)
— PENSAR MUITO ALTO... NUNCA CABEÇA BAIXA.

VT 3 – ALMIRANTE TAMANDARÉ

OFF
É INVERNO. E ESTAMOS NO PARANÁ.
MAS NÃO É GEADA.
É PÓ MESMO.
ALMIRANTE TAMANDARÉ TEM AS PRINCIPAIS MINAS DO ESTADO, E É O MAIOR PRODUTOR DE CALCÁRIO AGRÍCOLA DO PAÍS.
UM MINERAL QUE AUMENTA EM ATÉ 40% A PRODUÇÃO PARANAENSE DE GRÃOS.
PARA A CIDADE, FICAM TREZENTOS EMPREGOS, A POEIRA, A PAISAGEM ESTRAGADA, O TRÂNSITO PESADO DOS CAMINHÕES E DO TREM DE MINÉRIO.

SONORA/EDUARDO SALAMUNI/DIR. PRES. SERV. GEOLÓGICO DO PARANÁ DIZ QUE A POEIRA É DAQUILO QUE FOI PRODUZIDO NO PASSADO E QUE HOJE ESTÁ MELHOR. A MINERAÇÃO GERA IMPACTO, MAS É IMPORTANTE.

OFF
EM ALMIRANTE TAMANDARÉ, A GEOLOGIA DÁ COM UMA MÃO... E TIRA COM A OUTRA.
A ESCOLA COMEÇOU A AFUNDAR.
ESTA CASA DESABOU. CENTENAS TÊM RACHADURAS.
A CIDADE FICA EM CIMA DE UM RESERVATÓRIO NATURAL, O AQUÍFERO CARST.
O LENÇOL DE ÁGUA, QUE BANHA TREZE MUNICÍPIOS DO PARANÁ, É UMA RIQUEZA.
O CONVENTO DOS FRANCISCANOS BEBE DESSA ÁGUA HÁ SETENTA ANOS.

SONORA/FREI ROGÉRIO/REITOR DO CONVENTO FRANCISCANO

OFF
MAS NAS ÁREAS ONDE A ÁGUA ESTÁ À FLOR DA TERRA, E ONDE HOUVE RETIRADA SEM CUIDADO, O SOLO CEDE E ENGOLE O QUE HOUVER POR CIMA!

SONORA/DIRETOR SANEPAR

OFF
NA EDUCAÇÃO, O MUNICÍPIO É O DE NÚMERO 373 NO RANKING DO ESTADO, QUE SEMPRE APARECE BEM NO PLACAR NACIONAL E É O MELHOR NO ENSINO MÉDIO.
FAZ TRÊS ANOS QUE OS ALUNOS DESTA ESCOLA FUNDAMENTAL FORAM DESPEJADOS.
O COLÉGIO ESTADUAL PRECISOU DAS CLASSES ONDE ELES ASSISTIAM ÀS AULAS, PROVISORIAMENTE.
DESDE ENTÃO, A ESCOLA CORONEL JOÃO CÂNDIDO DE OLIVEIRA FUNCIONA NO SUBSOLO ALUGADO DESTA IGREJA BATISTA DA CIDADE.

SONORA/DALVA PASSOS/DIRETORA

PASSAGEM/FUTEBOL IMPROVISADO

SONORAS/ALUNOS

OFF
PRA COMPLETAR A CARGA HORÁRIO, A ESCOLA TEM TRÊS PERÍODOS – UM, NA HORA DO ALMOÇO. E TEM AULAS AOS SÁBADOS.

SONORA/PROFESSORA

OFF
ENTRE 399 MUNICÍPIOS PARANAENSES, TAMANDARÉ É O 21º EM NÚMERO DE HOMICÍDIOS.
42 PESSOAS FORAM ASSASSINADAS DESDE O COMEÇO DO ANO.
ESTE DONO DE UMA EMPRESA DE MOTOBOYS DIZ QUE SEUS ENTREGADORES JÁ FORAM ASSALTADOS.
MAS ACHA QUE A SITUAÇÃO MELHOROU DEPOIS QUE OS BARES E FESTAS FORAM OBRIGADOS A FECHAR MAIS CEDO.

SONORA/LUCAS/PEQUENO EMPRESÁRIO

OFF
MAS É AQUI QUE FICA O SEGREDO MAIS BEM GUARDADO DE TAMANDARÉ. NO SÍTIO DO SEU HILTON E DA DONA ELZA, SALAMES DELICADOS E VINHOS FORTES, ALÉM DO TORRESMO IRRESISTÍVEL.
OS CEM QUILOS DE SALAME POR SEMANA MAL DÃO CONTA DOS PEDIDOS DA CAPITAL.
TALENTO QUE ENRIQUECE A VIDA DE ALMIRANTE TAMANDARÉ, BRASIL.

SONORA/BRINDE

VT 4 – JACUNDÁ (PA)

OFF
A ESTRADA DE JACUNDÁ É ESTREITA, MARCADA POR REMENDOS E FREADAS DE CAMINHÃO.
A POLÍTICA É TENSA. E APARECE LOGO NA CHEGADA.
SOMOS RODEADOS POR PARTIDÁRIOS DO CANDIDATO QUE TEVE MAIS VOTOS EM 2008, MAS NÃO ASSUMIU A PREFEITURA, POR CAUSA DE PROBLEMAS COM A JUSTIÇA ELEITORAL.

SOBE-SOM
PASSAGEM/SONORA MOTOQUEIRO MENOR E SEM CAPACETE

OFF
NAS RUAS, NÃO VIMOS VIATURAS.
SÓ UMA BLITZ DA POLÍCIA RODOVIÁRIA, FORA DA CIDADE.
MESMO NA RODOVIA, A FISCALIZAÇÃO NÃO RESOLVE. MOTOQUEIROS IRREGULARES ESPERAM NO ACOSTAMENTO ATÉ O BLOQUEIO IR EMBORA. E NEM PENSAM EM LEGALIZAR A PRÓPRIA SITUAÇÃO.

SONORA/MOTOQUEIRO
DIZ QUE NÃO TIRA CARTEIRA POR CAUSA DO GOVERNO... EU DIGO: MAS COMO É CULPA DO GOVERNO? ELE RESPONDE QUE NÃO TEM DINHEIRO PARA TIRAR CARTEIRA NEM PRA IR A MARABÁ, JÁ QUE NÃO TEM DETRAN EM JACUNDÁ.

OFF
ILEGALIDADE MAIS GRAVE APARECE NO DESABAFO DA MORADORA...

SOBE-SOM/MULHER FALA DOS ASSASSINATOS E QUE A POLÍCIA NÃO DESVENDA NENHUM CASO...

OFF
JACUNDÁ É A QUINTA CIDADE MAIS VIOLENTA DO PARÁ, ESTADO COM O MAIOR NÚMERO DE HOMICÍDIOS NO NORTE DO PAÍS.
NESTA REUNIÃO ANUAL, QUE ESTAVA ACONTECENDO HOJE EM JACUNDÁ, ENCONTRAMOS GENTE PREOCUPADA COM OUTROS PROBLEMAS DA CIDADE; A PROSTITUIÇÃO INFANTIL E O ABUSO SEXUAL DE MENORES.

SOBE-SOM/CONGRESSO

OFF
ANO PASSADO, 52 CASOS DE VIOLÊNCIA SEXUAL FORAM REGISTRADOS EM JACUNDÁ.
ESTA AGRICULTORA PROCUROU O CONSELHO TUTELAR SEMANA PASSADA PARA DENUNCIAR – UM VIZINHO ABUSOU DA FILHA DELA, DEFICIENTE MENTAL DE QUATORZE ANOS.

SONORA/MÃE – DISTORCER A VOZ

SONORA/CONGRESSISTA

OFF
AS MADEIREIRAS SÃO IMPORTANTES NA ECONOMIA DE JACUNDÁ.
ESTA, UMA DAS MAIORES, É DE UM EX-PREFEITO.
PARTE DA MADEIRA, DIZ O DONO, É NATIVA, RETIRADA SOB SUPERVISÃO DA SECRETARIA DO MEIO AMBIENTE DO PARÁ. OUTRA VEM DO REPLANTIO DE ÁREAS QUE JÁ FORAM EXPLORADAS NO PASSADO.

SONORA/MADEIREIRO

OFF
CUIDAR DO FUTURO AINDA É EXCEÇÃO POR AQUI.
AS PEQUENAS CARVOARIAS, QUE CONCENTRAM MUITOS CASOS DE TRABALHO ESCRAVO, MOSTRAM O LADO MAIS ATRASADO DESTE PEDAÇO DO PARÁ.

VT 5 – PONTA PORÃ (MS)

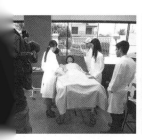

OFF
VEJA SE ENXERGA.
ONDE TERMINA PONTA PORÃ E ONDE COMEÇA PEDRO JUAN CABALLERO?
BRASIL E PARAGUAI SE CONFUNDEM NO MAPA E NAS RUAS DESTA CIDADE DE FRONTEIRA.
É CLARO QUE GENTE MAL-INTENCIONADA TIRA PROVEITO.

(IMAGENS DE ARQUIVO/MUAMBA E DROGAS APREENDIDAS)
O TRÁFICO DE DROGAS, ARMAS, O CONTRABANDO, OS FALSIFICADOS...

PASSAGEM/CALÇADÃO

SONORAS/COMERCIANTES PARAGUAIO E BRASILEIRO
PARAGUAIO – CRÉDITO NO DISCO
BRASILEIRO – ALI HAIDAR

OFF
A COMPETIÇÃO NEM SEMPRE É TÃO PACÍFICA.
A ASSOCIAÇÃO COMERCIAL DE PONTA PORÃ RESPONSABILIZA OS IMENSOS SHOPPING CENTERS DO LADO PARAGUAIO PELA QUEDA DE 25% NAS VENDAS SÓ NOS ÚLTIMOS TRÊS MESES.
ATRÁS DE PREÇOS MELHORES, A CONSUMIDORA PARAGUAIA QUE MORA NO BRASIL FAZ COMPRAS EM PEDRO JUAN CABALLERO...

SONORA/CONSUMIDORA
O ENGRAÇADO É QUE A MAIORIA DOS PRODUTOS QUE ESTOU COMPRANDO É DO BRASIL...

OFF
NOS POSTOS PARAGUAIOS, A GASOLINA É 30% MAIS BARATA.
PARA DIFICULTAR A FUGA DA CLIENTELA, EMPRESÁRIOS BRASILEIROS AUMENTARAM A GUIA QUE IMPEDE RETORNO PARA O POSTO QUE FICA DO OUTRO LADO DESTA AVENIDA.
OS PARAGUAIOS RECLAMARAM – E APELIDARAM A SARJETA TURBINADA DE "MURO DA VERGONHA".
A GENTE COMUM PASSA AO LARGO DESSAS DIFERENÇAS.
ESTA FAMÍLIA TEM PAI PARAGUAIO, MÃE E FILHA BRASILEIRAS.
OS VILLANUEVA MORAM EM PONTA PORÃ, CERCADOS DE PARENTES – E COMIDAS BINACIONAIS...

SONORAS/RICHARD NARA/ADVOGADO PARAGUAIO (O QUE FALA DA SOPA PARAGUAIA)
EDISON VILLANUEVA/VETERINÁRIO PARAGUAIO

OFF
ESTA ESCOLA MUNICIPAL DE PONTA PORÃ TEM MAIS DE 85% DE ALUNOS RESIDENTES NO PARAGUAI.
HOJE, TINHA REUNIÃO DE PAIS. QUER VER DE ONDE VEM ESTA GENTE?

SOBE-SOM/QUEM É PARENTE, PARAGUAIO OU MORA LÁ?

OFF
OS PEQUENINOS, ÀS VEZES, SÓ FALAM GUARANI, LÍNGUA OFICIAL PARAGUAIA, TANTO QUANTO O ESPANHOL.
PROBLEMA PARA A PROFESSORA...

SONORA/SUELI DE OLIVEIRA/PROFESSORA
AÍ EU PEDI PRAS OUTRAS CRIANÇAS QUE FALAM GUARANI, ELAS DIZIAM "NÃO SEI". A ALUNINHA CONTINUAVA CHORANDO E FALANDO "NAQUAAI, NAQUAAI". AÍ, CHAMEI A DIRETORA E ELA FALOU, SUELI, ELA TÁ FALANDO "NÃO SEI"!

OFF
DEPOIS QUE CRESCEM, AS CRIANÇAS FICAM PERFEITAMENTE TRILÍNGUES.

SONORINHAS/JOVENZINHAS

MAS, PARA QUE ELAS NÃO PERCAM AS RAÍZES, A ESCOLA BRASILEIRA ADAPTA AS AULAS DE CULTURA E DANÇA CONFORME A MÚSICA...
MÚSICA PARAGUAIA!

SOBE-SOM

VT 6 – FEIJÓ (AC)

OFF
DECOLAMOS DE CAMPO GRANDE PARA TRÊS HORAS E MEIA ATÉ CRUZEIRO DO SUL. POUCAS HORAS DE SONO E VOLTAMOS À PISTA. ESTREAMOS O SEGUNDO AVIÃO DO JN NO AR.

SÃO 290 QUILÔMETROS ATÉ FEIJÓ – DE CARRO, SERIAM ATÉ QUATRO HORAS DE ESTRADA.
O CARAVAN FAZ EM MENOS DE UMA HORA.

SOBE-SOM/OFERECEM SUCO DE CAJU

OFF
MAS A ESPECIALIDADE DA TERRA É O AÇAÍ.
FEIJÓ TEM DUAS SAFRAS ANUAIS DA FRUTA QUE VIROU MANIA NAS ACADEMIAS.
QUEM TOMA NÃO IMAGINA O TRABALHO QUE DÁ.

SONORA/FRANCISCO "COLORAU" DA SILVA/APANHADOR DE AÇAÍ

OFF
O RESULTADO É UM CALDO GROSSO, O "VINHO". QUE, AQUI, SE TOMA COM AÇÚCAR E FARINHA.

SOBE-SOM/PAGLIA EXPERIMENTA

OFF
É ÓTIMO. MAS A PRODUÇÃO SÓ CONSEGUE SAIR PARA RIO BRANCO NESTA ÉPOCA DO ANO, QUANDO CHOVE MENOS.
A PARTIR DE OUTUBRO, OS AGUACEIROS TRANSFORMAM A BR-364 NUM ENORME ATOLEIRO.
DURANTE MAIS DA METADE DO ANO, ESTA REGIÃO FICA SIMPLESMENTE ISOLADA DA CAPITAL E DO PAÍS.
MUITAS MERCADORIAS SÓ CHEGAM DE AVIÃO – IMAGINE O PREÇO...

SONORA/FRANCISCO DE SOUZA/FEIRANTE

OFF
NESTA ÉPOCA DE ESTIAGEM, A ESTRADA FICA ABERTA. MAS O NÍVEL DO RIO ENVIRA ABAIXA MUITO.
AS BALSAS QUE TRAZEM COMBUSTÍVEL NEM SEMPRE CONSEGUEM PASSAR.
QUANDO A ESTRADA FOR PAVIMENTADA, A SITUAÇÃO PODE MELHORAR. MAS A OBRA JÁ LEVA DOZE ANOS E SÓ TEM ASFALTO EM MENOS DA METADE.

SONORA/ISAÍAS BARBERÁ/CAMINHONEIRO
RECLAMA DA DEMORA

OFF
FEIJÓ É A TERCEIRA MAIOR CIDADE DO ACRE. TEM MUITA BICICLETA, CARRO DE BOI E RUAS BEM CUIDADAS.
O ESGOTO A CÉU ABERTO É UM PROBLEMA. VAI TUDO PARA O RIO ENVIRA.
DONA VALINETE TECE SUAS REDES E SONHA MUDAR PARA OUTRO BAIRRO ONDE O RIO NÃO ALAGUE.

SONORA/VALINETE DE SOUZA

OFF
OS ÍNDIOS ASHANINKA NAVEGAM ATÉ DOZE DIAS DA FRONTEIRA COM O PERU ATÉ O COMÉRCIO E O POSTO DE SAÚDE DE FEIJÓ.
SEM ALOJAMENTO, ELES ACAMPAM E FICAM EXPOSTOS ÀS TENTAÇÕES DA CIDADE.

SONORA/CAPITÃO ESTEPHAN BARBARY NETO/COMANDANTE DA PM-FEIJÓ

OFF
DO OUTRO LADO DO ENVIRA, TEM A ALDEIA DOS SHANENAWÁ.
PRATICAMENTE UM BAIRRO DE FEIJÓ, A ALDEIA PREPARA A SEMANA DE FESTA QUE COMEÇA AMANHÃ.

SONORA/ENSAIO DA DANÇA
É O FESTIVAL DA MATCHÁ, BEBIDA SAGRADA.
UMA ESPÉCIE DE CERVEJA AMARGA FEITA DE MANDIOCA, MILHO E BATATA.

SOBE-SOM/BEBIDA

OFF
MAS O ACONTECIMENTO DO ANO SERÁ A ELEIÇÃO.
PELA PRIMEIRA VEZ, A ESCOLA DA ALDEIA VAI VIRAR SEÇÃO ELEITORAL. E OS 1.800 ELEITORES INDÍGENAS PODERÃO VOTAR EM SUA PRÓPRIA TERRA.

SOBE-SOM FINAL/CACIQUE DIZ ALGO SOBRE A IMPORTÂNCIA DE TER REPRESENTANTES E VOLTA A DANÇA...

VT 7 – GUARAPARI (ES)

OFF
CRUZAMOS O BRASIL FUGINDO DOS TROVÕES.
QUATRO HORAS DE VOO PARA VENCER OS MAIS DE 3 MIL QUILÔMETROS DE OESTE A LESTE DO PAÍS. DEU ATÉ PRA DORMIR.
HOJE CEDO, JÁ ESTÁVAMOS EM GUARAPARI.
E DIVIDIMOS A EQUIPE PARA GANHAR AGILIDADE.
FOMOS ATRÁS DAS AREIAS MONAZÍTICAS, FAMOSAS PELAS PROPRIEDADES MEDICINAIS. MAS OS PRÉDIOS FIZERAM SOMBRA. E A PRAIA DA AREIA PRETA JÁ NÃO É TÃO POPULAR.
AGORA, É O JEITO FAMÍLIA DE GUARAPARI QUE ATRAI AS PESSOAS. ESPECIALMENTE A TURMA DE MINAS. DA TERCEIRA-IDADE, ENTÃO...

SONORA/ÁLVARO PIO SOBRINHO/APOSENTADO

OFF
A TURMA DO CANTO DA PRAIA JÁ PASSOU DOS SESSENTA... SETENTA... OITENTA...
E ACHA GUARAPARI UM SANTO REMÉDIO.

SONORAS/VELHINHOS
TERMINANDO COM O SUJEITO QUE FALA QUE É A CIDADE SAÚDE...

OFF
A CONTRADIÇÃO É QUE A SAÚDE É UM PONTO FRACO DE GUARAPARI.
A CIDADE, DE MAIS DE 100 MIL HABITANTES, E QUE RECEBE 600 MIL VISITANTES ENTRE O ANO-NOVO E O CARNAVAL, NÃO TEM NENHUM HOSPITAL PÚBLICO.
AS EMERGÊNCIAS TÊM DE SER TRATADAS NO ÚNICO POSTO DE ATENDIMENTO DA PREFEITURA, QUE VIVE SUPERLOTADO.
QUANDO CHEGAMOS, O PESSOAL AINDA TENTOU DAR UMA LIMPADA ÀS PRESSAS... MAS NÃO HÁ COMO MAQUIAR A SITUAÇÃO. OS MÉDICOS SÃO OS PRIMEIROS A RECONHECER.

SONORAS/MÁRCIA RIBEIRO/PEDIATRA
RAMIRO PIMENTEL/CLÍNICO GERAL

OFF
DOIS HOSPITAIS PÚBLICOS TÊM CONVÊNIO COM O SUS. MAS SÓ ATENDEM 69 LEITOS PARA PARTOS E INTERNAÇÕES REGULARES. CASOS MAIS COMPLICADOS TÊM DE IR PARA VITÓRIA.

SONORA/CARLO FREDERICO MACHADO/DIRETOR CLÍNICO DO HOSPITAL SÃO JUDAS TADEU
DIZ QUE A COISA MAIS DIFÍCIL É CONSEGUIR UMA VAGA PARA PACIENTE EM VITÓRIA.

OFF
UM ALÍVIO TEMPORÁRIO VIRÁ DO NOVO POSTO DE ATENDIMENTO, QUE DEVE SER INAUGURADO ATÉ O ANIVERSÁRIO DE GUARAPARI, DIA 19. A OBRA ESTÁ NO FIM. MAS O DIRETOR CLÍNICO DIZ QUE SÓ UM HOSPITAL RESOLVE.

SONORA/CARLOS ROCHA/DIRETOR P. A. GUARAPARI

OFF
MAS QUEM TEM SAÚDE EM GUARAPARI TEM ONDE SE DIVERTIR.
SE GOSTAR DE PEIXE... NA PRAIA DE MEAÍPE, NHOZINHO MATTOS FAZ MOQUECA CAPIXABA – SEM DENDÊ E SEM LEITE DE COCO – HÁ MAIS DE QUARENTA ANOS.

SOBE-SOM/DELÍCIA

OFF
É SÓ ESPERAR QUE OS DOIS NOVOS PORTOS QUE VÃO SURGIR NA VIZINHA ANCHIETA RESPEITEM O MEIO AMBIENTE – PARA NÃO ESPANTAR A FREGUESIA DOS TURISTAS...

SONORA/CLAUDIONOR "NHOZINHO" MATTOS/MOQUEQUEIRO (OU DONO DE RESTAURANTE)

VT 8 – INGÁ (PB)

OFF
QUANDO EMBARCAMOS, EM VITÓRIA, NÃO IMAGINÁVAMOS QUE A PARAÍBA NOS RECEBERIA COM CHUVA E FRIO.
MAS EM INGÁ, HOJE CEDO, NÃO PODIA HAVER MAIS CALOR... HUMANO!

SOBE-SOM/ABRAÇOS

OFF
INGÁ É PEQUENINA. VIVE DO FEIJÃO, DO MILHO. E DA APOSENTADORIA DOS VETERANOS DA LAVOURA.
FORA A PREFEITURA, O GRANDE EMPREGADOR É A FÁBRICA DE CALÇADOS ESPORTIVOS QUE SÓ TRABALHA PARA EXPORTAÇÃO.
TEM MAIS DE QUINHENTOS FUNCIONÁRIOS.
HOJE, UMA FILA DE CANDIDATOS TENTAVA ENTRAR PARA O TERCEIRO TURNO QUE VAI SER ABERTO COM O AUMENTO DA PRODUÇÃO.

SONORAS
QUE DIZEM QUE A FÁBRICA É O MELHOR LUGAR PRA TRABALHAR.

OFF
A MAIORIA NÃO CONSEGUE TRABALHO NA CIDADE. E VIRA MIGRANTE. O DESTINO MAIS FREQUENTE, HOJE EM DIA, É SANTA CATARINA.
FELIPE, DEZESSEIS ANOS, FICOU SOZINHO EM INGÁ. SÁBADO, ELE EMBARCARÁ NA PRIMEIRA VIAGEM DE AVIÃO, PARA SE JUNTAR ÀS DUAS IRMÃS MAIS VELHAS EM BLUMENAU.

SONORA/FELIPE LUCINDO/MIGRANTE
FALA DA ESPERANÇA DE UM FUTURO MELHOR, MAS DIZ QUE VOLTA; INGÁ É A MINHA CIDADE, DIZ ELE.

OFF
NEM TODOS SE DÃO BEM.
HÁ QUEM VOLTE COM DOENÇAS GRAVES, COMO A AIDS.

SONORA/MARIA APARECIDA MACIEL
EXPLICA QUE JOVENS VÃO PARA RIO E SÃO PAULO, SE ENVOLVEM COM DROGAS, VOLTAM DOENTES E PEDEM TRATAMENTO AQUI.

OFF
A POLICLÍNICA ESTÁ SOBRECARREGADA.
A TUBERCULOSE CRESCEU 30% NESTE ANO.
A DIREÇÃO DIZ QUE OS DOENTES VÊM, PRINCIPALMENTE, DO PRESÍDIO QUE FUNCIONA NO MUNICÍPIO.

SONORA/MÃE DO EX-PRESIDIÁRIO
DIZ QUE O RAPAZ FICOU COM 49 QUILOS...

OFF
A HANSENÍASE, COMUM EM INGÁ, CRESCEU 10% EM 2010.
A FALTA DE SANEAMENTO ESPALHA AS DOENÇAS.
A PREFEITURA FOI ACIONADA NA JUSTIÇA FEDERAL PARA FAZER UM ATERRO SANITÁRIO. COM POUCA POPULAÇÃO, FICA DIFÍCIL CONSEGUIR VERBAS FEDERAIS. ENQUANTO ISSO, INGÁ SÓ TEM UM LIXÃO.
O ORGULHO DA CIDADE É O PATRIMÔNIO ARQUEOLÓGICO. A PEDRA DE INGÁ TEM UM DOS MAIS SOFISTICADOS CONJUNTOS DE TRABALHOS PRÉ-HISTÓRICOS DO PAÍS. HÁ ESTIMATIVAS DE QUE ESTAS GRAVAÇÕES NA ROCHA TÊM MAIS DE 5 MIL ANOS.
DENNIS APRENDEU SOZINHO. EMPOLGADO COM O TESOURO DA PEDRA, ESTUDOU O TEMA, FOI FAZER FACULDADE DE GEOGRAFIA.

INSISTIU TANTO QUE A PREFEITURA FOI À JUSTIÇA E GANHOU O DIREITO DE ADMINISTRAR O SÍTIO ARQUEOLÓGICO, QUE ESTÁ NAS MÃOS DE PARTICULARES.
A PARTIR DA SEMANA QUE VEM, DENNIS SERÁ O GUIA OFICIAL DA PEDRA DO INGÁ.

SONORA/DENNYS MOTA/GUIA TURÍSTICO
DIZ QUE O LUGAR É ESPECIAL E QUE ELE DEVE TER SANGUE DE ÍNDIO.

OFF
AS MÃOS DAS RENDEIRAS DE INGÁ TAMBÉM PRODUZEM BELEZAS.
MAIS DE CEM MULHERES DO DISTRITO DE CHÃ DOS PEREIRAS TECEM A RENDA LABIRINTO, HERANÇA PASSADA DE GERAÇÃO EM GERAÇÃO...

SONORA/JOSEFA DE OLIVEIRA/RENDEIRA
DIZ QUE AVÓ ENSINOU PARA NETA ETC.

SOBE-SOM/CANTORIA

VT 9 – SÃO RAIMUNDO NONATO (PI)

OFF
DEPOIS DO SORTEIO DO NOSSO DESTINO, UM OUTRO NO AR, PARA DAR...
DESTINO AOS VÁRIOS PRESENTES QUE NOSSA EQUIPE GANHOU ATÉ AGORA.
HOJE CEDO, UM AMANHECER ENSOLARADO EM PETROLINA. E O NOSSO SEGUNDO AVIÃO VOLTOU À PISTA PARA NOS LEVAR AO VIZINHO PIAUÍ.
SÃO RAIMUNDO NONATO APARECE NO MEIO DA PAISAGEM SECA DA CAATINGA.
PRA NOSSA SORTE, A PISTA DO FUTURO AEROPORTO DA SERRA DA CAPIVARA FICOU PRONTA HÁ POUCO MAIS DE UM ANO. É A ÚNICA PARTE CONCLUÍDA DO PROJETO APROVADO EM 97...
OBRA INACABADA PARECE SER A MARCA DO LUGAR.
A ESTRADA QUE LIGA A REGIÃO À CAPITAL, TERESINA, TAMBÉM ALTERNA ASFALTO COM TRECHOS DE TERRA.
O COMÉRCIO E OS BANCOS TRANSFORMAM A CIDADE NUM CENTRO IMPORTANTE PARA A REGIÃO.
HOJE, MORADORES RECLAMAVAM DO CHEIRO DO SISTEMA DE ESGOTO INSTALADO EM SÃO RAIMUNDO NONATO.

SONORA/MOÇA

OFF
MAS TEM UM TRABALHO AQUI QUE VAI CONSUMIR MUITO MAIS TEMPO. GERAÇÕES DE ARQUEÓLOGOS AINDA VÃO ESTUDAR O PARQUE NACIONAL DA SERRA DA CAPIVARA, A QUARENTA QUILÔMETROS DA CIDADE.
PATRIMÔNIO CULTURAL DA HUMANIDADE PELA UNESCO, O PARQUE TEM A MAIOR CONCENTRAÇÃO DE ARTE PRÉ-HISTÓRICA EM ROCHA DO MUNDO – MAIS DE NOVECENTOS SÍTIOS ARQUEOLÓGICOS, 1.300 EM TODA A REGIÃO.
OS DESENHOS DE ATÉ 30 MIL ANOS ATRÁS FORAM FEITOS PELAS MÃOS DE ALGUNS DOS PRIMEIROS SERES HUMANOS A CAMINHAR PELO CONTINENTE AMERICANO.

SONORA/ROSA TRAKALO/FUNDAÇÃO MUSEU DO HOMEM AMERICANO

OFF
NO BEM CUIDADO CENTRO DE VISITANTES, O VÍDEO MOSTRA IMAGENS DA PIONEIRA DA PESQUISA – A ARQUEÓLOGA PAULISTA NIÈDE GUIDON TRABALHA AQUI HÁ QUATRO DÉCADAS. HOJE EM VIAGEM PARA UM CONGRESSO MUNDIAL E NÃO PODE NOS RECEBER.
A DEDICAÇÃO DA DOUTORA GUIDON TROUXE PARA NONATO UM CURSO DE ARQUEOLOGIA, QUE JÁ FORMOU TRÊS TURMAS.
LUCAS, ÓRFÃO DE PAI PEDREIRO, ESTÁ NO SEGUNDO ANO DE FACULDADE E TRABALHA HÁ SEIS NA FUNDAÇÃO DO HOMEM AMERICANO, CRIADA POR NIÈDE.

SONORA/LUCAS BRAGA/ESTUDANTE DE ARQUEOLOGIA

OFF
SÔNIA MOROU DOZE ANOS EM SÃO PAULO. QUERIA VOLTAR. SÓ CONSEGUIU DEPOIS DA VAGA DE RECEPCIONISTA NO MUSEU CRIADO PELA FUNDAÇÃO.

SONORA/SÔNIA ROSÁRIO/RECEPCIONISTA

OFF
O MUSEU, RICO EM ACHADOS DA REGIÃO, USA OS RECURSOS MAIS MODERNOS.

E MOSTRA APENAS UMA PARTE DO IMENSO ACERVO DE PEÇAS A SEREM ESTUDADAS.

SONORA/GISELE FELICE/ARQUEÓLOGA

OFF
NINGUÉM VAI ESCREVER A PRÉ-HISTÓRIA DO CONTINENTE AMERICANO SEM ESTUDAR A FUNDO O TESOURO DESTA CIDADE PIAUIENSE.
EIS ALGO QUE VAI DEMORAR. AO CONTRÁRIO DAS OUTRAS OBRAS INACABADAS DA CIDADE, ESTA É UMA BOA NOTÍCIA EM RAIMUNDO NONATO...

VT 10 – ALTO ALEGRE (RR)

OFF
DOMINGO À NOITE, SORTEIO.

SOBE-SOM/VIVO

OFF
E TODOS A BORDO, PARA TRÊS HORAS E VINTE DO SERTÃO NORDESTINO ATÉ O EXTREMO NORTE DA AMAZÔNIA.
HOJE CEDO, DEIXAMOS A CAPITAL DE RORAIMA, BOA VISTA, PARA NOVENTA QUILÔMETROS POR TERRA ATÉ ALTO ALEGRE.
BATEMOS DE FRENTE COM OUTRO CLIMA...

SOBE-SOM/CHUVA

OFF
LOGO NA CHEGADA, O PRINCIPAL PROBLEMA DA CIDADE TRANSBORDOU DIANTE DE NÓS.

SONORA/PATRÍCIA DA SILVA/UNIVERSITÁRIA

OFF
A TORNEIRA, AOS PÉS DO PORTAL DA CIDADE, JORRA ÁGUA DE UM POÇO. MUITA GENTE VEM ENCHER GARRAFAS.
A ÁGUA QUE CHEGA ÀS CASAS NÃO É TRATADA. E COSTUMA SER MEIO TURVA.

SONORA/MARIA EUNICE DA SILVA/DONA DE CASA

OFF
O PROBLEMA DEVE COMEÇAR A SER RESOLVIDO EM TRÊS MESES, COM A CAPTAÇÃO E TRATAMENTO DA ÁGUA DO RIO MUCAJAÍ, A DEZENOVE QUILÔMETROS DA CIDADE.
OBRA FEITA COM RECURSOS FEDERAIS.
O MUNICÍPIO SENTE FALTA DOS 30 MIL REAIS QUE DEIXOU DE RECEBER POR MÊS DO FUNDO DE PARTICIPAÇÃO. TUDO PORQUE OS DADOS DO IBGE INDICAM QUE A POPULAÇÃO ENCOLHEU QUASE 4 MIL PESSOAS ENTRE 2000 E 2007.
PODE TER HAVIDO MIGRAÇÃO. MAS TUDO INDICA QUE PARTE DOS ÍNDIOS DO MUNICÍPIO TENHA FICADO DE FORA.
ESPECIALMENTE OS ARREDIOS IANOMÂMIS, ISOLADOS NA MATA.
HOJE, NA ALDEIA SUKUBA, DOZE ETNIAS DE TODO O ESTADO PREPARAVAM A ABERTURA DESTA NOITE DOS JOGOS ESTUDANTIS INDÍGENAS DO ESTADO.
ALTO ALEGRE VIVE DA PLANTAÇÃO DE MILHO, DA CRIAÇÃO DE GADO DE CORTE. E, ULTIMAMENTE, CADA VEZ MAIS DA PISCICULTURA.
FOMOS VISITAR UM DOS MAIORES PRODUTORES, UM PECUARISTA QUE JÁ É CHAMADO DE ZÉ DO TAMBAQUI.
CEARENSE, EM RORAIMA HÁ MAIS DE TRINTA ANOS, SEU ZÉ AINDA TEM 1.800 RESES. MAS, SEM PODER DESMATAR PARA NOVOS PASTOS, RESOLVEU CRIAR TAMBAQUI – QUE RENDE CINCO VEZES MAIS POR HECTARE NUM TERÇO DO TEMPO.
É CLARO QUE É PRECISO INVESTIR. SÃO QUASE SETENTA TONELADAS DE RAÇÃO POR MÊS.
MAS SEU ZÉ CONSEGUIU MULTIPLICAR OS TAMBAQUIS. HOJE, PRODUZ 350 TONELADAS POR ANO!!!!

SOBE-SOM/SONORA
JOSÉ SOARES DE SOUZA/"ZÉ DO TAMBAQUI"
DIZ QUE O PEIXE É MELHOR DO QUE O GADO PORQUE PERMITE APROVEITAR O TERRENO QUE JÁ FOI DESMATADO PARA O GADO.

OFF
O CEARENSE QUE VIROU RORAIMENSE, OU MACUXI, COMO DIZEM OS LOCAIS, TEM ORGULHO DA TERRA QUE ADOTOU E ESTÁ AJUDANDO A COLONIZAR.

HOSPITALEIRO, OFERECE O PRODUTO QUE VENDE PRINCIPALMENTE PARA O MERCADO DE MANAUS.
UM PRODUTO QUE, CÁ ENTRE NÓS, NA BRASA, FICA UMA DELÍCIA...

SOBE-SOM/PAGLIA EXPERIMENTA

SONORA/ZÉ DO TAMBAQUI FAZ A ALEGRIA DO LUGAR
DIZ QUE AS AUTORIDADES FAZEM O SEU TRABALHO, A GENTE DÁ DURO POR AQUI E TUDO VAI DECOLAR.

SOBE-SOM FINAL/PEIXES SE AGITAM DENTRO DA REDE

VT 11 – SÃO SEBASTIÃO (DF)

SOBE-SOM/TÉCNICO GRITA NA BEIRA DO CAMPO DE TERRA

OFF
O PESSOAL DE SÃO SEBASTIÃO JÁ SE ACOSTUMOU A ORGANIZAR O PRÓPRIO JOGO... A PRÓPRIA VIDA.
O CAMPEONATO DE FUTEBOL, QUE ENVOLVE MAIS DE 3 MIL PESSOAS EM DUAS LIGAS E TRÊS CATEGORIAS, É INICIATIVA ESPONTÂNEA DA COMUNIDADE, PARA O SEU PRÓPRIO BEM.

SONORA/AILTON GOMES DA SILVA/SEGURANÇA E TREINADOR DO PSV--SÃO SEBASTIÃO
DIZ QUE O FUTEBOL É BOM PARA TIRAR OS JOVENS DA DROGA, DA VIOLÊNCIA...

OFF
É DA COMUNIDADE O MAIOR ESFORÇO PARA CURAR O ANALFABETISMO, QUE ATINGE 40% DA POPULAÇÃO.

SONORA/PROJETO CASA DE PAULO FREIRE
NÃO TEM POLÍTICA PÚBLICA...

SOBE-SOM/GAITINHA

OFF
FOI EM CASA QUE O GAROTINHO DE OITO ANOS CONHECEU A RIQUEZA DA MÚSICA CLÁSSICA...

SOBE-SOM

SONORA/EZEQUIEL DE SENA/OITO ANOS
— SABE O QUE ESTÁ TOCANDO?
— SEI. É VIVALDI.

OFF
É POR ESFORÇO PRÓPRIO QUE OS ATLETAS DE SÃO SEBASTIÃO CARREGAM O PEITO DE MEDALHAS.

SONORA/CAMPEÃO DE JIU-JITSU
NOSSO MAIOR ESTÍMULO É A SUPERAÇÃO...

OFF
COM MAIS DE 100 MIL HABITANTES, PERIFERIA POBRE DE BRASÍLIA, SÃO SEBASTIÃO É CIDADE-DORMITÓRIO PARA QUEM TRABALHA NO DISTRITO FEDERAL.
À SOMBRA DE BRASÍLIA, NÃO É MUNICÍPIO – MAS REGIÃO ADMINISTRATIVA.

PASSAGEM/TURBULÊNCIAS DO DF
POR SER UMA REGIÃO ADMINISTRATIVA DE BRASÍLIA, SÃO SEBASTIÃO SOFREU COM AS TURBULÊNCIAS VIVIDAS PELO GOVERNO DO DISTRITO FEDERAL. EM FEVEREIRO DESTE ANO, O GOVERNADOR JOSÉ ROBERTO ARRUDA RENUNCIOU, DEPOIS DE UMA ONDA DE ESCÂNDALOS. DESDE ENTÃO, O DISTRITO FEDERAL JÁ TEVE TRÊS OUTROS GOVERNADORES...

OFF
ISSO AJUDA A EXPLICAR POR QUE SÃO SEBASTIÃO TEM UMA MODERNA VILA OLÍMPICA PRONTA E FECHADA DESDE FEVEREIRO, À ESPERA DE INAUGURAÇÃO, ENQUANTO OS ATLETAS SE EXERCITAM NA POEIRA.
E POR QUE UMA UNIDADE DE PRONTO ATENDIMENTO CONTINUA FECHADA, ENQUANTO O POSTO DE SAÚDE ATUAL REJEITA PACIENTE APÓS PACIENTE, SEM MÉDICO PARA ATENDER.

SOBE-SOM/ARACI ALVES DA CUNHA/DONA DE CASA
GRITA, CHORA, DIZ QUE ESTÁ PASSANDO MAL E QUE NÃO TEM QUEM A AJUDE...

SONORA/VILSON MESQUITA/CONSELHO DE SAÚDE DE SÃO SEBASTIÃO
DIZ QUE BRASÍLIA FOI PROJETADA PARA TER 500 MIL HABITANTES NO ANO 2000, E JÁ TEM QUASE 3 MILHÕES. NÃO HOUVE PLANEJAMENTO E A POPULAÇÃO CRESCE, SEM ATENDIMENTO MÉDICO.

OFF
EM MEIO A TANTAS CARÊNCIAS, A MOBILIZAÇÃO DA SOCIEDADE É O MELHOR LADO DE SÃO SEBASTIÃO.

SONORA/FRANCISCO "BETO" RODRIGUES/EDUCADOR
DIZ QUE É BOM QUE A COMUNIDADE SE MOBILIZE, MAS ELA NÃO PODE SUBSTITUIR O ESTADO, QUE TEM MUITO MAIS PODER PARA AJUDAR AS PESSOAS.

OFF
TALVEZ A DISPOSIÇÃO PARA METER A MÃO NA MASSA SEJA MARCA DAS RAÍZES DESTE LUGAR.
QUANDO O FUNDADOR TIÃO DA AREIA CHEGOU AQUI, HÁ MEIO SÉCULO, VEIO TRABALHAR NO BARRO DE SÃO SEBASTIÃO, FONTE DOS TIJOLOS QUE ERGUERAM BRASÍLIA.

SONORA/SEBASTIÃO AZEVEDO RODRIGUES/FUNDADOR DE SÃO SEBASTIÃO
DIZ QUE GOSTARIA DE FAZER TUDO DE NOVO, PRA PODER FAZER MELHOR.

VT 12 – PORTO GRANDE (AP)

OFF
A ÚLTIMA CHECAGEM NO AVIÃO, E O COMANDANTE KEDE DECOLA RUMO AO NORTE.

EM DUAS HORAS E QUARENTA, TROCAMOS O PLANALTO CENTRAL PELO CALOR ÚMIDO DE MACAPÁ.
PORTO GRANDE FICA CEM QUILÔMETROS ADIANTE... HOJE CEDO, NO CAMINHO, VIMOS QUE OS DOIS LADOS DA ESTRADA SÃO TOMADOS POR UMA FLORESTA INESPERADA – VASTAS PLANTAÇÕES DE EUCALIPTO EM PLENA AMAZÔNIA – GRANDE PARTE, PARA ABASTECER FÁBRICAS DE PAPEL E CELULOSE NA EUROPA E NO JAPÃO, ONDE ESTÃO OS MAIORES ACIONISTAS.
PORTO GRANDE É, TAMBÉM, A MAIOR PRODUTORA DE AREIA E PEDRAS PARA CONSTRUÇÃO DO ESTADO.
A BR-210 ATRAVESSA A CIDADE.
SEM SINALIZAÇÃO, ACOSTAMENTO NEM LOMBADAS, O TRÂNSITO É UMA AMEAÇA.

SONORA/ALDERI VARELA/VEREADOR

OFF
A CIDADE É JOVEM, COMO A MAIORIA DOS SEUS QUASE 15 MIL HABITANTES.

SOBE-SOM/HIP-HOP

OFF
A DELINQUÊNCIA JUVENIL É UM PROBLEMA.
A PM AMAPAENSE TEM UM PROGRAMA ESPECÍFICO PARA LIDAR COM OS JOVENS.
ORGANIZA AULAS DE REFORÇO ESCOLAR, EDUCAÇÃO FÍSICA E BOTA A GAROTADA EM FORMA.

SOBE-SOM/CANTO DOS GAROTOS MILITARIZADOS

OFF
PORTO GRANDE VIROU MUNICÍPIO HÁ APENAS DEZOITO ANOS.
A TERRA, QUE JÁ DEU MUITO OURO, AGORA É FONTE DE UMA RIQUEZA DE FRUTAS, A MAIOR PRODUÇÃO DE ALIMENTOS DO AMAPÁ.
SEU ZEZINHO É O TÍPICO AGRICULTOR DO LUGAR. CEARENSE, HÁ QUARENTA ANOS NA REGIÃO, ELE APRENDEU A TIRAR DE UM TUDO DESTA TERRA POUCO FÉRTIL.

SONORA/JOSÉ SOARES DE OLIVEIRA/AGRICULTOR
DIZ QUE A TERRA NÃO É TÃO BOA, PRECISA CORRIGIR COM CALCÁRIO; QUE A DIFERENÇA É A MÃO DO AGRICULTOR...

OFF
O BOM É QUE, EM PORTO GRANDE, SEMPRE É TEMPO DE COLHER...

SONORA/FRANCINALDO OLIVEIRA/AGRICULTOR
DIZ QUE UMA SAFRA TERMINA, LOGO COMEÇA OUTRA.

PASSAGEM
ESTA É APENAS UMA PEQUENA PARTE DA FAMÍLIA DO SEU ZEZINHO, É SÓ O QUE DEU PRA REUNIR, MAS TEM MUITO MAIS...

OFF
PEQUENOS AGRICULTORES COMO DONA BENEDITA PROMOVEM, DAQUI A DOIS FINS DE SEMANA, A FESTA DO ABACAXI, UMA DAS CINCO FEIRAS AGRÍCOLAS DE PORTO GRANDE.
HOJE, ENCONTRAMOS DONA BENEDITA PREPARANDO UM CALDEIRÃO DE LICOR DA FRUTA.

SOBE-SOM

OFF
ELA NOS MOSTROU QUE, EM PORTO GRANDE, ABACAXI NÃO É PROBLEMA – É SOLUÇÃO!!!

SONORA/BENEDITA DE SOUZA/AGRICULTORA
DIZ QUE PODEM DAR O ABACAXI PRA ELA, QUE ELA FAZ DOCE, GELEIA, COMPOTA, LICOR...

VT 13 – SÃO GONÇALO DO AMARANTE (RN)

OFF
CINCO MINUTOS DE REUNIÃO – E DUAS HORAS E MEIA DE VOO DO NORTE AO NORDESTE DO PAÍS.
POUSAMOS NO RIO GRANDE DO NORTE NO COMEÇO DA MADRUGADA.
HOJE CEDO, JÁ ESTÁVAMOS NA CENTENÁRIA SÃO GONÇALO DO AMARANTE, REGIÃO METROPOLITANA DE NATAL.
A PROXIMIDADE COM A CAPITAL DEU A SÃO GONÇALO O DIREITO DE TER O FUTURO AEROPORTO INTERNACIONAL. FAZ TREZE ANOS QUE O PROJETO FOI APROVADO, MAS, ATÉ AGORA, SÓ A PISTA FICOU PRONTA. HÁ PROMESSAS DE TERMINAR O AEROPORTO ATÉ A COPA DE 2014.
A CIDADE COMPLETA TRÊS SÉCULOS NESTE ANO. A MATRIZ É SÓ O QUE RESTOU DO PASSADO, CERCADA POR PRÉDIOS NOVOS E ENORMES ANTENAS DE CELULAR.
SÃO GONÇALO DO AMARANTE FOI CENÁRIO DE UM DOS MAIS BEM DOCUMENTADOS EPISÓDIOS DA GUERRA PELA EXPULSÃO DOS HOLANDESES DO BRASIL COLÔNIA.
O PROFESSOR DE HISTÓRIA CONTA QUE, EM 1645, OS HOLANDESES MATARAM PELO MENOS CINQUENTA MORADORES DO QUE É, HOJE, O DISTRITO DE URUAÇU.
REPRESÁLIA POR ELES NÃO TEREM ADERIDO ÀS FORÇAS HOLANDESAS NEM RENEGADO A RELIGIÃO CATÓLICA.

SONORA/LUIZ SUASSUNA/PROFESSOR DE HISTÓRIA DA UFRN
DIZ QUE O EPISÓDIO É MARCANTE PARA O RN E PARA O BRASIL.

OFF
O EPISÓDIO EXPLICA POR QUE SÃO GONÇALO DO AMARANTE É CONHECIDA COMO A "TERRA DOS MÁRTIRES".
ESTA É, TAMBÉM, A TERRA DA CERÂMICA.
O SOLO RICO EM ARGILA É MATÉRIA-PRIMA PARA O ARTESANATO TRADICIONAL.
E, TAMBÉM, PARA OS TIJOLOS PRODUZIDOS, NA MAIORIA DOS CASOS, EM OLARIAS PRIMITIVAS.

A ATIVIDADE NÃO É NADA GENTIL COM O MEIO AMBIENTE... OS FORNOS QUEIMAM MADEIRA NATIVA. ESPALHAM FUMAÇA PELA CIDADE.
A 220 REAIS POR MILHEIRO DE TIJOLOS, FICA DIFÍCIL FALAR EM MODERNIZAR E SUBSTITUIR O COMBUSTÍVEL POR GÁS, POR EXEMPLO.

SONORA/CLEUDO MIRANDA/DONO DE OLARIA
DIZ QUE SÓ SE O GOVERNO AJUDAR...

OFF
OUTRO PROBLEMA CAUSADO PELAS OLARIAS SÃO OS BURACOS DEIXADOS PELA RETIRADA DA ARGILA.
ESTE EMPRESÁRIO ACHOU UM JEITO DE APROVEITAR AS CRATERAS, RESULTADO DE TRINTA ANOS DE EXPLORAÇÃO NAS TERRAS DELE.
DE DEZ ANOS PARA CÁ, ELE INUNDOU OS BURACOS E COMEÇOU A CRIAR CAMARÕES – OUTRA ATIVIDADE IMPORTANTE NA CIDADE.

SONORA/FELIZARDO MOURA/CRIADOR DE CAMARÕES
DIZ QUE É UMA SOLUÇÃO PARA EQUILIBRAR O PROBLEMA DA CERÂMICA E QUE O FUTURO DA HUMANIDADE ESTÁ NA PROTEÍNA CRIADA EM CATIVEIRO.

OFF
BEM, QUANDO ESSA PROTEÍNA CAI NAS MÃOS DAS COZINHEIRAS DA DONA ROSA, NO DISTRITO DE PAJUÇARA, ELA SE TRANSFORMA EM DELÍCIAS COMO ESTAS...
QUE NÓS, EVIDENTEMENTE, TIVEMOS DE PROVAR...

SOBE-SOM/PAGLIA PROVA
DIZ QUE AGORA PODE SE SENTIR COMO UM HABITANTE DO RN, OU SEJA, UM POTIGUAR... QUE QUER DIZER... COMEDOR DE CAMARÃO! E DONA ROSA CONFIRMA E RI...
(USAR O SEGUNDO TAKE DA RESPOSTA DA DONA ROSA, QUANDO ELA, FINALMENTE, RI).

VT 14 – CORAÇÃO DE JESUS (MG)

OFF
DEIXAMOS NATAL DEBAIXO DE CHUVA.
CHEGAMOS A MONTES CLAROS, ONDE NÃO CHOVE HÁ SEIS MESES.

É NORMAL AQUI NO NORTE DE MINAS GERAIS, REGIÃO PRÓXIMA DO NORDESTE.
CORAÇÃO DE JESUS ESTÁ 76 QUILÔMETROS MAIS AO NORTE.
A CIDADE DE 25 MIL HABITANTES ANDA EM POLVOROSA. O ATUAL PREFEITO ESTÁ NO PODER À CUSTA DE DECISÃO JUDICIAL, DEPOIS DE TER SIDO AFASTADO POR PROBLEMAS COM AS CONTAS DO MUNICÍPIO.
PELA PRIMEIRA VEZ EM MUITOS ANOS, A TRADICIONAL VAQUEJADA NÃO ACONTECEU POR FALTA DE VERBAS.
MAS CORAÇÃO DE JESUS TEM UMA ESTAÇÃO DE TRATAMENTO DE ESGOTO E ALGO QUE MUITOS MUNICÍPIOS BRASILEIROS NEM CONHECEM: 76% DA POPULAÇÃO TEM ACESSO AO SERVIÇO DE ESGOTO. 86% TEM ÁGUA ENCANADA.
AS ESTRADAS RURAIS ANDAM MAL.

SONORA/MOTORISTA
DIZ QUE PAGA IMPOSTO E MERECIA COISA MELHOR.

OFF
EM COMPENSAÇÃO, CORAÇÃO DE JESUS FAZ A ALEGRIA DA TURMA DO MOTOCROSS.
A CIDADE GOSTA DE DIZER QUE TEM AS MELHORES PISTAS DO ESTADO.

SONORA/MOTOCICLISTA

OFF
MAS CORAÇÃO DE JESUS VIVE, MESMO, É DA PECUÁRIA E DA CARVOARIA.
A RETIRADA DA LENHA PARA AS SIDERÚRGICAS MINEIRAS JÁ CAUSOU DESMATAMENTO DO CERRADO.
E FEZ SECAR QUASE TODOS OS RIOS DO MUNICÍPIO.
NUM DESSES BARRANCOS SECOS, EM 2005, SURGIU UM TESOURO DA PRÉ-HISTÓRIA. O FÓSSIL DE UM DINOSSAURO.
O BIRA, COMO É CONHECIDO ESTE NATURALISTA AMADOR, PERCEBEU A IMPORTÂNCIA DOS OSSOS ENCONTRADOS POR UM VAQUEIRO.
CHAMOU OS CIENTISTAS DA USP. E ELES RETIRARAM O FÓSSIL, HOJE EM ESTUDOS NO MUSEU DE ZOOLOGIA DE SÃO PAULO.
BIRA, QUE RECEBEU A PROMESSA DE QUE O DINOSSAURO SERÁ BATIZADO COM O SEU SOBRENOME, MACEDO, NOS GUIOU, HOJE, ATÉ UM DOS INÚMEROS SÍTIOS ARQUEOLÓGICOS QUE DESCOBRIU NA REGIÃO.

CRUZAMOS PASTOS SECOS E ESTRADAS EMPOEIRADAS.
CHEGAR NÃO FOI FÁCIL...

PASSAGEM/BRINCADEIRA COM O QUILÔMETRO MINEIRO
BIRA DIZ QUE FICOU MEIO LONGE... MAS QUE VALE A PENA.

OFF
O DONO DA FAZENDA DEU CARONA E AJUDOU A ENCONTRAR O CAMINHO. DEPOIS DE UMA MATA E DO LEITO DE UM RIO SECO, CHEGAMOS A UMA GRUTA QUE, SEGUNDO BIRA, FOI DECORADA POR HOMENS PRÉ-HISTÓRICOS.

SONORA/BIRA
DIZ QUE ESPELEÓLOGOS DE BELO HORIZONTE DATARAM OS DESENHOS EM 12 MIL ANOS.

OFF
TRISTE É VER QUE VÂNDALOS DEPREDARAM ESTA PARTE DO PATRIMÔNIO HISTÓRICO DE CORAÇÃO DE JESUS E DO PLANETA.
ALGO CAPAZ DE CORTAR O CORAÇÃO... DE BIRA.

SONORA
DIZ QUE FICA MUITO TRISTE DE VER ESSA DEPREDAÇÃO, MUITO TRISTE PORQUE ELE JÁ VIU, MAS OS FILHOS, NETOS, BISNETOS, NÃO VERÃO. MAS, DESISTIR, JAMAIS.

VT 15 – COLÍDER (MT)

OFF
DECOLAMOS NUM CÉU ESTRANHAMENTE CINZENTO...

PASSAGEM/AVIÃO
PARECE UMA NÉVOA, MAS É FUMAÇA; E OLHA QUE AS QUEIMADAS ESTÃO PROIBIDAS ATÉ O DIA 30 DE SETEMBRO...

SOBE-SOM/POUSO DO CARAVAN NO MEIO DA NUVEM DE POEIRA

OFF
COLÍDER FICA A MEIA HORA DE VOO DE ALTA FLORESTA.
NÃO SE ENGANE COM A POEIRA.

AOS TRINTA ANOS, A CIDADE VIVE UMA ONDA DE PROSPERIDADE.
O LUGAR VIVE DA PECUÁRIA, MAS O BOI NÃO DÁ EMPREGO SÓ PARA VAQUEIRO.
O CHAPELÃO ESCONDE UM ELETRICISTA. VEIO PLANTAR ARROZ, HÁ 35 ANOS. HOJE, TRABALHA NUM DOS DOIS LATICÍNIOS DE COLÍDER.

SONORA/CÍCERO REINALDO/ELETRICISTA
DIZ QUE COLÍDER DEU MUITO CERTO PRA ELE, CONSTRUIU FAMÍLIA, TEM DUAS FILHAS CASADAS, AGORA É SÓ ELE E A PATROA...

OFF
OS QUEIJOS VÃO TODOS PARA SÃO PAULO. OS EMPREGOS GERAM RIQUEZA AQUI MESMO.

SONORA/CLAUDEMIR DO NASCIMENTO/GERENTE DO LATICÍNIO
DIZ QUE, EM COLÍDER, SÓ NÃO TRABALHA QUEM NÃO QUER. CHEGA A TER FALTA DE MÃO DE OBRA ESPECIALIZADA, DIZ ELE.

OFF
SÓ UM DOS DOIS FRIGORÍFICOS DA CIDADE OFERECE SEISCENTOS EMPREGOS.
OITOCENTOS BOIS SÃO ABATIDOS POR DIA. 20%, PARA PAÍSES COMO RÚSSIA, CHINA E VENEZUELA.
O PRÓXIMO ALVO É A EUROPA. PARA ISSO, A CARNE TEM ORIGEM CONTROLADA.

SONORA/MANOEL DORNELLAS/VETERINÁRIO – SERVIÇO DE INSPEÇÃO FEDERAL – MINISTÉRIO DA AGRICULTURA
DIZ QUE RASTREABILIDADE QUER DIZER QUE O CONSUMIDOR PODE SABER TODA A HISTÓRIA DA CARNE QUE COMPRA, ATÉ DE QUE FAZENDA VEIO E SE HOUVE DESMATAMENTO LÁ.

OFF
O FRIGORÍFICO É DA FAMÍLIA BIRTCHE.
NA DÉCADA DE 70, ESTES AÇOUGUEIROS DE MARINGÁ FORAM ATRAÍDOS A MATO GROSSO PELOS PROGRAMAS DE OCUPAÇÃO DA AMAZÔNIA PATROCINADOS PELO GOVERNO MILITAR.
HOJE, COM DOIS FRIGORÍFICOS, FÁBRICA DE ÓLEOS E BIODIESEL, ALÉM DA FROTA PRÓPRIA, ELES APOSTAM NO FUTURO DO LUGAR.

SONORA/CLEONIR BIRTCHE/EMPRESÁRIO
DIZ QUE A PECUÁRIA TEM DE SE CONCILIAR COM A PRESERVAÇÃO DA NATUREZA, QUE UMA NÃO EXISTE SEM A OUTRA.

OFF
PRESERVAR NUNCA PREOCUPOU OS FUNDADORES DE COLÍDER.
O CÁLCULO VARIA, MAS ELES DERRUBARAM ENTRE 76% E 82% DAS MATAS NATIVAS.
A FOTO NO GABINETE DO PREFEITO MOSTRA O ESTRAGO.

SONORA/CELSO BANAZESKI/PREFEITO DE COLÍDER
DIZ QUE OS PIONEIROS NÃO DERRUBARAM POR MALDADE, O INCRA EXIGIA DESMATAR PARA DAR TÍTULO DA TERRA, A SUCAM MANDAVA DERRUBAR MATA NA BEIRA DO RIO PRA CONTROLAR MALÁRIA.

OFF
HOJE, UM VIVEIRO PÚBLICO DISTRIBUI MUDAS. MAS DIFICILMENTE HAVERÁ REFLORESTAMENTO ALÉM DAS MARGENS DOS RIOS.
FOI INAUGURADA UMA ESTAÇÃO DE TRATAMENTO DE ESGOTOS. O MUNICÍPIO CONSTRÓI O ÚNICO SISTEMA DE LIXO EM MATO GROSSO COM ATERRO SANITÁRIO E COLETA SELETIVA.
NOVOS LOTEAMENTOS SÓ RECEBEM ALVARÁ SE ENTREGAREM ÁGUA ENCANADA, REDE DE ESGOTO E ASFALTO.
PREPARADA, COLÍDER QUER FICAR SÓ COM A PARTE BOA DA FUTURA HIDRELÉTRICA NO RIO TELES PIRES.
TOMARA QUE O PRÓXIMO SALTO DE CRESCIMENTO NÃO REPITA O PASSADO.
O CACIQUE RAONI TEM ALDEIA NA REGIÃO. JÁ VIVEU O SUFICIENTE PARA SABER QUE O PROGRESSO NEM SEMPRE RESPEITA A NATUREZA.

SOBE-SOM/RAONI FALA KAIAPÓ/CACIQUE RAONI
INTÉRPRETE FALA QUE RAONI DIZ QUE NÃO É CONTRA EMPRESA NEM EMPRESÁRIO, MAS QUE DESTRUIR A NATUREZA FAZ MAL PRA QUEM É ÍNDIO E PRA QUEM NÃO É.

VT 16 – JOINVILLE (SC)

OFF
O MATO GROSSO SE DESPEDIU DE NÓS COM UMA MULTIDÃO DE ABRAÇOS.

HOJE CEDO, JÁ ESTÁVAMOS EM JOINVILLE.
TERRA DE TRABALHADORES, FUNDADA POR IMIGRANTES, A CIDADE TEM ORGULHO DAS DELÍCIAS TRAZIDAS PELOS SUÍÇOS E ALEMÃES.
NOSSA CHEFE DE PRODUÇÃO PROVOU.

SOBE-SOM/ADRIANA
APROVADA!

OFF
INFELIZMENTE, EM FRENTE À PREFEITURA, O RIO CACHOEIRA ESCORRE SEM VIDA, POLUÍDO E ASSOREADO.

SONORA/ANTONIO JÚNIOR/MOTORISTA
QUANDO ERA PEQUENO, ELE PESCAVA ALI... MAS TEM ESPERANÇA DE QUE VOLTE A SER BOM.

OFF
A INDÚSTRIA METALÚRGICA É TÃO IMPORTANTE QUE A MAIOR FEIRA DO SETOR É FEITA NUM ANO EM SÃO PAULO, NOUTRO ANO, AQUI.

SONORA/DEVANIR BRICHESI/PRESIDENTE DA ABIFA
FALA DOS 20 MIL EMPREGOS GERADOS PELO SETOR SÓ NA CIDADE.

OFF
AQUI EM JOINVILLE FICA A MAIOR FUNDIÇÃO DA AMÉRICA LATINA.
DEPOIS DA CRISE DE 2009, A FÁBRICA JÁ RECONTRATOU MAIS DE MIL FUNCIONÁRIOS NESTE ANO.
7.200 OPERÁRIOS PRODUZEM BLOCOS E PEÇAS DE MOTOR PARA DEZ DAS MAIORES EMPRESAS AUTOMOBILÍSTICAS DO MUNDO.
O TRABALHO É PESADO. MILTON DÁ ACABAMENTO EM BLOCOS DE MAIS DE CEM QUILOS. MAURÍCIO CONTROLA O FLUXO DE METAL EM BRASA, A QUASE 1.300 GRAUS.
ALÉM DE TRABALHAR NA MESMA EMPRESA, OS METALÚRGICOS TÊM OUTRA COISA EM COMUM. OS FILHOS ESTUDAM NA MESMA ESCOLA...

SONORA/MAURÍCIO JOSÉ SIMON/METALÚRGICO
DIZ QUE É UM PRIVILÉGIO TER O FILHO ESTUDANDO NESSA ESCOLA.

SONORA/MILTON ALVES DE SOUZA/METALÚRGICO
DIZ ALGO DO GÊNERO, SEM REVELAR A ESCOLA...
EU CONVIDO OS DOIS PARA IR VISITAR A ESCOLA DOS FILHOS...

OFF
A ESCOLA DOS MENINOS É A ÚNICA FILIAL DO MUNDIALMENTE FAMOSO BALÉ RUSSO BOLSHOI.
AQUI, CRIANÇAS E JOVENS DE QUINZE ESTADOS BRASILEIROS E DO DISTRITO FEDERAL APRENDEM MÚSICA, TEATRO, INGLÊS, CULTURA GERAL E, PRINCIPALMENTE, BALÉ.

SONORA/VALDIR STEGLICH/PRESIDENTE DO BOLSHOI-BRASIL
DIZ QUE NÃO PRECISAMOS SÓ DE TRABALHO, MAS É PRECISO ARTE, CULTURA – FAZ BEM ATÉ PRA SAÚDE.

OFF
98% DOS ALUNOS, COMO OS FILHOS DOS DOIS OPERÁRIOS, RECEBEM BOLSAS, ALÉM DE TUDO O QUE PRECISAM PARA ESTUDAR OITO ANOS DE BALÉ.
OS GAROTOS TÊM DEZ ANOS. PASSARAM POR UMA SELEÇÃO RIGOROSA, PENEIRADOS ENTRE MAIS DE 20 MIL CANDIDATOS.
GANHARAM O DIREITO DE SONHAR ALTO, COM APOIO DOS PRÓPRIOS PAIS.

VT 17 – RIO LARGO (AL)

SOBE-SOM/REZADEIRAS

OFF
EM RIO LARGO, É COMUM APELAR PARA OS CÉUS.
E, DESDE A ENCHENTE DE JUNHO, TODA AJUDA É NECESSÁRIA.

O RIO MUNDAÚ DESTRUIU BAIRROS INTEIROS, ARRANCOU TRILHOS, REVIROU VAGÕES.

PASSAGEM/PONTE
ESTES APOIOS ERAM AS BASES DA PONTE DE FERRO CONSTRUÍDA PELOS INGLESES AINDA NO SÉCULO XIX. A PONTE FOI ARRASTADA PELAS ÁGUAS DO RIO MUNDAÚ E, AGORA, ESTÁ LÁ EMBAIXO. TODA A LIGAÇÃO FERROVIÁRIA ENTRE ALAGOAS E PERNAMBUCO, COM TRANSPORTE DE ÁLCOOL E AÇÚCAR, ESTÁ INTERROMPIDA. E, PELO MENOS POR ENQUANTO, NÃO HÁ NADA POR AQUI QUE INDIQUE ALGUMA TENTATIVA DE RECONSTRUÇÃO.

OFF
O TRILHO PARA MACEIÓ CONTINUA EMBAIXO D'ÁGUA.
O TREM DE PASSAGEIROS NÃO SAI DA ESTAÇÃO.

SONORA/JOSÉ MELO/RADIALISTA
DIZ QUE A PASSAGEM ATÉ MACEIÓ É DE CINQUENTA CENTAVOS. AGORA, O POVO TEM DE PAGAR DOIS REAIS E OITENTA CENTAVOS PARA IR PRA CAPITAL! NÃO DÁ PRA PAGAR!

OFF
A CHEIA DEIXOU QUASE TREZENTAS FAMÍLIAS SEM CASA.
226 DELAS ESTÃO NESTE ACAMPAMENTO.
AS BARRACAS BEM ALINHADAS ESQUENTAM DEBAIXO DO SOL, MAS DÃO PRIVACIDADE PARA QUEM ESTAVA MORANDO EM ESCOLAS. HÁ RECLAMAÇÕES DOS BANHEIROS QUÍMICOS E DA QUALIDADE DAS TRÊS REFEIÇÕES DIÁRIAS.

SONORA/TANIA TAVARES/COMERCIANTE DESABRIGADA
DIZ QUE A COMIDA NÃO TEM TEMPERO... QUE É RUIM. QUESTIONO O JULGAMENTO E ELA DIZ QUE PRECISA FALAR; E SE QUEIXA DO NÃO CUMPRIMENTO DA INSTALAÇÃO DE COZINHAS COMUNITÁRIAS.

OFF
A AFLIÇÃO DAS DONAS DE CASA É NÃO PODER FAZER A PRÓPRIA COMIDA.
COZINHAR NAS BARRACAS É UM PERIGO. HOJE, REGISTRAMOS UM PRINCÍPIO DE INCÊNDIO.

SOBE-SOM/CORRE-CORRE

OFF
QUEM FICOU COM PARENTES RECEBE UMA CESTA BÁSICA. MAS, ESTA SEMANA, A DOAÇÃO NÃO CHEGOU.

SONORA/RAQUEL TAVARES ACIOLI/DONA DE CASA
SE QUEIXA DE QUE NÃO RECEBEU A CESTA PROMETIDA PRA HOJE PORQUE DISSERAM QUE NÃO CHEGARAM MANTIMENTOS

SONORA/IVALDO DA SILVA/COORDENADOR DA DEFESA CIVIL (RIO LARGO)
CONFIRMA QUE AS DOAÇÕES DO GOVERNO DO ESTADO NÃO CHEGARAM E QUE OS ESTOQUES ACABARAM

OFF
A REPRESENTANTE DO GOVERNO ESTADUAL EXPLICOU QUE A ELEIÇÃO ATRAPALHA.

SOBE-SOM/JULIANA VERGETTI/SECRETARIA DE ASSISTÊNCIA E DESENVOLVIMENTO SOCIAL (AL)
DIZ QUE, EM ANO POLÍTICO, AS PESSOAS PRENDEM, AS PESSOAS DESVIAM...
ANTES DE ESTAR AQUI REPRESENTANDO O GOVERNO ACHO QUE A GENTE TEM QUE SER TÉCNICO E CIDADÃO; ACHO QUE ESTAS FAMÍLIAS NÃO MERECEM NEM ESTE TIPO DE... (EU DIGO "DISCUSSÃO") DISCUSSÃO, COMPLETA.

OFF
A DOMÉSTICA DESEMPREGADA SABE QUE NÃO VAI SAIR DO ACAMPA-
MENTO TÃO CEDO.

SONORA/MARIA QUITÉRIA SOARES/DOMÉSTICA
DIZ QUE VAI DEMORAR PELO MENOS UM ANO... MAS NÃO TEM OUTRO
JEITO; PRECISA ESPERAR.

OFF
307 CASAS COMEÇARAM A SER CONSTRUÍDAS NUM TERRENO NA EN-
TRADA DA CIDADE. MAS VAI DEMORAR PRA FICAR PRONTAS.
SONORA/EZEQUIEL DE LIMA/ENCARREGADO DA OBRA
DIZ QUE VAI DEMORAR UM ANO, PELO MENOS. A CHUVA ATRAPALHOU...

OFF
HOJE, UMA MÁQUINA TRABALHAVA NA LAMA QUE AINDA TOMA ESTA
RUA DO CENTRO DE RIO LARGO.
19 MILHÕES DE REAIS SERÃO APLICADOS NA RECONSTRUÇÃO DAS
PONTES.
A VIDA DEMORA A VOLTAR AO NORMAL.
MAS, NO ACAMPAMENTO, O BARBEIRO NÃO ESPERA SENTADO. CORTOU
O PREÇO PELA METADE E REABRIU O SALÃO LEVADO PELA CHEIA...

VT 18 – TEFÉ (AM)

OFF
UM SALTO DO NORTE PARA O NORDESTE, QUATRO HORAS E MEIA NO
VOO MAIS LONGO ATÉ AGORA.
POR SORTE, TEFÉ PODE RECEBER O NOSSO JATO.
ASSIM, AMANHECEMOS NA QUINTA MAIOR CIDADE DO AMAZONAS.
POVOADA HÁ CINCO SÉCULOS, TEFÉ É MUNICÍPIO HÁ 150 ANOS.
CRESCEU COM RUAS ESTREITAS, HOJE LOTADAS DE MOTOS – NOVE PARA
CADA AUTOMÓVEL.
O MOTOTÁXI SERVE A POPULAÇÃO QUE NÃO TEM TRANSPORTE PÚBLICO.
A CIDADE FICA NO ENCONTRO DOS RIOS TEFÉ E SOLIMÕES. DEPENDE DE
BARCO PARA QUASE TUDO – MAS NÃO TEM UM PORTO ATÉ HOJE.
PROBLEMA MAIOR É A ENERGIA. DOIS DOS DEZ GERADORES DA CIDADE
QUEBRARAM EM ABRIL, COMEÇO DA ÉPOCA MAIS QUENTE. DESDE EN-
TÃO, A CIDADE VIVE ENTRE APAGÕES E RACIONAMENTOS.

HOJE, O GERENTE LOCAL DA FORNECEDORA DE ELETRICIDADE NOS MOSTROU DOIS MOTORES QUE, ELE GARANTE, ENTRAM EM FUNCIONAMENTO NO SÁBADO.
MAS A ELETRICIDADE DE TEFÉ VAI CONTINUAR NA BASE DO ÓLEO DIESEL QUE VEM DE MANAUS POR RIO, CARO E POLUENTE.

SONORA/MANUEL HERMES DA SILVA/GERENTE DA ELETROBRAS-AMAZONAS ENERGIA-TEFÉ
DIZ QUE NÃO HÁ PLANOS DE TROCAR A FONTE DE ENERGIA DE TEFÉ.

OFF
O ISOLAMENTO DE TEFÉ É AGRAVADO PELA FALTA DE BANDA LARGA.
O MAIOR PROVEDOR DE INTERNET DA CIDADE DIZ QUE TEFÉ SÓ TEM LIGAÇÃO VIA SATÉLITE COM A REDE MUNDIAL. O QUE TORNA AS CONEXÕES LENTAS E CARAS.

SONORA/NORMANDO BESSA/PROVEDOR DE INTERNET
DIZ QUE PAGA 14 MIL REAIS POR MÊS POR UMA CONEXÃO QUE CHEGA À CASA DAS PESSOAS NO RIO, SÃO PAULO OU BRASÍLIA POR 39; POR ISSO, ELE PRECISA REPASSAR.

OFF
A ACADEMIA DE LETRAS OFERECE 150 VAGAS PARA CURSOS DE INFORMÁTICA.
HÁ NOVE ANOS, A CIDADE GANHOU UM CAMPUS DA UNIVERSIDADE ESTADUAL DO AMAZONAS.
DESDE ENTÃO, NÃO É PRECISO IR A MANAUS PRA FAZER FACULDADE.

SONORA//UNIVERSITÁRIA
TINHA MUITA VONTADE DE CURSAR LETRAS, ESTOU REALIZANDO MEU SONHO NESTA IDADE.

SOBE-SOM/TELEAULA

OFF
AULAS VIA INTERNET ATUALIZAM O PESSOAL DA SAÚDE PÚBLICA.
A POLICLÍNICA AFIRMA TER O ÚNICO APARELHO DE MAMOGRAFIA DO SUS EM FUNCIONAMENTO NO AMAZONAS. E A ÚNICA MÁQUINA DE DENSITOMETRIA ÓSSEA DO INTERIOR DO ESTADO.

MAS O DIFÍCIL É CONSEGUIR MÃO DE OBRA. A MAIORIA DOS MÉDICOS, COMO SE VÊ NESTAS RECEITAS, NÃO TEM REGISTRO OFICIAL. MUITOS SÃO ESTRANGEIROS, QUE TRABALHAM DE FORMA IRREGULAR NO PAÍS.

SONORA/CLÁUDIA DE OLIVEIRA/SECRETÁRIA DE SAÚDE-TEFÉ
DIZ QUE SÃO PERUANOS, COLOMBIANOS, GENTE QUE ESTÁ SALVANDO VIDA, JÁ QUE OUTROS NÃO QUEREM TRABALHAR AQUI.

OFF
A VIDA É DURA, O LUGAR É QUENTE E ISOLADO.
A BANDA CRIADA HÁ CINCO ANOS ENSINA MÚSICA AOS JOVENS E AJUDA A TRAZER ALEGRIA PARA ESTE MUNDO CERCADO POR ÁGUAS.

VT 19 – PINHEIRO (MA)

OFF
O JATO FICOU EM SÃO LUÍS.
FOMOS DE TURBO-HÉLICE PARA PINHEIRO.
MEIA HORA PRA FAZER A VIAGEM QUE LEVA CERCA DE TRÊS HORAS POR TERRA.
CRUZAMOS OS BELOS CAMPOS ALAGADOS – UMA ESPÉCIE DE PANTANAL MARANHENSE.
LOGO VIMOS OS BÚFALOS QUE SÃO MOTIVO DE POLÊMICA.
O MINISTÉRIO PÚBLICO ESTADUAL MOVE 44 PROCESSOS JUDICIAIS PARA OBRIGAR OS CRIADORES A CERCAR O GADO, TRAZIDO DA ÁFRICA NA DÉCADA DE 60.
PESADOS, CAPAZES DE COMER QUASE TUDO QUE ENCONTRAM, OS BÚFALOS SÃO ACUSADOS DE PREJUDICAR O MEIO AMBIENTE.
NA CIDADE DE CERCA DE 80 MIL HABITANTES, UMA DAS PRAÇAS HOMENAGEIA O PINHEIRENSE MAIS FAMOSO, O EX-PRESIDENTE JOSÉ SARNEY.
O ESTÁDIO MAIS ANTIGO DO MARANHÃO É CENÁRIO DE UM CAMPEONATO AMADOR VIBRANTE. 36 TIMES DISPUTAM A LIGA PINHEIRENSE. VÁRIOS CRAQUES VIRARAM PROFISSIONAIS.

SONORA/FILEMON GUTERRES/PRESIDENTE DA LIGA PINHEIRENSE DE FUTEBOL
DIZ QUE O FUTEBOL É ATIVIDADE SOCIAL, AFASTA DA DROGA E DO ÁLCOOL.

OFF
NAS RUAS, MUITA GENTE SE APROXIMOU PARA TRAZER QUEIXAS.
AS DISPUTAS POLÍTICAS PARECEM IMPEDIR O PROGRESSO DE PINHEIRO.

SONORA/CONCITA MARQUES/PROFESSORA MUNICIPAL
DIZ QUE A EDUCAÇÃO É RUIM.

SONORA/CRÉDITO NO DISCO/APOSENTADA
DIZ QUE NÃO TEM ÁGUA ENCANADA, PEGA ÁGUA NA PRAÇA PRA BEBER
E QUE A ÁGUA DO RIO É SUJA, USADA PARA LAVAR, BANHAR...

OFF
PINHEIRO NÃO TEM ESGOTO. HÁ FOSSAS NAS CALÇADAS, DIANTE DAS
CASAS. OS RESPIROS VAZAM DIRETO PARA A SARJETA. E TUDO ESCORRE
PARA A VALA DO GABIÃO – UM ESGOTO A CÉU ABERTO.

SONORA/IRAELZA RIBEIRA/FUNCIONÁRIA PÚBLICA
DIZ QUE O ESGOTO DESVALORIZA A PROPRIEDADE.

OFF
PINHEIRO É UM POLO DE COMÉRCIO PARA VINTE MUNICÍPIOS PARA A BAI-
XADA MARANHENSE.
A FEIRA TEM DE TUDO. MAS OS CONSUMIDORES DIVIDEM ESPAÇO COM
OS URUBUS.
CINCO ANOS ATRÁS, COMEÇARAM A CONSTRUIR UMA ÁREA DE LAZER
QUE FICOU INACABADA.
EM JUNHO, UM CASO DE PEDOFILIA CAUSOU ESPANTO NO PAÍS. UM LA-
VRADOR TEVE OITO FILHOS... COM AS PRÓPRIAS FILHAS.
A PRISÃO DELE DEFLAGROU UMA ONDA DE DENÚNCIAS. HOJE, HÁ OU-
TROS DEZESSETE ACUSADOS DE PEDOFILIA NA DELEGACIA REGIONAL.

SONORA/LAURA AMÉLIA BARBOSA/DELEGADA REGIONAL
DIZ QUE A POLÍCIA FAZ O POSSÍVEL COM OS POUCOS RECURSOS, E DEPEN-
DE DA AJUDA DA COMUNIDADE. DENUNCIAR É FUNDAMENTAL.

OFF
O PADRE LUIGI RISSO VEIO DA ITÁLIA HÁ CINQUENTA ANOS, DIRETO PARA
PINHEIRO. CONSTRUIU ESTRADAS, CLÍNICAS, POÇOS E, PRINCIPALMENTE,

ESCOLAS.
HOJE, 1.700 CRIANÇAS ENTRE DOIS E SEIS ANOS FREQUENTAM CRECHES MANTIDAS PELO PADRE PAGANDO VINTE REAIS POR MÊS. NÃO HÁ AJUDA OFICIAL. AS ESCOLAS SÃO MANTIDAS POR DOAÇÕES, PRINCIPALMENTE DO EXTERIOR.

SONORA/LUIGI RISSO/MISSIONÁRIO DO SAGRADO CORAÇÃO

OFF
O HOSPITAL REGIONAL É LIMITADO. CASOS MAIS GRAVES VÃO PARA SÃO LUÍS OU ATÉ PARA TERESINA, NO PIAUÍ.
O ESGOTO SEM TRATAMENTO POLUI O LINDO RIO PERICUMÃ E AS LAGOAS DOS CAMPOS VIZINHOS.
DONA MARIA SANTA TEM RESTAURANTE DE PEIXE NA BEIRA DO RIO.
A ESPECIALIDADE É A PIABA, O LAMBARI DO SUL E O DELICIOSO ENSOPADO DE BAGRE. TUDO COM A FAMOSA FARINHA DE MANDIOCA DE PINHEIRO.
O RESTAURANTE TEM TRINTA ANOS. DONA MARIA TEME PELO FUTURO DO RIO – E DO PRÓPRIO NEGÓCIO.

SONORA/MARIA SANTA/COMERCIANTE
DIZ QUE É PRECISO CUIDAR; E QUE ELA NÃO TROCA PINHEIRO POR LUGAR NENHUM.

VT 20 – BARBALHA (CE)

OFF
A SORTE FOI TIRADA NO *FANTÁSTICO*.

SOBE-SOM/VIVO

OFF
E DISPARAMOS PARA BARBALHA.
AO LADO DE JUAZEIRO DO NORTE E DO CRATO, BARBALHA FAZ PARTE DA REGIÃO METROPOLITANA DO CARIRI.
A MAIOR PARTE DO INTERIOR DO CEARÁ ENFRENTA A SECA. MAS ESTE PEDAÇO DE TERRA, AOS PÉS DA CHAPADA DO ARARIPE, TEM MUITA ÁGUA NO SUBSOLO.
ELA BROTA EM FONTES USADAS POR BANHISTAS, É VENDIDA POR TRÊS

ENGARRAFADORAS.
E REGA IMENSOS CANAVIAIS. QUE POUCOS ENGENHOS TRANSFORMAM NA MACIA RAPADURA BATIDA... A PREFERIDA DOS ROMEIROS.

SOBE-SOM/PAGLIA

OFF
BARBALHA TEM FÁBRICA DE VAGÕES, QUE EMPREGA TREZENTOS FUNCIONÁRIOS. OUTRO TANTO TRABALHA NA FÁBRICA DE CIMENTO.
SÓ METADE DA POPULAÇÃO TEM ACESSO À REDE DE ESGOTO. A CIDADE SE QUEIXA DA INVASÃO DAS MURIÇOCAS – COMO SÃO CHAMADOS OS PERNILONGOS POR AQUI...

SONORA/NAPOLEÃO TAVARES NEVES/MÉDICO E HISTORIADOR
DIZ QUE NÃO HÁ PREOCUPAÇÃO COM SANEAMENTO BÁSICO PORQUE FICA ENTERRADO, NÃO DÁ VOTO.

OFF
MAS É O MÉDICO DE OITENTA ANOS, EM PLENA ATIVIDADE, QUEM DESCREVE A GRANDE VOCAÇÃO DE BARBALHA...

SONORA/NAPOLEÃO NEVES
DIZ QUE BARBALHA SEMPRE FOI UM IMPORTANTE CENTRO MÉDICO.

OFF
HOJE, BARBALHA TEM QUASE QUINHENTOS LEITOS EM TRÊS GRANDES HOSPITAIS, ABERTOS AOS PACIENTES DE TODO O NORDESTE.
ESTE É REFERÊNCIA EM NEUROCIRURGIA. OUTRO, EM CARDIOLOGIA. O CENTRO RENAL JÁ FEZ 190 TRANSPLANTES.

ESTE OUTRO É UMA SANTA CASA. CERCA DE 70% DOS ATENDIMENTOS ACONTECEM PELO SUS.
TEM O ÚNICO BANCO DE LEITE MATERNO DO INTERIOR DO ESTADO.

SONORA/CLÁUDIA DA SILVA/CABELEIREIRA
DIZ QUE A FILHA FOI INTERNADA COM INFECÇÃO URINÁRIA E JÁ ESTÁ BEM MELHOR, QUE O HOSPITAL É ÓTIMO.

OFF
O HOSPITAL É REFERÊNCIA NO TRATAMENTO DE CÂNCER.
E TEM UM DOS DOIS ACELERADORES NUCLEARES DO INTERIOR CEARENSE.

SONORA/NILTON SANTOS/FÍSICO-MÉDICO
diz que o equipamento está em bom estado porque tem boa manutenção.

OFF
AS TRÊS UTIS, O PRONTO-SOCORRO, LEMBRAM HOSPITAIS CAROS DO SUDESTE.
TUDO COM O DINHEIRO CURTO DO SUS... COMO É POSSÍVEL?

SONORA/METON SOARES DE ALENCAR FILHO/RESPONSÁVEL TÉCNICO DA UTI DE ADULTOS
DIZ QUE O MILAGRE POR TRÁS DISSO É FEITO PELAS FREIRAS QUE NÃO RETIRAM NEM UM TOSTÃO. TUDO O QUE SE GANHA É REINVESTIDO NO HOSPITAL.

SOBE-SOM/FREIRAS REZANDO

OFF
AS IRMÃS BENEDITINAS DESTA ORDEM FUNDADA NA ALEMANHA ESTÃO EM BARBALHA HÁ SESSENTA ANOS.
A MAIS ANTIGA DELAS CRIOU O HOSPITAL.
ATÉ HOJE, AS RELIGIOSAS DIRIGEM A INSTITUIÇÃO.

SONORA/IRMÃ EDELTRAUT LERCH/FUNDADORA DO HOSPITAL
DIZ QUE A CIDADE FICA NO MEIO DO CAMINHO ENTRE FORTALEZA E O RECIFE, POR ISSO FOI ESCOLHIDA.

OFF
MAS SERÁ PRECISO FAZER MILAGRE PARA UM HOSPITAL FUNCIONAR BEM COM DINHEIRO PÚBLICO?

SONORA/IRMÃ ROSAMARIA DE LIRA/DIRETORA EXECUTIVA DO HOSPITAL
DIZ QUE LEIGOS PODEM ADMINISTRAR HOSPITAIS PÚBLICOS COM COMPETÊNCIA, BASTA PENSAR PRIMEIRO NOS POBRES, COMO ELAS FAZEM.

VT 21 – SÃO GONÇALO (RJ)

OFF
POUSAMOS NO AEROPORTO DO GALEÃO.
HOJE CEDO, JÁ ESTÁVAMOS NO CENTRO SUPERLOTADO DE SÃO GONÇALO.
A CIDADE CRESCEU PELO MENOS 100 MIL HABITANTES SÓ NOS ÚLTIMOS DEZ ANOS.
HOJE, A ESTIMATIVA É DE QUE A POPULAÇÃO JÁ TENHA ULTRAPASSADO UM MILHÃO DE HABITANTES. O QUE FAZ DE SÃO GONÇALO A SEGUNDA CIDADE DO ESTADO DO RIO, SÓ MENOR DO QUE A CAPITAL.
O TRECHO DA BR-101 QUE ATRAVESSA SÃO GONÇALO ATRAIU OS MIGRANTES, QUE FIZERAM DO JARDIM CATARINA O MAIOR LOTEAMENTO DO PAÍS.
300 MIL PESSOAS E NENHUMA INFRAESTRUTURA.

SONORA/JOSÉ CARLOS DA SILVA/PEDREIRO DESEMPREGADO
DIZ QUE O ESGOTO É JOGADO A CÉU ABERTO, QUE O LIXO SÓ É COLETADO UMA VEZ POR SEMANA. E NESSE INTERVALO? AH, JOGA NA BR...

SONORA/DANÚBIA DE SOUZA/AUXILIAR DE PRODUÇÃO DESEMPREGADA
DIZ QUE NÃO TEM ÁGUA ENCANADA, NÃO TEM ESGOTO, NÃO TEM NADA...

SONORA/WALMIR RAMOS/TÉCNICO DE CONTABILIDADE DESEMPREGADO
DIZ QUE O LUGAR É TRANQUILO, QUE A MAIORIA É DE GENTE HONESTA, MAS QUE ERA PRECISO FAZER ALGO PRA MELHORAR A VIDA...

OFF
A ESTAÇÃO DE TRATAMENTO DE ESGOTO FOI INAUGURADA NO ANO 2000.
NUNCA FUNCIONOU DIREITO. ANO PASSADO, FECHOU PARA REFORMA, QUE SÓ ACABA NO ANO QUE VEM.
ATÉ LÁ, OS 20% DO ESGOTO QUE SÃO CAPTADOS PELA REDE DA CIDADE VÃO CONTINUAR SEM TRATAMENTO E COM O MESMO DESTINO DO RESTANTE: A BAÍA DE GUANABARA.
A PRAIA DAS PEDRINHAS JÁ TEVE CAMARÃO, MARISCOS, BANHO DE MAR.
HOJE, DONA ROSE SÓ TEM FREGUESIA NO BAR ABERTO HÁ QUARENTA ANOS POR CAUSA DA PAISAGEM.

SONORA/ROSE DE OLIVEIRA/DONA DE BAR
EU DIGO QUE SÓ NÃO PODE OLHAR PRA BAIXO...
ELA RESPONDE QUE SE OLHAR VAI VER O LIXO, QUE O PÔR DO SOL É TÃO BONITO QUE NÃO DÁ PRA ACREDITAR... PENA QUE ESTEJA TUDO TÃO POLUÍDO.

OFF
OS SESSENTA PESCADORES DA ASSOCIAÇÃO DA PRAINHA QUE AINDA SE AVENTURAM NAS ÁGUAS POLUÍDAS JÁ SE HABITUARAM A RECOLHER DE TUDO NAS SUAS REDES...

SONORA/NEI PEREIRA COUTINHO/PESCADOR
DIZ QUE JÁ RECOLHEU UM SACO DE COLOSTOMIA... LIXO HOSPITALAR NA BAÍA.

OFF
AQUI MESMO, OS PESCADORES CONVIVEM COM A VIOLÊNCIA QUE MATOU 250 PESSOAS SÓ NO PRIMEIRO SEMESTRE. NO FIM DE SEMANA, UM TAXISTA FOI MORTO A TIROS EM PLENO DIA...

SONORA/FÁBIO DE OLIVEIRA/PESCADOR
DIZ QUE MATARAM O CARA COM TRÊS TIROS E ERAM NOVE DA MANHÃ.

OFF
CIDADE-DORMITÓRIO DO RIO DE JANEIRO, SÃO GONÇALO TEM TRÂNSITO DIFÍCIL. OS ÔNIBUS ENTOPEM O CENTRO. SÃO GONÇALO NÃO CONTA COM AS BARCAS QUE SERVEM A VIZINHA NITERÓI. NEM COM O TREM, DESATIVADO HÁ SEIS ANOS. UM LIXÃO JÁ OCUPOU OS TRILHOS ABANDONADOS.
MAS SÃO GONÇALO TEM UM PISCINÃO, REABERTO EM MAIO, DEPOIS DE FICAR ABANDONADO POR DOIS ANOS. O MANGUE DOS FUNDOS FOI PRESERVADO.
EM FRENTE, TEM UM SHOPPING.
ESTE OUTRO ESTÁ SENDO CONSTRUÍDO EM PLENO CENTRO.

SONORA/LUIZ VAZ/SUPERINTENDENTE DO SHOPPING
DIZ QUE AS PESSOAS COMPRAM EM NITERÓI. ELES QUEREM TRAZER OS MORADORES PARA COMPRAR EM SÃO GONÇALO; TEM PODER AQUISITIVO, SIM.

OFF
O INVESTIMENTO DE 150 MILHÕES DE REAIS DEVE FICAR PRONTO EM NOVEMBRO – VAI TER 240 LOJAS, SEIS CINEMAS, QUINZE LANCHONETES.

SONORA/MÁRIO DOS SANTOS/CÂMARA DE DIRIGENTES LOJISTAS – SÃO GONÇALO
DIZ QUE O EMPREENDIMENTO MOSTRA QUE SÃO GONÇALO ESTÁ CRESCENDO E QUE TEM FUTURO.

VT 22 – PLANALTINA DE GOIÁS (GO)

OFF
DESTINO SORTEADO, COMEÇA A NOVA JORNADA.
PLANALTINA DE GOIÁS É FILHA DA CONSTRUÇÃO DE BRASÍLIA.
DAÍ, O APELIDO.
"BRASILINHA" NÃO É MUITO GOIANA... A MAIORIA, AQUI, É DE NORDESTINOS E DESCENDENTES, ATRAÍDOS PELA NOVA CAPITAL.
O LUGAR CONTINUA A CRESCER SEM MUITA ORDEM.
FALTA ÁGUA...

SONORA/ISABELA NASCIMENTO/DONA DE CASA
DIZ QUE APANHA ÁGUA NA CASA DO IRMÃO...

OFF
O LIXO SE ACUMULA A CÉU ABERTO. NEM O QUE VEM DO HOSPITAL É SEPARADO.

SONORA/CATADOR
DIZ QUE É PERIGOSO, MAS QUE MUITA FAMÍLIA VIVE DE CATAR LIXO...

OFF
MESMO NA SECA, HÁ UM SURTO DE DENGUE.
SE PRECISAR DO HOSPITAL PÚBLICO, O DOENTE VAI TER DE ENTRAR NA FILA.

PASSAGEM/PAGLIA
O MOVIMENTO MOSTRA CLARAMENTE QUE A DEMANDA É ENORME...

OFF
OS CORREDORES ESTÃO CHEIOS DE GENTE CANSADA DE ESPERAR...

SONORA/NOME NO DISCO/OPERÁRIO
DIZ QUE O FILHO TÁ COM FEBRE E NÃO TEM PEDIATRA, DISCUTE COM A DIRETORA QUE DIZ QUE TEM, MAS TÁ OCUPADO...

OFF
PACIENTES CARREGAM O PRÓPRIO SORO DE UM LADO PARA O OUTRO, À PROCURA DE UM PREGO ONDE PENDURAR AS BOLSAS.

SONORA/NÁDIA FARIA/PSICÓLOGA
FALA DA FALTA DE CONDIÇÕES PARA DAR SAÚDE PARA AS CRIANÇAS NAQUELE AMBIENTE.

SONORA/SANDRA DA SILVA/ESTUDANTE
FALA DA PENA QUE SENTE AO VER O FILHO, COM FEBRE, DEITADO NUM BANCO DURO... MAS NÃO TEM OPÇÃO.

OFF
MANDAR PACIENTES PARA BRASÍLIA NÃO É SOLUÇÃO...

SONORA/ALDA MAIA/DIRETORA CLÍNICA
DIZ QUE OS HOSPITAIS DE BRASÍLIA SEGURAM MÉDICO, PACIENTE E AMBULÂNCIA POR CINCO, SEIS HORAS, SEM DAR ATENDIMENTO E DEIXANDO O MUNICÍPIO AINDA MAIS DESCOBERTO.

OFF
A SECRETÁRIA DE SAÚDE MOSTRA UM SURREAL MODELO DE CHEQUE. ENFEITOU A CERIMÔNIA EM QUE O DISTRITO FEDERAL PROMETEU AJUDA PARA EVITAR A EXPORTAÇÃO DE DOENTES PARA A CAPITAL.

SONORA/ERIKA DA SILVA/SECRETÁRIA DE SAÚDE – PLANALTINA DE GOIÁS
DIZ QUE ELES CONTRATARAM MÉDICOS COM A PROMESSA DE VERBA, MAS QUE O DINHEIRO NÃO CHEGA DESDE DEZEMBRO.

OFF
A MAIORIA, EM PLANALTINA, TRABALHA EM BRASÍLIA.
A ÚNICA EMPRESA DE ÔNIBUS COBRA QUATRO REAIS E 25 CENTAVOS PELA PASSAGEM.

SONORA/VALDINEIA NEVES/DOMÉSTICA
DIZ QUE PRECISA MENTIR QUE MORA EM OUTRO LUGAR PARA CONSEGUIR EMPREGO; PATRÃO NÃO QUER PAGAR PASSAGEM TÃO CARA...

OFF
LAZER, SÓ NA LAGOA FORMOSA.
A ÁREA DE PRESERVAÇÃO VEIO ATRASADA. AS MARGENS ESTÃO DESMATADAS.
APESAR DO LIXO E DE UMA ESTRANHA ESPUMA NA ÁGUA, O LUGAR FAZ A DELÍCIA DA CRIANÇADA.

SONORA/MARIA GORETE VIEIRA/DONA DE CASA
DIZ QUE TROUXE A FAMÍLIA TODA. VEIO TAMBÉM A GALINHADA... DO PIAUÍ, TERRA DELA.

OFF
COMIDA GOIANA É DIFERENTE. O ARROZ LEVA PEQUI, UMA FRUTA DO CERRADO QUE TEM MUITO ÓLEO.
E TEM FRANGO CAIPIRA, E LEITÃOZINHO, E QUIABO...

SONORA/WAGNER FABIANO/DONO DE RESTAURANTE
DIZ QUE A COMIDA TEM SUBSTÂNCIA, MAS QUE ELES TENTAM FAZER MAIS LIGHT...

SOBE-SOM/PAGLIA EXPERIMENTA
DIZ ALGO BRILHANTE, TIPO A COMIDA É UMA DELÍCIA.

OFF
SEM RAÍZES GOIANAS, OS FILHOS DOS CHACAREIROS APRENDEM VIOLÃO COM MÚSICA PANTANEIRA.
O PROFESSOR, VOLUNTÁRIO, VEM DE BRASÍLIA.

SONORA/SÉRGIO KOLODZILY/REGENTE
ARTE E MÚSICA NÃO COMBINAM COM DROGA E VIOLÊNCIA.

OFF
UMA ALEGRIA PARA QUEM TEM MAIS A ESPERAR DO FUTURO QUE DO PRESENTE...

SONORA/MENINOS
DIZEM QUE QUEREM SER CANTORES ETC., QUE A CIDADE É BOA, MAS É MELHOR NO SÍTIO.

SOBE-SOM/CANTORIA

VT 23 – CACOAL (RO)

OFF
VILHENA AMANHECEU DEBAIXO DE UM ESTRANHO CÉU BRANCO.
TROCAMOS O JATO PELO TURBO-HÉLICE, NUM VOO POR INSTRUMENTOS EM PLENO DIA DE SOL.

SONORA/CARLOS TOSCANO/PILOTO DE AVIÃO
DIZ QUE É PRECISO VOAR POR INSTRUMENTOS PORQUE A FUMAÇA DAS QUEIMADAS ATRAPALHA A VISIBILIDADE.

OFF
MEIA HORA DEPOIS, CACOAL APARECE NO HORIZONTE – GRANDE E PRÓSPERA, MESMO VISTA DE CIMA.

A PISTA É MAIOR QUE A DE CONGONHAS, EM SÃO PAULO. MAS O AEROPORTO AINDA NÃO TEM EQUIPAMENTOS.
O MESMO ACONTECE COM O HOSPITAL REGIONAL. O PRÉDIO FICOU PRONTO DEPOIS DE VINTE ANOS EM OBRAS, MAS AINDA ESTÁ VAZIO.
ESTE OUTRO HOSPITAL FOI ERGUIDO PELO ESFORÇO DA COMUNIDADE, DA IGREJA E DOAÇÕES DA ITÁLIA. MAS AINDA FALTAM 1,2 MILHÃO DE REAIS PARA COMPLETAR A OBRA.
CACOAL ESTÁ IMPLANTANDO O PRIMEIRO ATERRO SANITÁRIO DO ESTADO, PARA SUBSTITUIR O LIXÃO.
A CIDADE É CENTRO COMERCIAL DA REGIÃO. O SEGUNDO PRODUTOR DE CAFÉ DE RONDÔNIA.
TEM O QUARTO REBANHO BOVINO, QUE ABASTECE QUATRO FRIGORÍFICOS DA CIDADE.
O MAIS ANTIGO, CRIAÇÃO DESTE AÇOUGUEIRO PARANAENSE.

SONORA/ADILTON NOTÁRIO/PECUARISTA
DIZ QUE O RESULTADO FOI MUITO MELHOR DO QUE ELE PODIA ESPERAR.

SOBE-SOM/ÍNDIOS CANTAM E DANÇAM

OFF
CERCA DE 3.500 ÍNDIOS VIVEM NAS DUAS RESERVAS DO MUNICÍPIO.
ESTE CENTRO CULTURAL PERTENCE AOS SURUÍS-PAÍTER.
O LÍDER ALMIR SURUÍ ESTÁ NA SUÍÇA. O DIRETOR DO CENTRO DIZ QUE A TRIBO JÁ NÃO AUTORIZA O DESMATAMENTO, COMO ACONTECEU ATÉ O ANO PASSADO.

SONORA/CHICOEPAB SURUÍ/DIRETOR DE COMUNICAÇÃO
DIZ QUE ELES, AGORA, PRETENDEM REPLANTAR 300 MIL MUDAS NATIVAS ATÉ 2013.

OFF
A VIDA DE CACOAL É MARCADA PELA PRESENÇA DE MAIS DE 7 MIL UNIVERSITÁRIOS.
TEM 32 CURSOS NA CIDADE... ATÉ DE...

SOBESOM/MEDICINA
Medicina!

OFF
E QUEM NÃO É DAQUI?

SOBE-SOM/MONTE DE MÃOS LEVANTADAS

SOBE-SOM/UNIVERSITÁRIO FALA NA MESA DO BAR

OFF
A ECONOMIA DE CACOAL FATURA COM OS 60% DE UNIVERSITÁRIOS QUE VÊM DE FORA.
MUITOS PAGAM TREZENTOS REAIS POR MÊS EM QUITINETES NOS MAIS DE VINTE PEQUENOS PRÉDIOS CONSTRUÍDOS SÓ PARA ALUGAR.

SONORA/LEYDIANNE DE LIMA/ESTUDANTE DE FISIOTERAPIA
DIZ QUE APRENDEU A SE VIRAR COM A MÃE, E QUE GOSTA MUITO DE MORAR EM CACOAL; TALVEZ FIQUE TRABALHANDO, DEPOIS DE FORMADA.

OFF
O LUGAR ACOLHE BEM QUEM VEM DE FORA.
CUIABANO E DOURADENSE QUE O DIGAM...

SOBE-SOM/DUPLA SERTANEJA

VT 24 – LENÇÓIS PAULISTA (SP)

OFF
A ORGANIZADA LENÇÓIS PAULISTA TEM ALGO EM TORNO DE 62 MIL HABITANTES.
E MAIS DE 100 MIL LIVROS NA BIBLIOTECA.
HOMENAGEM AO ESCRITOR ORÍGENES LESSA, NASCIDO EM LENÇÓIS, A BIBLIOTECA É ORGULHO DA CIDADE.
E UM CENTRO CULTURAL.

SOBE-SOM/CONTADOR DE HISTÓRIA

OFF
MAS SERÁ QUE O POVO LÊ TANTO LIVRO?

SONORA/BRENDA GARCIA/ESTUDANTE
DIZ QUE PEGA LIVROS EMPRESTADOS. É MAIS BARATO DO QUE COMPRAR.

SONORA/NILCEU BERNARDO/DIRETOR DE CULTURA
DIZ QUE EMPRESTAM 150 LIVROS POR DIA E QUE RECEBEM MUITAS DOAÇÕES. ESTE ANO, FORAM 7 MIL.

OFF
AS ESCOLAS PÚBLICAS ESTÃO RESGATANDO AS SUAS FANFARRAS.
HÁ MÚSICA NO AR.

SOBE-SOM/MÚSICA

OFF
TRABALHO NÃO FALTA. SÓ ESTA RECICLADORA DE ÓLEO LUBRIFICANTE EMPREGA 1.500 PESSOAS.
DIZ SER A MAIOR EMPRESA DO SETOR EM TODA A AMÉRICA LATINA – A QUARTA DO MUNDO.

SONORA/CARLOS RENATO TRECENTI/PRESIDENTE DA EMPRESA
ESCOLHERAM A REGIÃO PARA INVESTIR E DEU CERTO. É REGIÃO BOA DE TRABALHAR PORQUE TEM MÃO DE OBRA QUALIFICADA (EDUCAÇÃO).

OFF
A BASE DA ECONOMIA ESTÁ NO CAMPO.
O EUCALIPTO OCUPA 18% DA ÁREA CULTIVADA. AQUI MESMO, VIRA PAPEL OU CELULOSE, EM MAIS DUAS FÁBRICAS DA CIDADE.
MAIS DA METADE DO MUNICÍPIO É DE CANAVIAIS.
A PRODUÇÃO É CONSUMIDA POR UMA DAS DEZ MAIORES USINAS DO PAÍS. VIRA AÇÚCAR, ÁLCOOL PARA MISTURAR COM GASOLINA E ABASTECER VEÍCULOS.

SONORA/CÉSAR MARTINS/GERENTE DE OPERAÇÃO
DIZ QUE NADA SE PERDE DA CANA. A VINHAÇA, DA PRODUÇÃO DO ÁLCOOL, VOLTA PARA O CAMPO, PARA SUPRIR FOSFATO. A TORTA DO AÇÚCAR É ADUBO. E A USINA É A ÚNICA DO BRASIL QUE RECOLHE A PALHA DA CANA NO CAMPO PARA PRODUZIR ENERGIA.

OFF
A CANA SÓ PODE SER COLHIDA MANUALMENTE SE A PLANTAÇÃO FOR QUEIMADA ANTES.
PARA EVITAR O PREJUÍZO QUE ISSO CAUSA AO MEIO AMBIENTE, A LEI EXIGE QUE TODA A COLHEITA EM TERRENO PLANO SEJA MECANIZADA ATÉ 2014.
CADA COLHEITADEIRA CUSTA MAIS DE 800 MIL REAIS...
A CABINA TEM AR-CONDICIONADO E ISOLAMENTO ACÚSTICO.
É TÃO LIMPA QUE VALDINÊS, EX-CORTADOR DE CANA, PREFERE TRABALHAR DE MEIAS.

SONORA/VALDINÊS LEME/OPERADOR DE COLHEDEIRA
DIZ QUE É BEM MELHOR TRABALHAR ASSIM ETC.

OFF
MAS CADA MÁQUINA SUBSTITUI NOVENTA CORTADORES DE CANA. E NEM TODOS SERÃO REAPROVEITADOS NA ERA DA MECANIZAÇÃO.
O TRABALHO MANUAL É PESADO. SETE HORAS E MEIA POR DIA. AGORA, OS 780 CORTADORES QUE RESTAM EM LENÇÓIS RECEBEM EQUIPAMENTO DE PROTEÇÃO, FAZEM REFEIÇÕES NO ÔNIBUS QUE OS TRANSPORTA E PODEM GANHAR ATÉ 1.200 REAIS POR MÊS.
MAS ELES SABEM QUE A PROFISSÃO DELES FOI CONDENADA PELO PROGRESSO. E TEMEM PELO FUTURO.

SONORA/CORTADORES SEM FUTURO

VT 25 – NOSSA SENHORA DO SOCORRO (SE)

OFF
HÁ TRÊS SÉCULOS, QUANDO CONSTRUÍRAM A IGREJA DE NOSSA SENHORA DO SOCORRO, A VILA DEDICADA À SANTA FICAVA LONGE, MUITO LONGE DE ARACAJU.
HOJE, QUEM VENCE OS DOZE QUILÔMETROS ENTRE A CAPITAL E A CIDADE DE SOCORRO QUASE NEM PERCEBE QUE MUDOU DE MUNICÍPIO...
A PARTE MODERNA DA CIDADE FOI PLANEJADA PARA SERVIR DE BAIRRO RESIDENCIAL PARA CERCA DE 100 MIL PESSOAS. NA MAIORIA, GENTE QUE TRABALHA EM ARACAJU. O TRANSPORTE É INTEGRADO AO SISTEMA DA CAPITAL.
A ESTABILIDADE ECONÔMICA E O AUMENTO DO PODER AQUISITIVO DA

"NOVA CLASSE MÉDIA" TRANSFORMOU A CIDADE-DORMITÓRIO EM MERCADO – E FEZ O COMÉRCIO LOCAL CRESCER ACIMA DA MÉDIA NACIONAL.
O MOVIMENTO ATRAIU ESTE EMPRESÁRIO, QUE PESQUISAVA ONDE CONSTRUIR UM SHOPPING.
ELE LANÇOU O EMPREENDIMENTO COM 56 LOJAS. VENDEU TÃO RÁPIDO QUE RESOLVEU DOBRAR O TAMANHO – E JÁ NEGOCIOU QUASE TUDO.

SONORA/EMANUEL TELES OLIVEIRA/EMPRESÁRIO
DIZ QUE PESQUISOU E QUE TUDO MOSTROU QUE A CIDADE COMPORTA O SHOPPING E QUE A PROCURA DOS CLIENTES CONFIRMA.

OFF
E NÃO É SÓ O COMÉRCIO.
HOJE, DEZ NOVAS INDÚSTRIAS ESTÃO SE INSTALANDO EM SOCORRO.
OS PREÇOS ALTOS DA CAPITAL E A PERSPECTIVA DE MÃO DE OBRA QUALIFICADA AQUI EM SOCORRO TROUXERAM ESTA FÁBRICA DE FIOS DE ALGODÃO. O EQUIPAMENTO DE ÚLTIMA GERAÇÃO JÁ ESTÁ INSTALADO, EM FASE DE TESTES.
120 NOVOS EMPREGOS.

SONORA/ISRAEL TRINDADE/ENGENHEIRO DA OBRA
DIZ QUE A MÃO DE OBRA É PREPARADA, O LUGAR É TRANQUILO E QUE ELE TEM ORGULHO DE SER SERGIPANO E É PRECISO PRESTIGIAR O ESTADO.

OFF
O CRESCIMENTO TRAZ EMPREGO. MAS AS INDÚSTRIAS VÊM SEM PAGAR IMPOSTOS, ATRAÍDAS POR INCENTIVOS.
A PREFEITURA NÃO VAI ARRECADAR NADA. E O GASTO SÓ TENDE A AUMENTAR, COM O AUMENTO DE 25% DA POPULAÇÃO PREVISTO PARA OS PRÓXIMOS CINCO ANOS.
ESTE BAIRRO SURGIU DE UMA INVASÃO. HOJE, PELO MENOS 6 MIL PESSOAS VIVEM AQUI, SEM NENHUMA INFRAESTRUTURA.

SONORA/JOSELITA DOS SANTOS/MORADORA
DIZ QUE O PROGRESSO É BOM MAS NÃO CHEGOU AQUI... NÃO TEM ASFALTO, NÃO TEM SANEAMENTO, NÃO TEM POSTO DE SAÚDE, NÃO TEM POLÍCIA...

OFF
NOSSA SENHORA DO SOCORRO SÓ TEM ESTE HOSPITAL PÚBLICO.
ELE ESTÁ COM O CENTRO CIRÚRGICO FECHADO, EM REFORMAS, DESDE

JUNHO DO ANO PASSADO. DEVE REABRIR COM O DOBRO DA CAPACIDADE, QUANDO A OBRA TERMINAR.
NA RECEPÇÃO, AS PESSOAS SÓ SE QUEIXAM DA FALTA DE ALGUMAS ESPECIALIDADES, COMO A ORTOPEDIA.

SONORA/NOME NO DISCO/RAPAZ QUE DESLOCOU O OMBRO
DIZ QUE CHEGOU COM O OMBRO DESLOCADO, O MÉDICO DISSE QUE SÓ PODIA ENCAMINHAR PARA ARACAJU, ELE MESMO BOTOU NO LUGAR...

SONORA/GENISETE DOS SANTOS/SUPERINTENDENDE – HOSPITAL REGIONAL JOSÉ FRANCO
DIZ QUE O HOSPITAL É DE MÉDIA E BAIXA COMPLEXIDADE, QUE CASOS MAIS GRAVES DE FATO VÃO PARA ARACAJU E/OU QUE A REFORMA DEVE ACABAR EM NOVEMBRO.

OFF
SOCORRO VIVE O QUE SE PODE CHAMAR DE DORES DO CRESCIMENTO.
O POVOADO TABOCA, ESTE BAIRRO POBRE, RECLAMA DAS EXPLOSÕES DA FÁBRICA DE CIMENTO VIZINHA, UMA DAS DUAS DO MUNICÍPIO.
A INDÚSTRIA NEGA RESPONSABILIDADE.
MAS OS MORADORES MOSTRAM RACHADURAS E JÁ RECEBERAM APOIO DO MINISTÉRIO PÚBLICO ESTADUAL.

SONORA/JOSÉ RUBENS DOS SANTOS/ASSOCIAÇÃO DOS MORADORES TABOCA
DIZ QUE O MINISTÉRIO PÚBLICO JÁ DEU PRAZO PARA RESOLVEREM O PROBLEMA.

OFF
O CRESCIMENTO DOS ÚLTIMOS TEMPOS AINDA NÃO TROUXE NADA DE BOM PARA DONA MARIA ILZA.
AO CONTRÁRIO. A MORADORA DO MANGUE ACUSA UMA EMPRESA VIZINHA DE ENVENENAR A ÁGUA E MATAR PEIXES E MARISCOS QUE SERVIAM DE SUSTENTO PARA A FAMÍLIA DELA.
SINAIS DE QUE NOSSA SENHORA DO SOCORRO PRECISA TRABALHAR PARA QUE O PROGRESSO SEJA BOM PARA A MAIORIA DOS SEUS MORADORES. E NÃO DESTRUA O QUE RESTOU DA NATUREZA.

SONORA/MARIA ILZA SANTOS/PESCADORA

DIZ QUE ALIMENTAVA OS FILHOS PESCANDO NA MARÉ... TODA SEXTA, PEGAVA MARISCO, VENDIA E FAZIA A FEIRA. HOJE, NÃO VEM MAIS NADA...
VT 26 – PARAÍSO (TO)

OFF
TROCAMOS O NORDESTE PELO NORTE DO PAÍS.
COMPLETAMOS 64 HORAS DE VOO LOGO DEPOIS DA DECOLAGEM!
ACORDAMOS EM PALMAS – E CONTINUAMOS A VIAGEM CRUZANDO O RIO TOCANTINS, TRANSFORMADO EM LAGO PELA REPRESA DA USINA DO LAJEADO.
PARAÍSO NASCEU EM 1958 NO ACOSTAMENTO DA BELÉM-BRASÍLIA.
HOJE, É POLO COMERCIAL PARA UMA REGIÃO QUE VIVE DA AGROPECUÁRIA.
A TURMA DA FOFOCA SE REÚNE NO POSTO. NESTA RODA, A BOLSA DE VALORES DE PARAÍSO!

SONORA/CLAUDENIR DE OLIVEIRA/PECUARISTA
DIZ QUE ALI FICA SABENDO DA VIDA DOS OUTROS, DO PREÇO DO GADO, DE TUDO.

SONORA/AUGUSTINHO LOPES/COMERCIANTE
DIZ QUE NEGÓCIO FECHADO ALI É CONFIRMADO E PAGO, NA BASE DO FIO DE BIGODE.

OFF
BOI, POR AQUI, TEM TRATAMENTO CINCO ESTRELAS.
ATÉ 5 MIL CABEÇAS PODEM DESCANSAR DO ESTRADÃO NO HOTEL PRA BOI DORMIR, QUE FORNECE ESTADA POR CINQUENTA REAIS A CARRETA...

SONORA/VINICIUS MELLO/PROPRIETÁRIO
DIZ QUE O TRATAMENTO CINCO ESTRELAS INCLUI RAÇÃO, ÁGUA, CAPIM ETC.

OFF
O PRÓPRIO DISTRITO INDUSTRIAL CRESCE POR CONTA DO CAMPO.
ESTE ABATEDOURO PROCESSA 40 MIL FRANGOS POR DIA.
SEMANA PASSADA, UMA EMPRESA DE SÃO PAULO ABRIU ESTA FILIAL PARA PRODUZIR SUPLEMENTO ALIMENTAR PARA O GADO.

SONORA/FERNANDO JOSÉ SCHALCH JR./RESPONSÁVEL TÉCNICO
EXPLICA QUE ESCOLHERAM PARAÍSO POR CAUSA DA LOGÍSTICA, A CIDADE FICA NO MEIO DE MARANHÃO, GOIÁS, PARÁ, E RECEBE E VENDE PARA TODO O PAÍS.

OFF
ATÉ A EDUCAÇÃO APOSTA NO AGRONEGÓCIO.

SONORA/SAMIRA TENÓRIO CAVALCANTI/PROFESSORA DE MICROBIOLOGIA DE ALIMENTOS
DIZ QUE A MÃO DE OBRA FORMADA ALI PODE TRABALHAR NOS LATICÍNIOS, INDÚSTRIAS DE ALIMENTOS ETC.

OFF
A ESCOLA FEDERAL TEM 750 VAGAS. FORMA TÉCNICOS AGROINDUSTRIAIS, ESPECIALISTAS EM INFORMÁTICA E MEIO AMBIENTE.
SONORA/KARINE BERARDO/PROFESSORA DE MEIO AMBIENTE
DIZ QUE O ESTADO INVESTE MUITO NA PRESERVAÇÃO PORQUE É JOVEM E PRECISA PRESERVAR PARA O FUTURO.

SOBE-SOM/MÚSICA DA SERRA DO ESTRONDO

OFF
A SERRA DO ESTRONDO É UMA ÁREA DE PRESERVAÇÃO.
TEM UMA CONCORRIDA *VIA CRUCIS* NA SEMANA SANTA.
MAS, COMO DIZ A MÚSICA ADOTADA PELA CIDADE, A MATA QUEIMA A CADA SECA. NESTE ANO, PASSOU POR UMA DAS MAIORES DESTRUIÇÕES. A CAUSA DO INCÊNDIO PODE TER SIDO A MESMA QUE DÁ NOME À SERRA – OS TROVÕES, FENÔMENO COMUM POR AQUI.

SONORA/MUNDICO X/DENTISTA

OFF
MAS, NESTE ANO, NÃO SE OUVIU MUITO ESTRONDO... NÃO CHOVE NO TOCANTINS DESDE MAIO.
PARAÍSO SOFRE COM A FALTA D'ÁGUA.

SONORA/FALTA DE ÁGUA

PASSAGEM/TOCANTINS JOVEM, TRADIÇÃO IMPORTADA DO MARANHÃO,
O CHAMBARIL

SONORA/ANDRÉ DA SILVA/REI DO CHAMBARIL
DIZ QUE O CHAMBARIL É FEITO COM CARNE DE SEGUNDA, DE TERCEIRA...
COZIDO POR DUAS HORAS.
EXPERIMENTO, BRINCO COM A PROPAGANDA VELHA DA FUNERÁRIA, ATRÁS DA BARRACA DO CHAMBARIL.
APROVO A COMIDA.

VT 27 – FEIRA DE SANTANA (BA)

OFF
COM A LUA POR TESTEMUNHA, ROMPEMOS MAIS UMA BARREIRA NOS CÉUS...
SOBE-SOM/COMANDANTE KEDE
COMPLETAMOS 50 MIL QUILÔMETROS PERCORRIDOS.

OFF
POUSAMOS EM SALVADOR... E, HOJE DE MANHÃ, MAIS 108 QUILÔMETROS DE ASFALTO ATÉ A PRINCESA DO SERTÃO...

SOBE-SOM/HINO

OFF
FEIRA DE SANTANA TEM HINO E SÍMBOLO – A ESCULTURA LEMBRA AS TROPAS DE BURRO DO PASSADO.

SOBE-SOM/ESTRADA

OFF
HOJE, O CRUZAMENTO DE ESTRADAS FAZ DE FEIRA DE SANTANA O MAIS IMPORTANTE ENTRONCAMENTO RODOVIÁRIO DO NORDESTE.
O ANEL DO CONTORNO VIVE CONGESTIONADO.
A MAIOR CIDADE DO INTERIOR DA BAHIA TEM O MAIOR CENTRO DE ABASTECIMENTO DO NORTE E NORDESTE.

É REFERÊNCIA DE COMÉRCIO, EDUCAÇÃO E SAÚDE PARA CERCA DE SE-
TENTA CIDADES NUM RAIO DE CEM QUILÔMETROS.
O NÚMERO DE HOMICÍDIOS ASSUSTA – SÓ NESTE ANO, JÁ ACONTECE-
RAM 294.
O TEATRO E O CENTRO DE CONVENÇÕES ESPERAM INACABADOS HÁ
QUATRO ANOS.
O SHOPPING LOCAL VAI CRESCER 30%, E GANHAR UM HOTEL E UM PRÉ-
DIO COMERCIAL DE DEZOITO ANDARES.
AS CONFECÇÕES REPRESENTAM UM TERÇO DAS INDÚSTRIAS.
SÃO 350 EMPRESAS, SETE MIL EMPREGOS. E PODIAM SER MAIS.

SONORA/LUCIANO PORTUGAL/
o empresário diz que agora que chega o verão, ele poderia contratar mais,
mas não há mão de obra qualificada disponível.

OFF

SOBE-SOM/PLANETÁRIO
OFF
O MUSEU DE TECNOLOGIA TEM UM PLANETÁRIO MODERNÍSSIMO. COM
UM ANO E NOVE MESES, JÁ RECEBEU MAIS DE 90 MIL VISITANTES.
O MONITOR MOSTRA AS 160 ANTENAS QUE OFERECEM INTERNET DE
GRAÇA PARA 35 MIL USUÁRIOS.
ESTE DONO DE TRANSPORTADORA É, TAMBÉM, PRESIDENTE DO AERO-
CLUBE... QUE NÃO TEM AEROPORTO ONDE VOAR!

SOBE-SOM/CACHORRO LATE NO AEROPORTO ABANDONADO

SONORA/JULIO FLÁVIO APOLINÁRIO/PRESIDENTE DO AEROCLUBE DE FEI-
RA DE SANTANA
DIZ QUE FAZ UM ANO E OITO MESES QUE O AEROPORTO ESTÁ FECHADO
POR FALTA DE SEGURANÇA...

OFF
O PEQUENO TERMINAL DE PASSAGEIROS JÁ PERDEU ATÉ OS EQUIPAMEN-
TOS BÁSICOS.
MAS A MAIOR IRONIA É QUE ESTA CIDADE SEM AEROPORTO... FABRICA
AVIÕES!
PEGADO À PISTA DESATIVADA, ESTE EMPRESÁRIO MONTA PEQUENOS AVI-

ÕES. DOIS DELES, PROJETADOS PELO PRÓPRIO SEU NOÉ, QUE HOJE ESTÁ PASSANDO O NEGÓCIO PARA O NETO.
SONORA/NOÉ DE OLIVEIRA SOUZA FILHO/EMPRESÁRIO
FALA DOS AVIÕES QUE EXPORTA PARA OS ESTADOS UNIDOS, CANADÁ ETC.

OFF
MAS A FÁBRICA ESTÁ AMEAÇADA. A PARTIR DO ANO QUE VEM, NOVAS REGRAS VÃO PROIBIR SEU NOÉ DE PRODUZIR CINCO DOS SEIS MODELOS FEITOS NA FÁBRICA.
CONVIDADO PARA LEVAR A PRODUÇÃO PARA OS ESTADOS UNIDOS OU PARA A ÍNDIA, O EMPRESÁRIO DE FEIRA DIZ QUE VAI RESISTIR.

SONORA/NOÉ DE OLIVEIRA SOUZA FILHO/EMPRESÁRIO
DIZ QUE QUER FICAR NO PAÍS DELE, ONDE ELE MONTOU SEU NEGÓCIO E VAI LUTAR PARA ISSO. SÓ SAI SE NÃO TIVER JEITO.

OFF
CONTRASTES DE UMA CIDADE QUE CRESCEU E, HOJE, MAL CABE NO VERSO DOS REPENTISTAS...

SOBE-SOM/REPENTISTAS

VT 28 – RIO GRANDE (RS)

OFF
TCHAU, SALVADOR.
OLÁ, PELOTAS.
TRÊS HORAS E MEIA DA BAHIA AO SUL DO RIO GRANDE DO SUL...
HOJE DE MANHÃ, MAIS CINQUENTA QUILÔMETROS DE ASFALTO PELO PAMPA, ATÉ RIO GRANDE.
A ANTIGA CAPITAL DOS GAÚCHOS TEM 273 ANOS DE HISTÓRIA.
CRESCEU NO ENCONTRO DA LAGOA DOS PATOS COM O MAR.
E NUNCA SE AFASTOU DELE.
O PORTO TROUXE RIQUEZA.
É O SEGUNDO MOVIMENTO DE CONTÊINERES DO PAÍS.
A AMPLIAÇÃO DO CANAL DE ACESSO ATRAIU AINDA MAIS CARGAS E INVESTIMENTOS.

SONORA/CARLOS RENATO RODRIGUES/PORTO DO RIO GRANDE

A PRODUÇÃO DO ESTADO SAI POR AQUI E ATÉ 2015 VÃO AUMENTAR A CAPACIDADE DO PORTO.
OFF
O POLO NAVAL SE AGITA COM ENCOMENDAS DE PLATAFORMAS PARA EXPLORAÇÃO DE PETRÓLEO.
O CRESCIMENTO ENFRENTA GARGALOS... CONGESTIONAMENTOS SÃO UM PROBLEMA.
BAIRROS POPULARES COMO ESTE SOFREM COM CARÊNCIAS COMUNS EM FAVELAS DE OUTRAS REGIÕES.

SONORA/LETÍCIA NOVAES/MORADORA
DIZ QUE AS CRIANÇAS NÃO PODEM BRINCAR, TEM RATOS, LIXO.

OFF
A CIDADE JÁ PESCOU MUITO.
MAS A CAPTURA PREDATÓRIA DIMINUIU OS CARDUMES, DIZ O DIRETOR DO MUSEU ONDE NASCEU O PRIMEIRO CURSO DE OCEANOGRAFIA DO BRASIL.

SONORA/LAURO BARCELLOS/DIRETOR DO MUSEU OCEANOGRÁFICO – FURG
DIZ QUE A VOCAÇÃO DE RIO GRANDE É O MAR, E A UNIVERSIDADE ESTUDA O MAR PARA PERMITIR QUE AS FUTURAS GERAÇÕES CONTINUEM A DESFRUTAR, APESAR DOS ERROS DO PASSADO.

OFF
O CENTRO DE CONVÍVIO DOS MENINOS DO MAR, DA FEDERAL DO RIO GRANDE, FORMA TREZENTOS ADOLESCENTES POR ANO.
ESTUDAM DE PANIFICAÇÃO E INFORMÁTICA A CONSTRUÇÃO NAVAL.

SONORA/DENER DA SILVA GAUTÉRIO/MONITOR
DIZ QUE O MAIS IMPORTANTE É APRENDER A TRADIÇÃO DA CONSTRUÇÃO DE BARCOS DE MADEIRA, QUE TEM MERCADO PRA ISSO...

SONORA/LUAN LEAL DE SOUZA/ESTUDANTE
DIZ QUE VAI FAZER BARCOS, QUE O AVÔ ERA MARINHEIRO, QUE TEM MERCADO PARA ISSO.

OFF

O MAR DEU A RIO GRANDE, TAMBÉM, A PRAIA DO CASSINO, QUE OS NATIVOS CHAMAM DE A MAIOR DO MUNDO.
AQUI ESTÁ TAMBÉM O TIME MAIS ANTIGO DO PAÍS, AFIRMAM OS ORGULHOSOS RIO-GRANDENSES.

O SPORT CLUB RIO GRANDE FOI FUNDADO EM 1900 POR IMIGRANTES ALEMÃES.

SONORA/VALDIR LIMA/GERENTE DE FUTEBOL

OFF
O "VOVÔ", COMO É CONHECIDO O TIME, FOI CAMPEÃO GAÚCHO UMA ÚNICA VEZ, MAIS DE SETENTA ANOS ATRÁS.
HOJE, JOGA NA SEGUNDONA DO ESTADUAL.
MAS APOSTA NO FUTURO DAS CATEGORIAS DE BASE, COLECIONADORAS DE TROFÉUS.

SOBE-SOM/GAROTADA
— QUEM VAI DAR TUDO PELO RIO GRANDE?
— EU, EU, EU!

OFF
RIO GRANDE PODE SE ORGULHAR TAMBÉM DA FIBRA DESTE ATLETA.
VLADIMIR DOS SANTOS FICOU CEGO AOS 35 ANOS.
NA LUTA PARA SUPERAR, O EX-PORTUÁRIO DESCOBRIU O ATLETISMO.
HOJE, NA CATEGORIA DELE, É O NÚMERO UM DA MARATONA.

SONORA/VLADIMIR DOS SANTOS/ATLETA
DIZ QUE COMEÇOU PARA MOSTRAR PARA A FILHA MAIS VELHA QUE É POSSÍVEL SUPERAR OBSTÁCULOS. HOJE, QUE VAI SER PAI DE NOVO, A RESPONSABILIDADE DOBROU.
O QUE DIZ PARA OS ELEITORES?
QUE NÃO VENDAM SEUS VOTOS, QUE SEJAM CONSCIENTES, QUE FAÇAM A MELHOR ESCOLHA POSSÍVEL, NÃO IMPORTA O CANDIDATO.

TRIPULAÇÃO

Adriana
Para resumir, o JN no Ar não existiria sem a Adriana David Caban. Produtora competentíssima, jornalista ágil e esperta, Adriana começou trabalhando em terra, quase um ano antes de o projeto decolar. Coordenou a equipe que fez o levantamento prévio das mais de quatrocentas cidades que poderíamos visitar. Participou da montagem do quebra-cabeça logístico que foi o planejamento da viagem. E, quando o Falcon 2000 decolou, ela estava a bordo, para continuar tornando viável a nossa expedição. Toda noite, tão logo o sorteio definia o nosso próximo destino, Adriana se pendurava aos celulares (eram vários...), abria o notebook e começava a preparar os passos seguintes, em contato direto com a gloriosa equipe de terra, no Rio de Janeiro.
Quando chegávamos às cidades, ela se transformava na repórter da segunda equipe, multiplicando a nossa capacidade de produção e enriquecendo as matérias.
Nas horas vagas, ela ainda pilotava, via telefone, a vida dos três filhos que ficaram no Rio.
Não é à toa que, desde 2002, Adriana participa de todas as coberturas eleitorais e da organização dos debates presidenciais.
Fez parte da produção da Caravana JN de 2006, quando a equipe do repórter Pedro Bial percorreu o país de ônibus.
Desde 2008, é produtora do núcleo de projetos especiais responsável pelos programas *Brasileiros* e *Globo Mar*.

Alfredo
Alfredo Bokel Filho foi o editor de internet do Projeto JN no Ar. Esse foi o título oficial. Na verdade, além de contar em textos, vídeos e fotos os bastidores da nossa jornada pelo país, assumiu competentemente os papéis de produtor, assessor de imprensa, "chefe do cerimonial"... Serviu de anteparo diante de "n" tentativas de assédio por parte de assessores, militantes,

ativistas e muitos chatos, também. Jornalista atento, foi sempre um par de olhos bem abertos a tudo que acontecia no nosso entorno, chamando a minha atenção para os temas que eu, envolvido com a captação da reportagem, corria o risco de não notar. E ainda atuou como coordenador da riquíssima interface com os internautas que colaboraram por meio do Blog do JN no Ar.
Alfredo nasceu em 21 de fevereiro de 1979, no Rio de Janeiro.
Formado em jornalismo pela PUC-Rio em 2001, fez pós-graduação em Development Journalism no Indian Institute of Mass Communication (IIMC), em Nova Déli, em 2009.
Entrou para a TV Globo em novembro de 2006. Desde então, é editor do site do *Jornal Nacional*.

Bruno
Bruno Alvarado é um jovem talentoso, um parceiro de cabina de comando que somou sua disposição à experiência do comandante Kede.
Bruno é de janeiro de 1987. Nasceu em Niterói, filho de piloto da Varig. O que explica a paixão precoce pela aviação.
Começou a carreira em 2003. Há quatro anos, é copiloto do Falcon 2000 do Táxi Aéreo Aerorio, locadora do avião que serviu ao JN no Ar.

Dennys
Dennys Leutz é repórter cinematográfico.
Velho marujo, ele faz parte do "núcleo duro" do grupo que deu origem à equipe do JN no Ar, a turma que trabalhou na primeira temporada dos programas *Globo Mar* e *Brasileiros*.
Dennys nasceu em Santos. Começou no jornalismo enquanto ainda trabalhava como projetista civil no famoso porto da cidade.
Entrou na carreira por meio da fotografia. Migrou para a televisão com a fundação da TV Tribuna, afiliada da Rede Globo em Santos.
Membro da equipe do *Jornal Nacional* em São Paulo desde 1995, já participou da cobertura de grandes eventos como a Copa do Mundo de 2006, na Alemanha, e as homenagens às vítimas dos ataques nucleares no Japão.
Profissional de primeira linha, Dennys é sempre requisitado para integrar as equipes do *Globo Repórter* e dos projetos especiais.
Conquistou os principais prêmios de jornalismo do país, entre eles o Vladimir Herzog, o Grande Prêmio Imprensa Embratel e o Ayrton Senna.

Flack
Felipe Flack Cartaxo é outro jovem e precoce aviador da nossa tripulação. Nascido em fevereiro de 1985, no Rio de Janeiro, Flack é piloto comercial desde os vinte anos de idade. Neto, sobrinho e filho de funcionários da antiga Varig, decidiu ser piloto aos onze anos. Aos 25, juntou-se a nós, como copiloto do Caravan.

Gigi
Gisele Machado foi a editora de imagens do JN no Ar. E também a encarregada de administrar boa parte das despesas, de providenciar os check-in e check-out de todos os hotéis, de abrir todas as portas nos aeroportos por onde passamos e onde trabalhamos. Depois de tudo isso, ela ainda editava brilhantemente a matéria do dia, escolhendo os melhores trechos das entrevistas e as imagens mais competentes. Além de ficar de olho em algum tropeço do meu texto.
Gigi nasceu para isso. Ela está na Globo desde 1992.
Trabalhou nos escritórios de Los Angeles e Nova York e participou da Caravana JN de 2006 que percorreu de ônibus o país. Profissional criativa e habilidosa, trabalha hoje no *Globo Repórter*. Mas já ajudou na execução e criação de vários programas como *Cem Anos Luz*, sobre a história do cinema mundial, e o *Globo Mar*.

Hailson
Hailson Barros do Carmo foi o primeiro técnico de sistemas de TV do JN no Ar. Trouxe a bordo a experiência da Caravana JN, de 2006. Profissional da Central Globo de Engenharia desde 1994, Hailson já atuou nas transmissões ao vivo de duas copas (Alemanha e África), uma olimpíada (Pequim) e muitos outros eventos jornalísticos, como o sequestro do ônibus da Linha 174, no Rio de Janeiro.

Comandante Kede
Reinaldo Leone Kede pilotou o Falcon 2000 do JN no Ar.
Profissional sério, de formação militar, habituado ao mundo formal da aviação executiva, Kede entrou com grande *fair-play* no clima descontraído da nossa equipe.
Nascido em março de 1957, no Rio de Janeiro, entrou para a Força Aérea Brasileira em dezembro de 1979.
Ficou na FAB até 1995, quando deixou o comando do Primeiro Esquadrão do Primeiro Grupo de Transporte de Tropas, sediado na Base Aérea dos Afonsos, no Rio de Janeiro.

Desde então, trabalha na aviação civil. Sua experiência pelos ares supera as 12 mil horas de voo. Mas ouso apostar que ele nunca viveu uma experiência tão original quanto a participação no JN no Ar...

Lúcio
Lúcio Rodrigues é um engenheiro que virou jornalista. Gaúcho de Passo Fundo, escapou dos números em 1985, ao botar uma câmera no ombro. Começou na terra natal, repórter cinematográfico da RBS, a afiliada da Rede Globo no sul do país.
Um ano e meio depois, Lúcio já estava na Globo. Fez jornalismo diário, *Globo Repórter*, *Fantástico*. Viajou o mundo, foi correspondente em Nova York de 2004 a 2007. E é um desses privilegiados jornalistas de imagem que conseguem equilibrar o cuidado estético com um olhar sedento pela notícia. Essa feliz somatória já lhe rendeu vários prêmios. Entre ele, dois Vladimir Herzog, dos quais muito se orgulha. Com razão.

Comissária Luciane
Quando me disseram que a tripulação do JN no Ar incluiria uma comissária de bordo, perguntei, dentro da minha vasta ignorância do mundo da aviação executiva: "Pra quê? Pra servir água e barrinha de cereais?".
Mal sabia que a carioca Luciane Duque Estrada Ferraz, nascida em setembro de 1971, seria a nossa garantia diária de uma refeição decente! Encarregada do abastecimento da aeronave, ela encontrava, a cada dia, o melhor fornecedor disponível nas cidades onde pousávamos. E nos oferecia um jantar completo, sempre aberto por uma magnífica salada. Esportista fanática (conseguiu encontrar academia para treinar até em Tefé!), ela fez questão de sempre fornecer uma dieta equilibrada.
Comissária desde 1992, começou na aviação comercial. Morou em Los Angeles, apaixonou-se pela rota do Japão. Estreante na Aerorio, começou encarando sem medo o desafio do JN no Ar. Sorte a nossa, que fomos beneficiários do trabalho competente de uma experiente profissional – e do instinto maternal represado pela distância dos dois filhos a quem ela dedica a vida.

Comissária Michelle
Michelle Campos Louro nasceu em março de 1975, em Leopoldina, interior mineiro. Começou na aviação comercial aos dezenove. Há quatro anos, trabalha na aviação executiva.
Sua passagem pela equipe do JN no Ar foi rápida, para cobrir a ausência temporária da comissária Luciane. Mas marcou pelo interesse no nosso tra-

balho. Logo no primeiro dia do seu embarque, fomos a Planaltina de Goiás. Michelle não se acanhou: pegou carona com uma das nossas equipes. E conheceu um pouco do nosso desafio diário de fazer decolar uma reportagem.

Paglia

Nasci paulistano em abril de 1959, filho de um jornalista italiano e uma gerente de vendas argentina. Comecei a trabalhar no jornalismo em 1979. Depois de dois meses e meio como repórter numa emissora de rádio paulistana, participei de uma greve decidida em assembleia do Sindicato dos Jornalistas. Como era previsível, fui demitido. No dia seguinte, valendo-me do contato de um repórter da Globo que havia conhecido num piquete, entrei no prédio da sede paulistana da emissora para sondar a possibilidade de trabalhar lá. Carlos Monforte abriu-me as portas da TV Globo, literalmente. No momento em que escrevo estas linhas, completo 31 anos no estabelecimento.

O JN no Ar foi, até agora, o maior desafio profissional que enfrentei. Meu papel na equipe foi descrito generosamente por William Bonner como o de "comandante". É uma licença poética do nosso editor-chefe. Cabe ao repórter, apenas, apontar os rumos para organizar o dia da equipe. Em equipes experientes como a que realizou a parte de campo do JN no Ar, cada profissional sabe exatamente o que tem que fazer para construir a melhor matéria possível.

Comandante Toscano

Carlos Belmiro Toscano esteve à frente do segundo avião do JN no Ar, o turbo-hélice Caravan.

O aviador é carioca e nasceu em fevereiro de 1967 no bairro das Laranjeiras. Filho de juiz de Direito, ignorou a pressão paterna para seguir a carreira jurídica e virou piloto comercial em 1992. Tem cerca de 9 mil horas de voo. No começo de 2010, tornou-se um dos poucos pilotos do mundo a atravessar o Atlântico num monomotor, ao trazer o Caravan da África do Sul para o Brasil. Durante o JN no Ar, Toscano garantiu a segurança nos deslocamentos para os locais mais remotos, onde o jato não podia pousar.

Ulisses

Ulisses Bernardo Mendes embarcou como responsável por todo o equipamento e operação de engenharia no apoio ao trabalho de captação de imagem e sons. O que significa que ele era o responsável por tornar possível o trabalho dos repórteres cinematográficos, zelando pelas câmeras e acessórios, além do apoio de campo na iluminação e na captação de áudio das cenas gravadas. Mas, além de desempenhar brilhantemente todas essas funções (e ainda dar uma mão em tudo o que fosse possível à sua volta, desde a ajuda às comissárias, sob protesto destas e dos passageiros, até a ajuda ao repórter, coletando informações paralelas nos abundantes contatos humanos que faz por onde passa), Ulisses ainda achou tempo para tirar mais de 3 mil excelentes fotografias, algumas das quais publicadas neste livro.

Ulisses tem energia de garoto, mas nasceu em junho de 1966, em São Paulo. Tem vinte anos de TV Globo, onde entrou, segundo ele, por acaso. A participação no JN no Ar foi a despedida do setor de Engenharia: fazendo justiça ao seu talento jornalístico, Ulisses, agora, é repórter cinematográfico no Departamento de Esportes da TV Globo.

Vinícius

Vinícius Ferraz é de Niterói, onde nasceu em novembro de 1985. Juntou-se à equipe já com o avião no ar, substituindo o Hailson, que precisou voltar para a base. Algo me diz que Vinícius, depois de cinquenta dias cobrindo a copa da África do Sul, precisava ficar no Rio de Janeiro, para dar atenção à família e tocar a faculdade de engenharia de telecomunicações. Mas, para nossa sorte, ele veio para o JN no Ar. Os pais, que lhe deram o nome como homenagem ao Vinicius de Moraes, talvez o preferissem poeta. Mas o cara é um técnico de mão-cheia. Sua experiência com as transmissões ao vivo da Caravana JN de 2006 e seu conhecimento técnico garantiram a qualidade do trabalho, sempre desempenhado ao ar livre, no meio do asfalto das pistas dos aeroportos país adentro.

GLOSSÁRIO

EDIÇÃO DE IMAGENS – É o trabalho de selecionar e organizar numa sequência lógica o material gravado no campo, intercalando-o com o off, a narração feita pelo repórter com base no texto escrito depois da captação do material bruto. Ver também "ilha de edição".

FLY-AWAY – Equipamento portátil para transmissões via satélite. É composto por uma antena parabólica dobrável que permite fazer conexões com satélites que levam o sinal à emissora, para retransmitir sons e imagens ao vivo ou gravados. Foi usada no JN no Ar para enviar as reportagens para a sede no Rio de Janeiro e também para as transmissões ao vivo.

ILHA DE EDIÇÃO – Conjunto de equipamentos usado para selecionar as imagens e sons e juntá-los ao texto narrado "em off" pelo repórter. Com a "ilha", o editor monta a reportagem garantindo que texto, sons e imagens componham-na de forma coerente. A ilha de edição usada no projeto JN no Ar foi configurada para torná-la o mais portátil possível. Gisele Machado, a editora, podia contar com um notebook carregado com o software de edição Avid Media. Para armazenar as matérias, um parrudo disco externo de um terabyte de memória. Um teclado externo, próprio para edição de imagens, e um mouse especial, facilitavam o trabalho. Assim como um monitor de LCD de dezenove polegadas. Para ingestar os discos gravados pelas equipes, foi usado um *deck* ótico de alta definição (uma espécie de *player*, ou exibidor, para rodar os discos especiais de 24 GB usados nas câmeras), capaz de fazer essa operação em alta velocidade. Ou seja, cada sessenta minutos de gravação de campo eram transferidos para o disco do notebook em apenas vinte minutos.

INGESTAR – Anglicismo derivado da palavra que pode significar absorver ou ingerir em inglês. No sentido usado pelos profissionais de telejornalismo, é o ato de transferir arquivos de áudio e vídeo em formato digital (ou de computador) do disco (ou outra mídia usada para armazená-los) para a memória ou disco rígido de um computador. Procedimento ainda demorado, que costuma desesperar os profissionais que dependem dele para o sucesso da edição de uma reportagem.

MATÉRIA – Jargão jornalístico para designar uma reportagem.

OFF – É a narração do texto da matéria, feita pelo repórter sem aparecer, e ilustrada pelas imagens.

PASSAGEM – Momento em que o repórter fala diretamente à câmera. Normalmente, serve para destacar uma situação ou local e equivale à abertura de um parágrafo num texto impresso.

SCRIPT – Roteiro da reportagem, composto pelo texto da narração e as indicações de edição (como trechos de entrevistas a serem usados, créditos de entrevistados, sobe-sons etc.).

SOBE-SOM – Indicação no script para o editor elevar o volume do áudio gravado junto com as imagens da matéria. Quando bem usado, pontua a narração do texto, enriquece e dá ritmo à edição.

SUNGUN – Equipamento portátil de iluminação. Normalmente, uma espécie de spot alimentado por uma bateria, que pode ser a da própria câmera.

PAUTA – Conjunto de indicações, informações e diretrizes para a realização de uma reportagem. Por extensão, o assunto abordado pela matéria jornalística.

PRODUTOR/PRODUTORA – Jornalista encarregado do levantamento de informações, pela logística e por fornecer à equipe de gravação todos os meios necessários para a realização da matéria. Pode atuar como um repórter que não "aparece" na TV (ou, como se diz no nosso meio, "não faz vídeo"). Foi o caso de Adriana Caban à frente da segunda equipe do JN no Ar.

SONORA – Jargão televisivo para designar o trecho da entrevista que é selecionado para constar da reportagem. O nome é um anacronismo – vem do tempo em que as câmeras não captavam o som das entrevistas. Somente alguns modelos faziam isso (as primeiras foram as lendárias CP's, novidade que revolucionou a cobertura jornalística da guerra do Vietnã). Na maioria dos casos, era preciso usar um gravador à parte. Daí existirem entrevistas sem som... e as sonoras.

TC – ou TIME CODE – Marcação do tempo transcorrido na gravação feita pelo relógio interno da câmera. É o "endereço" usado para localizar cada som ou imagem na sequência do material gravado. As câmeras profissionais gravam essa referência na própria imagem de uma forma que os números não aparecem na exibição da matéria. A contagem só é exibida quando a imagem é reproduzida no equipamento de edição.

VIVO – ou AO VIVO – Outro anglicismo, como tantos neste ramo. Significa transmissão de TV em tempo real, simultânea ao acontecimento.

VT – Iniciais de video tape, ou fita de vídeo, em inglês. Por extensão, designa a reportagem gravada na fita. O nome continua a ser usado, apesar de a mídia ter sido substituída por discos na maioria das emissoras.

A TORRE DE CONTROLE

TODOS OS SETORES da emissora estiveram disponíveis para prestar apoio à equipe do JN no Ar. Mas os oito profissionais apresentados abaixo ficaram diretamente envolvidos, garantindo a infraestrutura para os nossos deslocamentos e o levantamento e checagem de informações sobre as cidades a serem visitadas. Começaram a trabalhar em outubro de 2009 e só pararam quando desembarcamos de volta no Rio de Janeiro, no dia 30 de setembro de 2010.

Alexandre Mattoso – editor. Ficou encarregado de receber e encaminhar os VTS que enviávamos para o JN. Coordenou as entradas ao vivo e ainda nos acompanhou e ajudou imensamente quando estivemos em São Gonçalo (RJ).

André Modenesi – produtor. Fez o levantamento dos aeroportos onde o Falcon e o Caravan poderiam pousar e elaborou a lista das cidades a serem visitadas. E ainda nos prestou apoio checando e levantando informações enquanto estávamos em campo.

Happy Carvalho – produtora. Ajudou no levantamento das pautas dos municípios do sorteio. Dividiu com Renata Rodrigues o trabalho de apoio.

Monica Labarthe – produtora. Ajudou na elaboração das pautas.

Mauro Bentes – Departamento de Segurança. Após cada sorteio, checava os destinos e providenciava a segurança local para equipes e aeronaves.

Renata Rodrigues – produtora. Fez contato com todos os aeroportos, Aerorio, Infraero, DAC, ANAC. Foi também a pessoa que, enquanto voávamos, resolvia a logística de hotel e carros.

Ricardo Pereira – editor-executivo do *JN*. Foi o responsável pela avaliação das matérias, pelo conteúdo das entradas ao vivo, pela difícil gerência do tempo dos vts.

Roberto de Martin – produtor. Levantou as pautas das 465 cidades que poderiam ser visitadas por nós. E também apoiou as equipes durante as gravações.

Copyright © 2011 by Editora Globo S. A. para a presente edição
Copyright © 2011 by Ernesto Paglia
Copyright © 2011 TV Globo

Preparação de texto: Ronald Polito
Revisão: Maria A. Medeiros
Projeto gráfico, capa e paginação: epizzo
Mapas: José Carlos Chicuta
Fotografias: Ulisses Mendes e Alfredo Bokel

Texto fixado conforme as regras do novo Acordo Ortográfico da Língua Portuguesa (Decreto Legislativo nº 54, de 1995).

Todos os direitos reservados. Nenhuma parte desta edição pode ser utilizada ou reproduzida – por qualquer meio ou forma, seja mecânico ou eletrônico, fotocópia, gravação etc. – nem apropriada ou estocada em sistema de banco de dados, sem a expressa autorização da editora.

1ª edição, 2011
1ª reimpressão, 2011
Impressão e acabamento: Yangraf

Dados Internacionais de Catalogação na Publicação (CIP)
(Câmara Brasileira do Livro, SP, Brasil)

Paglia, Ernesto
    O diário de bordo do JN no Ar / Ernesto Paglia. --
São Paulo : Globo, 2011.

   ISBN 978-85-250-1842-7

   1. Jornal Nacional (Programa de televisão)
2. Jornalismo - Aspectos políticos - Brasil
3. Repórteres e reportagens 4. Telejornalismo -
Aspectos sociais - Brasil I. Título.

11-03849   CDD-070.1950981

Índices para catálogo sistemático:
1. Jornal Nacional : Diário de bordo : Jornalismo
070.1950981

EDITORA GLOBO S.A.
Av. Jaguaré, 1485 – São Paulo, SP, Brasil
05346-902
www.globolivros.com.br

Licenciamento: